音声の再生方法 （音声アプリ「**いいずなボイス**」） 無料

スマートフォン・タブレットで，本書の音声を聞くことができます。

①【アプリのインストール】

スマートフォン・タブレットから，アプリストア（iOSの場合「App Store」，Androidの場合「Google Playストア」）でアプリ「いいずなボイス」を検索し，インストールします。

（アプリのダウンロード・利用は無料です。）

＊アプリをインストールする代わりに，https://iizuna-qrdl.com/voice-web/ にアクセスすることで，web上でもご利用いただけます。書籍登録や音声の再生方法などはアプリと同様です。

②【アプリへの書籍登録（初回のみ）】

「いいずなボイス」を開くとQRコード読み取り画面になるので，**右の書籍認識コードを2つとも読み取り**，本書『聴く・話す基礎力を身につけるトレーニング』を登録します。書籍認識コードは，一度登録すれば再度読み取りを行う必要はありません。

（本書以外の書籍を利用する場合は，書籍ごとに読み取りが必要となります。）

『聴く・話す基礎力を身につける
トレーニング』
専用書籍認識コード

③【音声の再生】

本書の学習に合わせて，（読み取り）ボタンを押し，音声を聞きたい箇所のQRコードを読み取ると音声が流れます。

※iOS端末をお使いの場合，（再生）ボタンを押してください。

▶ 各章で再生される音声については，「本書の構成」「トレーニングの方法」，各章の中扉でご確認ください。

④【再生画面の表示・操作】

再生画面には，「Step 1　001」など，取り組んでいる箇所が表示されます。

▶ （次へ）ボタンを押すと，次の音声を聞くことができます。
※iOS端末をお使いの場合，（次へ）ボタンのあと，（再生）ボタンを押してください。

※お使いのスマートフォン・タブレットの機種やOSのバージョン，アプリのバージョンアップ等により，画面表示は異なる場合がありますが，基本的な使用方法は同じです。

完全準拠音声トレーニングブック

聴く・話す基礎力を身につけるトレーニング

IIZUNA SHOTEN

はじめに

英語の文を理解したり，英語で何かを表現したりするためには，英語という「ことば」のルールを知らなければなりません。このルールが「文法」です。文法には覚えなければならないことがたくさんありますが，ただ覚えるだけでは使いこなすことはできません。「なぜ」そういうルールになっているのか，そのルールに従わないとどうなってしまうのかを理解することが大切なのです。

『総合英語 Evergreen』ではこのようなメッセージを巻頭に記しました。文法を「理解」することはもちろん大切ですが，そこで終わってしまっては「表現」にはたどりつけません。「理解」を「定着」させ，さらに「身体化」することで文法はアクティブに動き出すのです。「身体化」とは，文法を意識せずに英語で言いたいことを表現できるようになることです。みなさんが自転車に乗れるようになったときのことを思い出してください。まずはどうやって自転車に乗るのかを教えてもらいます。補助輪を付けた人も多いでしょう。そして，練習を重ねてやっと乗れるようになります。そのあとは，乗り方を意識することはなくなります。「文法」も「自転車の乗り方」と同じです。知識を定着させて身体化させてしまえば，あとは意識することなく英語で発信できるようになるのです。

ここで必要なのが「練習」です。練習を重ねないと文法を身体化することは絶対にできません。その練習のために編集されたのがこのトレーニングブックなのです。

本書は『総合英語 Evergreen』の完全準拠トレーニングブックです。

参考書には全部で457のTARGETがありますが，その例文をすべて扱っています。そして，例文を使ったトレーニングを次のように行います。

① TARGET例文を覚える！

まず，基本文法が盛り込まれたTARGET例文を覚えます。どんどんインプットして例文のストックを増やしていきます。この段階では，聞き取って意味がわかること，日本語から英語にできることも確認します。

② TARGET例文をアレンジする！

例文がインプットされたら，それらがどのような状況で使われるのか，またどのようにアレンジできるのかを確認します。例文をストックから取り出して，適切に使うことができるようにするのです。

③ TARGET例文を使いこなす！

最後は「話す」トレーニングです。録音された音声に合わせて，その状況に合う発話ができるように何度も何度も声に出してみましょう。

「文法を意識しすぎて話せない」と言う人がいますが，それは適切なトレーニングを行っていないからです。あれこれ迷うことなく適切な表現ができるようになるまでトレーニングを重ねてください。気づかないうちにさまざまな表現が身体に染み込み，文法を意識しなくても話すことができるようになるでしょう。

2021年8月　著者一同

もくじ

本書の構成

本書はStep 1とStep 2の2部構成になっています。2種類のトレーニングを重ねることで英語の基本が身につき，リスニングとスピーキングの基礎力を養成することができます。

Step 1は『総合英語 Evergreen』のTARGET例文を覚えるステップです。

●『総合英語 Evergreen』のTARGET例文の番号です。001 は参考書のPart 2の例文，006 はPart 3の例文です。正しく聞き取ることができて例文の意味も理解できたら，ボックス（□）にチェックを入れ（☑），進行状況がわかるようにしましょう。

●QRコードを読み取ることで，音声を聞くことができます。QRコードの上の番号は例文の番号に対応しています。

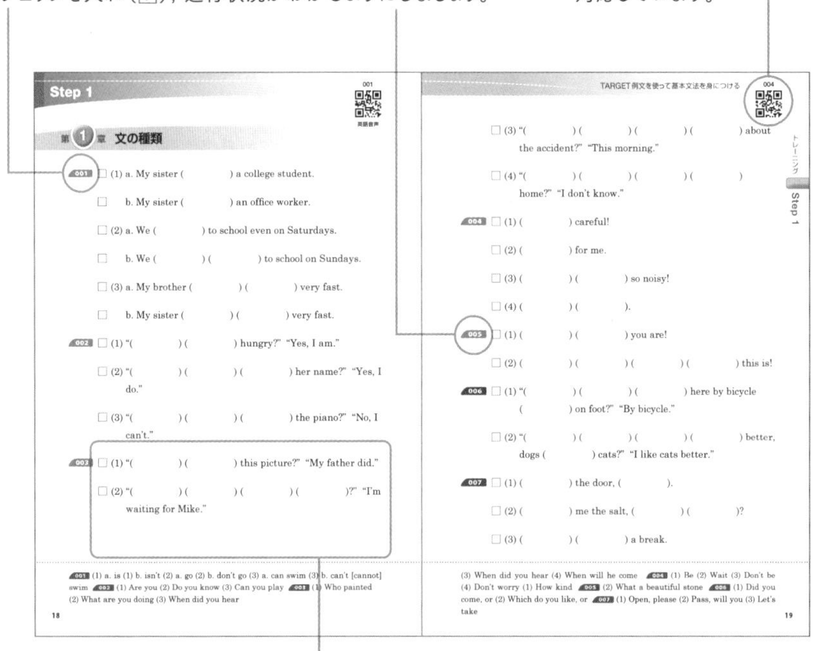
Step 1

001 英語音声

第1章 文の種類

001 □ (1) a. My sister (　　) a college student.

□ b. My sister (　　) an office worker.

□ (2) a. We (　　) to school even on Saturdays.

□ b. We (　　) (　　) to school on Sundays.

□ (3) a. My brother (　　) (　　) very fast.

□ b. My sister (　　) (　　) very fast.

002 □ (1) "(　　) (　　) hungry?" "Yes, I am."

□ (2) "(　　) (　　) (　　) her name?" "Yes, I do."

□ (3) "(　　) (　　) (　　) the piano?" "No, I can't."

003 □ (1) "(　　) (　　) this picture?" "My father did."

□ (2) "(　　) (　　) (　　) (　　)?" "I'm waiting for Mike."

001 (1) a. is (1) b. isn't (2) a. go (2) b. don't go (3) a. can swim (3) b. can't [cannot] swim 002 (1) Are you (2) Do you know (3) Can you play 003 (1) Who painted (2) What are you doing (3) When did you hear

18

TARGET例文を使って基本文法を身につける

004

□ (3) "(　　) (　　) (　　) (　　) about the accident?" "This morning."

□ (4) "(　　) (　　) (　　) (　　) home?" "I don't know."

004 □ (1) (　　) careful!

□ (2) (　　) for me.

□ (3) (　　) (　　) so noisy!

□ (4) (　　) (　　).

005 □ (1) (　　) (　　) you are!

□ (2) (　　) (　　) (　　) (　　) this is!

006 □ (1) "(　　) (　　) (　　) here by bicycle (　　) on foot?" "By bicycle."

□ (2) "(　　) (　　) (　　) (　　) better, dogs (　　) cats?" "I like cats better."

007 □ (1) (　　) the door, (　　).

□ (2) (　　) me the salt, (　　) (　　)?

□ (3) (　　) (　　) a break.

(3) When did you hear (4) When will he come 004 (1) Be (2) Wait (3) Don't be (4) Don't worry 005 (1) How kind (2) What a beautiful stone 006 (1) Did you come, or (2) Which do you like, or 007 (1) Open, please (2) Pass, will you (3) Let's take

トレーニング Step 1

19

●文法のポイントとなる箇所が空所になっています。音声を聞いて空所を埋め，文を完成させます。解答はページ下部に掲載されていますから，正確に聞き取れたかどうか確認します。英文の意味はp.247～の「Step 1 日本語訳」で確認します。例文の日本語訳を見て英語で言えるようにしましょう。

「日本語訳」のQRコードを読み取ると，日本語の音声を聞くことができます。日本語を聞いて英語にすることができるか確認します。

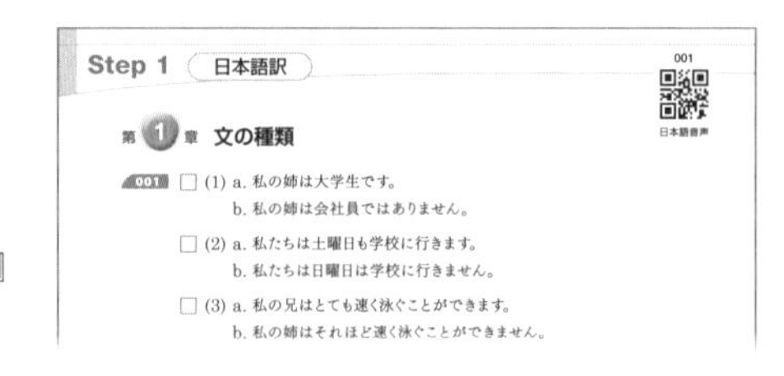
Step 1 日本語訳

001 日本語音声

第1章 文の種類

001 □ (1) a. 私の姉は大学生です。

b. 私の姉は会社員ではありません。

□ (2) a. 私たちは土曜日も学校に行きます。

b. 私たちは日曜日は学校に行きません。

□ (3) a. 私の兄はとても速く泳ぐことができます。

b. 私の姉はそれほど速く泳ぐことができません。

●ポイントとなる文法は参考書『総合英語 Evergreen』で確認します。形と意味をしっかり結びつけましょう。

Step 2はStep 1で覚えた例文を使えるようにするステップです。

●『総合英語Evergreen』のTARGET例文の番号です。日本語を見て右ページの英文の空所を埋めることができたらチェックを入れます(☑)。正解は「Step 2スクリプト」で確認します。

●TARGET例文が使われる文脈や場面をイメージできるように，会話にしたり文を加えたりしてあります。例文はそのままのものも，状況に合わせてアレンジしてあるものもあります。下線が引かれている部分は，右ページでは空所になっています。

●このマークが付いている語句は，ページ下部に対応する英語を示しています。

●左ページのQRコードを読み取ることで，音声を聞くことができます。この音声は英語で，下線部分がブランクになっています。QRコードの上の番号は例文の番号に対応しています。

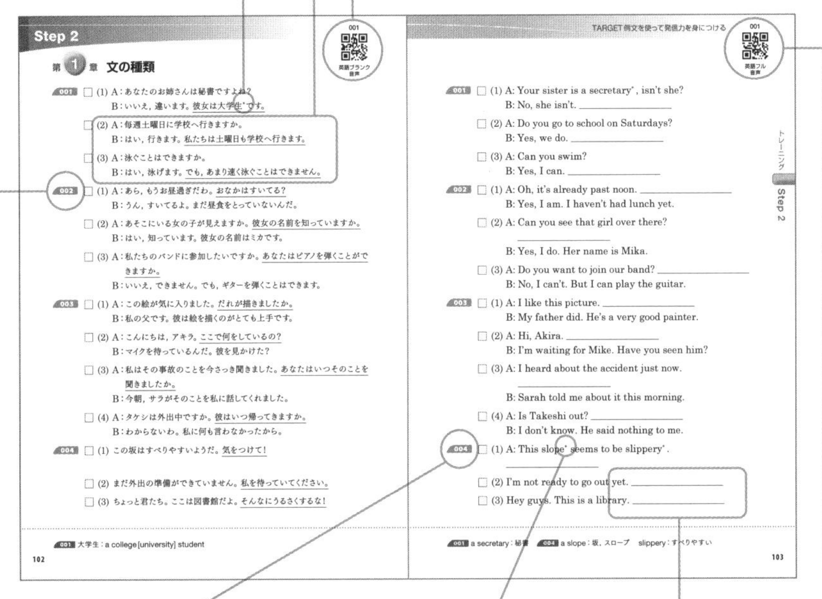

Step 2

第1章 文の種類

001 英語ブランク音声

001 □ (1) A：あなたのお姉さんは秘書ですよね？
B：いいえ，違います。彼女は大学生*です。

□ (2) A：毎週土曜日に学校へ行きますか。
B：はい，行きます。私たちは土曜日も学校へ行きます。

□ (3) A：泳ぐことはできますか。
B：はい，泳げます。でも，あまり速く泳ぐことはできません。

002 □ (1) A：あら，もうお昼過ぎだわ。おなかはすいてる？
B：うん，すいてるよ。まだ昼食をとっていないんだ。

□ (2) A：あそこにいる女の子が見えますか。彼女の名前を知っていますか。
B：はい，知っています。彼女の名前はミカです。

□ (3) A：私たちのバンドに参加したいですか。あなたはピアノを弾くことができますか。
B：いいえ，できません。でも，ギターを弾くことはできます。

003 □ (1) A：この絵が気に入りました。だれが描きましたか。
B：私の父です。彼は絵を描くのがとても上手です。

□ (2) A：こんにちは，アキラ。ここで何をしているの？
B：マイクを待っているんだ。彼を見かけた？

□ (3) A：私はその事故のことを今さっき聞きました。あなたはいつそのことを聞きましたか。
B：今朝，サラがそのことを私に話してくれました。

□ (4) A：タケシは外出中ですか。彼はいつ帰ってきますか。
B：わからないわ。私に何も言わなかったから。

004 □ (1) この坂はすべりやすいようだ。気をつけて！

□ (2) まだ外出の準備ができていません。私を待っていてください。

□ (3) ちょっと君たち。ここは図書館だよ。そんなにうるさくするな！

001 大学生：a college [university] student

102

TARGET例文を使って発信力を身につける

001 英語フル音声

001 □ (1) A: Your sister is a secretary*, isn't she?
B: No, she isn't. ______

□ (2) A: Do you go to school on Saturdays?
B: Yes, we do. ______

□ (3) A: Can you swim?
B: Yes, I can. ______

002 □ (1) A: Oh, it's already past noon. ______
B: Yes, I am. I haven't had lunch yet.

□ (2) A: Can you see that girl over there?
______
B: Yes, I do. Her name is Mika.

□ (3) A: Do you want to join our band? ______
B: No, I can't. But I can play the guitar.

003 □ (1) A: I like this picture. ______
B: My father did. He's a very good painter.

□ (2) A: Hi, Akira. ______
B: I'm waiting for Mike. Have you seen him?

□ (3) A: I heard about the accident just now.
______
B: Sarah told me about it this morning.

□ (4) A: Is Takeshi out? ______
B: I don't know. He said nothing to me.

004 □ (1) A: This slope* seems to be slippery*.
______

□ (2) I'm not ready to go out yet. ______

□ (3) Hey guys. This is a library. ______

001 a secretary：秘書　004 a slope：坂，スロープ　slippery：すべりやすい

103

トレーニング Step 2

●TARGET例文の番号です。音声を聞いて空所を埋めることができ，意味が理解できたらチェックを入れます(☑)。正解は「Step 2スクリプト」で確認します。下線部分が赤字になっていますから，付属の赤シートを使って例文を覚えているかどうか確認します。

●このマークが付いている語句は，ページ下部に対応する日本語を示しています。

●左ページの日本語の下線部が空所になっています。

●右ページのQRコードを読み取ることで，空所部分を含んだ音声を聞くことができます。QRコードの上の番号は例文の番号に対応しています。

Step 2 スクリプト

第1章 文の種類

001 □ (1) A：Your sister is a secretary, isn't she?
B：No, she isn't. She is a college student.
□ (2) A：Do you go to school on Saturdays?
B：Yes, we do. We go to school even on Saturdays.
□ (3) A：Can you swim?
B：Yes, I can. But I can't swim very fast.

002 □ (1) A：Oh, it's already past noon. Are you hungry?
B：Yes, I am. I haven't had lunch yet.

トレーニングの方法

トレーニングに必要なもの

ノート　　筆記用具　　音声を聞くデバイス

本書に書き込むのではなく，何度もトレーニングを繰り返すことができるようにノートを用意しましょう。「書く」ことは「覚える」のに必要なトレーニングの1つです。

トレーニングの種類

本書を使って，次のようなトレーニングができます。

Step 1

① TARGET 例文を聞き取るトレーニング

例文の英語音声を聞き，空所を埋めて文を完成させます（ディクテーション）。

② TARGET 例文を理解して覚えるトレーニング

完成させた英文の意味を「日本語訳」で確認します。さらに，ポイントとなっている文法を参考書で理解します。

③ TARGET 例文を発話するトレーニング

英語音声を使って，発音・アクセントを確認しながら声に出します。音声に続けて発話するリピーティング，音声にかぶせるようにして発話するシャドーイングができます。

④ 日本語を英語に変換するトレーニング

TARGET 例文の日本語音声を聞いて，英語で発話します。

Step 2

⑤ TARGET 例文を応用するトレーニング

TARGET 例文を使った会話や文を，対応する日本語を参照しながら完成させます。

⑥ 英語を聞き取るトレーニング

音声を聞いて空所を埋め，TARGET 例文を使った会話や文を完成させます（ディクテーション）。英語の意味は日本語訳で確認します。

⑦ 英文を発話するトレーニング

英語音声を使って，発音・アクセントを確認しながら声に出します。音声に続けて発話するリピーティング，音声にかぶせるようにして発話するシャドーイングができます。

⑧ 英文の流れをつかみ発信するトレーニング

英語音声のブランクになっている部分を発話し，会話や文を完成させます。

□ トレーニングの進め方

1 初級コース………基本例文からきっちりトレーニング

▼こんな人におすすめ
- 文法に苦手意識がある
- 基本例文を最初からしっかり覚えたい

Step 1から始めて，基本例文をきっちり覚えていきましょう。基本文型と基本文法を確実におさえながら，英語の基礎力を固めていきます。

基本例文は，参考書『総合英語 Evergreen』のPart 2（理解する）とPart 3（深く知る）で示されていて，Part 3は第1章～第15章に設定されています。すべての章の基礎固めから始めたい場合は，まずPart 2の例文だけを覚えるようにしましょう。

トレーニングは第1章から順番に始めても，自分がやりたい順番で進めてもかまいません。

■ ステージ1………Step 1で基本例文を覚える

① TARGET 例文を聞き取るトレーニング

例文の英語音声を聞き，空所を埋めて文を完成させます（ディクテーション）。

② TARGET 例文を理解して覚えるトレーニング

完成させた英文の意味を「日本語訳」で確認します。さらに，ポイントとなっている文法を参考書で理解します。

■ ステージ2………Step 1で聞く・話すための基礎力をつける

③ TARGET 例文を発話するトレーニング

英語音声を使って，発音・アクセントを確認しながら声に出します。音声に続けて発話するリピーティング，音声にかぶせるようにして発話するシャドーイングができます。

④ 日本語を英語に変換するトレーニング

TARGET例文の日本語音声を聞いて，英語で発話します。

▼

ステージ2がクリアできたら，中級コースのステージ2にステップアップ！

▼

2 中級コース………文法を確認しながら発話のトレーニング

▼こんな人におすすめ
・基本的な文法はわかっているつもり
・文法を再確認しながら発話につなげたい

Step 1の基本例文を使って，発話の基礎力をつけることから始めましょう。わかっているつもりの文法も，形と意味を再確認しながら確実なものにしましょう。
基本例文がクリアできたらStep 2に進み，応用力をつけていきましょう。
トレーニングは第1章から順番に始めても，自分がやりたい章を好きな順番で進めてもかまいません。

■ ステージ1………Step 1で聞く・話すための基礎力をつける

③ TARGET例文を発話するトレーニング
英語音声を使って，発音・アクセントを確認しながら声に出します。音声に続けて発話するリピーティング，音声にかぶせるようにして発話するシャドーイングができます。

④ 日本語を英語に変換するトレーニング
TARGET例文の日本語音声を聞いて，英語で発話します。

■ ステージ2………Step 2で例文を応用する力をつける

⑤ TARGET例文を応用するトレーニング
TARGET例文を使った会話や文を，対応する日本語を参照しながら完成させます。

⑥ 英語を聞き取るトレーニング
音声を聞いて空所を埋め，TARGET例文を使った会話や文を完成させます（ディクテーション）。英語の意味は日本語訳で確認します。

▼

ステージ2がクリアできたら，上級コースのステージ2にステップアップ！

▼

3 上級コース………基本例文を発信につなげるトレーニング

▼こんな人におすすめ
- 高校レベルの文法知識はもっている
- とにかく話すためのトレーニングをしたい

Step 2の応用力養成から始めましょう。基本例文を，文脈や会話の中で自然な流れで使うことができるようにします。

さらに，音声を聞きながら，自然に例文を口に出すことができるようにトレーニングを進めます。基本例文と基本文法が身体の一部になるようにしましょう！

トレーニングは第1章から順番に始めても，自分がやりたい章を好きな順番で進めてもかまいません。

■ ステージ1………Step 2で例文を応用する力をつける

⑤ TARGET例文を応用するトレーニング

TARGET例文を使った会話や文を，対応する日本語を参照しながら完成させます。

⑥ 英語を聞き取るトレーニング

音声を聞いて空所を埋め，TARGET例文を使った会話や文を完成させます（ディクテーション）。英語の意味は日本語訳で確認します。

■ ステージ2………Step 2で発信力をつける

⑦ 英文を発話するトレーニング

英語音声を使って，発音・アクセントを確認しながら声に出します。音声に続けて発話するリピーティング，音声にかぶせるようにして発話するシャドーイングができます。

⑧ 英文の流れをつかみ発信するトレーニング

英語音声のブランクになっている部分を発話し，会話や文を完成させます。

▼

これで「聴く・話す基礎力を身につけるトレーニング」は完結です！

達成度チェックシート

Step 1

① TARGET 例文を聞き取るトレーニング：英語音声を聞いて例文を完成させる
② TARGET 例文を理解して覚えるトレーニング：意味や文法項目を確認する
③ TARGET 例文を発話するトレーニング：英語音声を使ってリピーティングやシャドーイングをする
④ 日本語を英語に変換するトレーニング：日本語音声を聞いて対応する英語を声に出す

Step 2

⑤ 例文を応用するトレーニング：日本語を参照しながら会話や文を完成させる
⑥ 英語を聞き取るトレーニング：英語音声を聞いて会話や文を完成させる
⑦ 英文を発話するトレーニング：英語音声を使ってリピーティングやシャドーイングをする
⑧ 流れをつかみ発信するトレーニング：英語音声のブランク部分を声に出して完成させる

「①②③④⑤⑥⑦⑧」は，「トレーニングの種類」(p. 8) に対応しています。それぞれのトレーニングを終えたら数字をマーカーで塗るなどして，進行状況を確認しましょう。Part 2の例文は黒で，Part 3の例文は赤で示しています。

第1章 文の種類
【001(1)】①②③④⑤⑥⑦⑧
【001(2)】①②③④⑤⑥⑦⑧
【001(3)】①②③④⑤⑥⑦⑧
【002(1)】①②③④⑤⑥⑦⑧
【002(2)】①②③④⑤⑥⑦⑧
【002(3)】①②③④⑤⑥⑦⑧
【003(1)】①②③④⑤⑥⑦⑧
【003(2)】①②③④⑤⑥⑦⑧
【003(3)】①②③④⑤⑥⑦⑧
【003(4)】①②③④⑤⑥⑦⑧
【004(1)】①②③④⑤⑥⑦⑧
【004(2)】①②③④⑤⑥⑦⑧
【004(3)】①②③④⑤⑥⑦⑧
【004(4)】①②③④⑤⑥⑦⑧
【005(1)】①②③④⑤⑥⑦⑧
【005(2)】①②③④⑤⑥⑦⑧
【006(1)】①②③④⑤⑥⑦⑧
【006(2)】①②③④⑤⑥⑦⑧
【007(1)】①②③④⑤⑥⑦⑧
【007(2)】①②③④⑤⑥⑦⑧
【007(3)】①②③④⑤⑥⑦⑧

第2章 動詞と文型
【008(1)】①②③④⑤⑥⑦⑧
【008(2)】①②③④⑤⑥⑦⑧
【009(1)】①②③④⑤⑥⑦⑧
【009(2)】①②③④⑤⑥⑦⑧
【010】①②③④⑤⑥⑦⑧
【011】①②③④⑤⑥⑦⑧
【012】①②③④⑤⑥⑦⑧
【013】①②③④⑤⑥⑦⑧
【014】①②③④⑤⑥⑦⑧
【015(1)】①②③④⑤⑥⑦⑧
【015(2)】①②③④⑤⑥⑦⑧
【016(1)】①②③④⑤⑥⑦⑧
【016(2)】①②③④⑤⑥⑦⑧
【017(1)】①②③④⑤⑥⑦⑧
【017(2)】①②③④⑤⑥⑦⑧
【018(1)】①②③④⑤⑥⑦⑧
【018(2)】①②③④⑤⑥⑦⑧
【019】①②③④⑤⑥⑦⑧
【020(1)】①②③④⑤⑥⑦⑧
【020(2)】①②③④⑤⑥⑦⑧
【021(1)】①②③④⑤⑥⑦⑧
【021(2)】①②③④⑤⑥⑦⑧
【021(3)】①②③④⑤⑥⑦⑧
【021(4)】①②③④⑤⑥⑦⑧
【022(1)】①②③④⑤⑥⑦⑧
【022(2)】①②③④⑤⑥⑦⑧
【023(1)】①②③④⑤⑥⑦⑧
【023(2)】①②③④⑤⑥⑦⑧
【024(1)】①②③④⑤⑥⑦⑧
【024(2)】①②③④⑤⑥⑦⑧
【024(3)】①②③④⑤⑥⑦⑧

第3章 動詞と時制
【025】①②③④⑤⑥⑦⑧
【026】①②③④⑤⑥⑦⑧
【027】①②③④⑤⑥⑦⑧
【028(1)】①②③④⑤⑥⑦⑧
【028(2)】①②③④⑤⑥⑦⑧
【029】①②③④⑤⑥⑦⑧
【030】①②③④⑤⑥⑦⑧
【031】①②③④⑤⑥⑦⑧
【032(1)】①②③④⑤⑥⑦⑧
【032(2)】①②③④⑤⑥⑦⑧
【033(1)】①②③④⑤⑥⑦⑧
【033(2)】①②③④⑤⑥⑦⑧
【034(1)】①②③④⑤⑥⑦⑧
【034(2)】①②③④⑤⑥⑦⑧
【034(3)】①②③④⑤⑥⑦⑧
【035(1)】①②③④⑤⑥⑦⑧
【035(2)】①②③④⑤⑥⑦⑧
【036(1)】①②③④⑤⑥⑦⑧
【036(2)】①②③④⑤⑥⑦⑧
【037(1)】①②③④⑤⑥⑦⑧
【037(2)】①②③④⑤⑥⑦⑧
【037(3)】①②③④⑤⑥⑦⑧
【038(1)】①②③④⑤⑥⑦⑧
【038(2)】①②③④⑤⑥⑦⑧
【039】①②③④⑤⑥⑦⑧
【040(1)】①②③④⑤⑥⑦⑧
【040(2)】①②③④⑤⑥⑦⑧
【041(1)】①②③④⑤⑥⑦⑧
【041(2)】①②③④⑤⑥⑦⑧
【041(3)】①②③④⑤⑥⑦⑧

第4章 完了形
【042(1)】①②③④⑤⑥⑦⑧
【042(2)】①②③④⑤⑥⑦⑧
【042(3)】①②③④⑤⑥⑦⑧
【043(1)】①②③④⑤⑥⑦⑧
【043(2)】①②③④⑤⑥⑦⑧
【044(1)】①②③④⑤⑥⑦⑧
【044(2)】①②③④⑤⑥⑦⑧
【045(1)】①②③④⑤⑥⑦⑧
【045(2)】①②③④⑤⑥⑦⑧
【046(1)】①②③④⑤⑥⑦⑧
【046(2)】①②③④⑤⑥⑦⑧
【047(1)】①②③④⑤⑥⑦⑧
【047(2)】①②③④⑤⑥⑦⑧
【048】①②③④⑤⑥⑦⑧
【049】①②③④⑤⑥⑦⑧
【050】①②③④⑤⑥⑦⑧
【051】①②③④⑤⑥⑦⑧
【052】①②③④⑤⑥⑦⑧
【053】①②③④⑤⑥⑦⑧
【054】①②③④⑤⑥⑦⑧
【055】①②③④⑤⑥⑦⑧
【056】①②③④⑤⑥⑦⑧
【057】①②③④⑤⑥⑦⑧
【058(1)】①②③④⑤⑥⑦⑧
【058(2)】①②③④⑤⑥⑦⑧
【058(3)】①②③④⑤⑥⑦⑧

第5章 助動詞
【059(1)】①②③④⑤⑥⑦⑧
【059(2)】①②③④⑤⑥⑦⑧
【059(3)】①②③④⑤⑥⑦⑧
【060(1)】①②③④⑤⑥⑦⑧
【060(2)】①②③④⑤⑥⑦⑧
【061(1)】①②③④⑤⑥⑦⑧
【061(2)】①②③④⑤⑥⑦⑧

【061(3)】①②③④⑤⑥⑦⑧
【062(1)】①②③④⑤⑥⑦⑧
【062(2)】①②③④⑤⑥⑦⑧
【063(1)】①②③④⑤⑥⑦⑧
【063(2)】①②③④⑤⑥⑦⑧
【064(1)】①②③④⑤⑥⑦⑧
【064(2)】①②③④⑤⑥⑦⑧
【065(1)】①②③④⑤⑥⑦⑧
【065(2)】①②③④⑤⑥⑦⑧
【066(1)】①②③④⑤⑥⑦⑧
【066(2)】①②③④⑤⑥⑦⑧
【067】①②③④⑤⑥⑦⑧
【068(1)】①②③④⑤⑥⑦⑧
【068(2)】①②③④⑤⑥⑦⑧
【068(3)】①②③④⑤⑥⑦⑧
【069(1)】①②③④⑤⑥⑦⑧
【069(2)】①②③④⑤⑥⑦⑧
【070(1)】①②③④⑤⑥⑦⑧
【070(2)】①②③④⑤⑥⑦⑧
【071(1)】①②③④⑤⑥⑦⑧
【071(2)】①②③④⑤⑥⑦⑧
【072(1)】①②③④⑤⑥⑦⑧
【072(2)】①②③④⑤⑥⑦⑧
【073(1)】①②③④⑤⑥⑦⑧
【073(2)】①②③④⑤⑥⑦⑧
【073(3)】①②③④⑤⑥⑦⑧
【074(1)】①②③④⑤⑥⑦⑧
【074(2)】①②③④⑤⑥⑦⑧
【075(1)】①②③④⑤⑥⑦⑧
【075(2)】①②③④⑤⑥⑦⑧
【076(1)】①②③④⑤⑥⑦⑧
【076(2)】①②③④⑤⑥⑦⑧
【077】①②③④⑤⑥⑦⑧
【078】①②③④⑤⑥⑦⑧
【079】①②③④⑤⑥⑦⑧
【080(1)】①②③④⑤⑥⑦⑧
【080(2)】①②③④⑤⑥⑦⑧
【081】①②③④⑤⑥⑦⑧
【082】①②③④⑤⑥⑦⑧
【083】①②③④⑤⑥⑦⑧
【084(1)】①②③④⑤⑥⑦⑧
【084(2)】①②③④⑤⑥⑦⑧
【085】①②③④⑤⑥⑦⑧
【086】①②③④⑤⑥⑦⑧
【087(1)】①②③④⑤⑥⑦⑧
【087(2)】①②③④⑤⑥⑦⑧
【088】①②③④⑤⑥⑦⑧
【089(1)】①②③④⑤⑥⑦⑧
【089(2)】①②③④⑤⑥⑦⑧
【090(1)】①②③④⑤⑥⑦⑧
【090(2)】①②③④⑤⑥⑦⑧
【091(1)】①②③④⑤⑥⑦⑧
【091(2)】①②③④⑤⑥⑦⑧
【092(1)】①②③④⑤⑥⑦⑧
【092(2)】①②③④⑤⑥⑦⑧

第6章 態

【093(1)】①②③④⑤⑥⑦⑧
【093(2)】①②③④⑤⑥⑦⑧
【094】①②③④⑤⑥⑦⑧
【095】①②③④⑤⑥⑦⑧
【096】①②③④⑤⑥⑦⑧
【097(1)】①②③④⑤⑥⑦⑧
【097(2)】①②③④⑤⑥⑦⑧
【098】①②③④⑤⑥⑦⑧
【099(1)】①②③④⑤⑥⑦⑧
【099(2)】①②③④⑤⑥⑦⑧
【100(1)】①②③④⑤⑥⑦⑧
【100(2)】①②③④⑤⑥⑦⑧
【101】①②③④⑤⑥⑦⑧
【102】①②③④⑤⑥⑦⑧
【103(1)】①②③④⑤⑥⑦⑧
【103(2)】①②③④⑤⑥⑦⑧
【104(1)】①②③④⑤⑥⑦⑧
【104(2)】①②③④⑤⑥⑦⑧
【105】①②③④⑤⑥⑦⑧
【106(1)】①②③④⑤⑥⑦⑧
【106(2)】①②③④⑤⑥⑦⑧
【107】①②③④⑤⑥⑦⑧

第7章 不定詞

【108(1)】①②③④⑤⑥⑦⑧
【108(2)】①②③④⑤⑥⑦⑧
【109(1)】①②③④⑤⑥⑦⑧
【109(2)】①②③④⑤⑥⑦⑧
【110(1)】①②③④⑤⑥⑦⑧
【110(2)】①②③④⑤⑥⑦⑧
【110(3)】①②③④⑤⑥⑦⑧
【111】①②③④⑤⑥⑦⑧
【112】①②③④⑤⑥⑦⑧
【113】①②③④⑤⑥⑦⑧
【114】①②③④⑤⑥⑦⑧
【115(1)】①②③④⑤⑥⑦⑧
【115(2)】①②③④⑤⑥⑦⑧
【115(3)】①②③④⑤⑥⑦⑧
【116(1)】①②③④⑤⑥⑦⑧
【116(2)】①②③④⑤⑥⑦⑧
【116(3)】①②③④⑤⑥⑦⑧
【117(1)】①②③④⑤⑥⑦⑧
【117(2)】①②③④⑤⑥⑦⑧
【117(3)】①②③④⑤⑥⑦⑧
【118】①②③④⑤⑥⑦⑧
【119】①②③④⑤⑥⑦⑧
【120(1)】①②③④⑤⑥⑦⑧
【120(2)】①②③④⑤⑥⑦⑧
【120(3)】①②③④⑤⑥⑦⑧
【121】①②③④⑤⑥⑦⑧
【122(1)】①②③④⑤⑥⑦⑧
【122(2)】①②③④⑤⑥⑦⑧
【123(1)】①②③④⑤⑥⑦⑧
【123(2)】①②③④⑤⑥⑦⑧
【124(1)】①②③④⑤⑥⑦⑧
【124(2)】①②③④⑤⑥⑦⑧
【125(1)】①②③④⑤⑥⑦⑧
【125(2)】①②③④⑤⑥⑦⑧
【126】①②③④⑤⑥⑦⑧
【127(1)】①②③④⑤⑥⑦⑧
【127(2)】①②③④⑤⑥⑦⑧
【127(3)】①②③④⑤⑥⑦⑧
【128(1)】①②③④⑤⑥⑦⑧
【128(2)】①②③④⑤⑥⑦⑧
【129】①②③④⑤⑥⑦⑧
【130】①②③④⑤⑥⑦⑧
【131】①②③④⑤⑥⑦⑧
【132(1)】①②③④⑤⑥⑦⑧
【132(2)】①②③④⑤⑥⑦⑧
【133】①②③④⑤⑥⑦⑧
【134(1)】①②③④⑤⑥⑦⑧
【134(2)】①②③④⑤⑥⑦⑧
【135】①②③④⑤⑥⑦⑧

第8章 動名詞

【136(1)】①②③④⑤⑥⑦⑧
【136(2)】①②③④⑤⑥⑦⑧
【137】①②③④⑤⑥⑦⑧
【138】①②③④⑤⑥⑦⑧
【139(1)】①②③④⑤⑥⑦⑧
【139(2)】①②③④⑤⑥⑦⑧
【139(3)】①②③④⑤⑥⑦⑧
【140(1)】①②③④⑤⑥⑦⑧
【140(2)】①②③④⑤⑥⑦⑧
【141】①②③④⑤⑥⑦⑧
【142】①②③④⑤⑥⑦⑧
【143】①②③④⑤⑥⑦⑧
【144(1)】①②③④⑤⑥⑦⑧
【144(2)】①②③④⑤⑥⑦⑧
【145(1)】①②③④⑤⑥⑦⑧
【145(2)】①②③④⑤⑥⑦⑧
【145(3)】①②③④⑤⑥⑦⑧
【146(1)】①②③④⑤⑥⑦⑧
【146(2)】①②③④⑤⑥⑦⑧
【147(1)】①②③④⑤⑥⑦⑧
【147(2)】①②③④⑤⑥⑦⑧
【148(1)】①②③④⑤⑥⑦⑧
【148(2)】①②③④⑤⑥⑦⑧
【149(1)】①②③④⑤⑥⑦⑧
【149(2)】①②③④⑤⑥⑦⑧
【150(1)】①②③④⑤⑥⑦⑧
【150(2)】①②③④⑤⑥⑦⑧
【151(1)】①②③④⑤⑥⑦⑧
【151(2)】①②③④⑤⑥⑦⑧
【152(1)】①②③④⑤⑥⑦⑧
【152(2)】①②③④⑤⑥⑦⑧
【153(1)】①②③④⑤⑥⑦⑧
【153(2)】①②③④⑤⑥⑦⑧
【154(1)】①②③④⑤⑥⑦⑧
【154(2)】①②③④⑤⑥⑦⑧

第9章 分詞

【155(1)】①②③④⑤⑥⑦⑧
【155(2)】①②③④⑤⑥⑦⑧
【156(1)】①②③④⑤⑥⑦⑧
【156(2)】①②③④⑤⑥⑦⑧
【157(1)】①②③④⑤⑥⑦⑧
【157(2)】①②③④⑤⑥⑦⑧
【158(1)】①②③④⑤⑥⑦⑧
【158(2)】①②③④⑤⑥⑦⑧
【159(1)】①②③④⑤⑥⑦⑧
【159(2)】①②③④⑤⑥⑦⑧
【160(1)】①②③④⑤⑥⑦⑧
【160(2)】①②③④⑤⑥⑦⑧
【161(1)】①②③④⑤⑥⑦⑧
【161(2)】①②③④⑤⑥⑦⑧
【162(1)】①②③④⑤⑥⑦⑧
【162(2)】①②③④⑤⑥⑦⑧
【162(3)】①②③④⑤⑥⑦⑧
【163(1)】①②③④⑤⑥⑦⑧
【163(2)】①②③④⑤⑥⑦⑧
【164(1)】①②③④⑤⑥⑦⑧
【164(2)】①②③④⑤⑥⑦⑧
【165】①②③④⑤⑥⑦⑧
【166】①②③④⑤⑥⑦⑧
【167】①②③④⑤⑥⑦⑧

【168】 ①②③④⑤⑥⑦⑧
【169】 ①②③④⑤⑥⑦⑧
【170】 ①②③④⑤⑥⑦⑧
【171】 ①②③④⑤⑥⑦⑧
【172】 ①②③④⑤⑥⑦⑧
【173(1)】①②③④⑤⑥⑦⑧
【173(2)】①②③④⑤⑥⑦⑧
【174(1)】①②③④⑤⑥⑦⑧
【174(2)】①②③④⑤⑥⑦⑧
【175(1)】①②③④⑤⑥⑦⑧
【175(2)】①②③④⑤⑥⑦⑧
【175(3)】①②③④⑤⑥⑦⑧

第10章 比較

【176(1)】①②③④⑤⑥⑦⑧
【176(2)】①②③④⑤⑥⑦⑧
【177】 ①②③④⑤⑥⑦⑧
【178】 ①②③④⑤⑥⑦⑧
【179(1)】①②③④⑤⑥⑦⑧
【179(2)】①②③④⑤⑥⑦⑧
【180(1)】①②③④⑤⑥⑦⑧
【180(2)】①②③④⑤⑥⑦⑧
【181(1)】①②③④⑤⑥⑦⑧
【181(2)】①②③④⑤⑥⑦⑧
【181(3)】①②③④⑤⑥⑦⑧
【182】 ①②③④⑤⑥⑦⑧
【183(1)】①②③④⑤⑥⑦⑧
【183(2)】①②③④⑤⑥⑦⑧
【184】 ①②③④⑤⑥⑦⑧
【185】 ①②③④⑤⑥⑦⑧
【186(1)】①②③④⑤⑥⑦⑧
【186(2)】①②③④⑤⑥⑦⑧
【187】 ①②③④⑤⑥⑦⑧
【188】 ①②③④⑤⑥⑦⑧
【189】 ①②③④⑤⑥⑦⑧
【190】 ①②③④⑤⑥⑦⑧
【191】 ①②③④⑤⑥⑦⑧
【192】 ①②③④⑤⑥⑦⑧
【193】 ①②③④⑤⑥⑦⑧
【194】 ①②③④⑤⑥⑦⑧
【195(1)】①②③④⑤⑥⑦⑧
【195(2)】①②③④⑤⑥⑦⑧
【195(3)】①②③④⑤⑥⑦⑧
【196】 ①②③④⑤⑥⑦⑧
【197】 ①②③④⑤⑥⑦⑧
【198(1)】①②③④⑤⑥⑦⑧
【198(2)】①②③④⑤⑥⑦⑧
【198(3)】①②③④⑤⑥⑦⑧
【199(1)】①②③④⑤⑥⑦⑧
【199(2)】①②③④⑤⑥⑦⑧
【200(1)】①②③④⑤⑥⑦⑧
【200(2)】①②③④⑤⑥⑦⑧
【201】 ①②③④⑤⑥⑦⑧
【202】 ①②③④⑤⑥⑦⑧
【203(1)】①②③④⑤⑥⑦⑧
【203(2)】①②③④⑤⑥⑦⑧
【204】 ①②③④⑤⑥⑦⑧
【205(1)】①②③④⑤⑥⑦⑧
【205(2)】①②③④⑤⑥⑦⑧
【205(3)】①②③④⑤⑥⑦⑧
【206】 ①②③④⑤⑥⑦⑧
【207(1)】①②③④⑤⑥⑦⑧
【207(2)】①②③④⑤⑥⑦⑧
【208(1)】①②③④⑤⑥⑦⑧
【208(2)】①②③④⑤⑥⑦⑧
【209(1)】①②③④⑤⑥⑦⑧
【209(2)】①②③④⑤⑥⑦⑧
【210(1)】①②③④⑤⑥⑦⑧
【210(2)】①②③④⑤⑥⑦⑧
【211】 ①②③④⑤⑥⑦⑧
【212(1)】①②③④⑤⑥⑦⑧
【212(2)】①②③④⑤⑥⑦⑧
【213(1)】①②③④⑤⑥⑦⑧
【213(2)】①②③④⑤⑥⑦⑧

第11章 関係詞

【214(1)】①②③④⑤⑥⑦⑧
【214(2)】①②③④⑤⑥⑦⑧
【215(1)】①②③④⑤⑥⑦⑧
【215(2)】①②③④⑤⑥⑦⑧
【216(1)】①②③④⑤⑥⑦⑧
【216(2)】①②③④⑤⑥⑦⑧
【217(1)】①②③④⑤⑥⑦⑧
【217(2)】①②③④⑤⑥⑦⑧
【218(1)】①②③④⑤⑥⑦⑧
【218(2)】①②③④⑤⑥⑦⑧
【219(1)】①②③④⑤⑥⑦⑧
【219(2)】①②③④⑤⑥⑦⑧
【219(3)】①②③④⑤⑥⑦⑧
【220(1)】①②③④⑤⑥⑦⑧
【220(2)】①②③④⑤⑥⑦⑧
【221(1)】①②③④⑤⑥⑦⑧
【221(2)】①②③④⑤⑥⑦⑧
【221(3)】①②③④⑤⑥⑦⑧
【222(1)】①②③④⑤⑥⑦⑧
【222(2)】①②③④⑤⑥⑦⑧
【222(3)】①②③④⑤⑥⑦⑧
【223】 ①②③④⑤⑥⑦⑧
【224】 ①②③④⑤⑥⑦⑧
【225(1)】①②③④⑤⑥⑦⑧
【225(2)】①②③④⑤⑥⑦⑧
【226】 ①②③④⑤⑥⑦⑧
【227(1)】①②③④⑤⑥⑦⑧
【227(2)】①②③④⑤⑥⑦⑧
【228(1)】①②③④⑤⑥⑦⑧
【228(2)】①②③④⑤⑥⑦⑧
【228(3)】①②③④⑤⑥⑦⑧
【229(1)】①②③④⑤⑥⑦⑧
【229(2)】①②③④⑤⑥⑦⑧
【229(3)】①②③④⑤⑥⑦⑧
【230(1)】①②③④⑤⑥⑦⑧
【230(2)】①②③④⑤⑥⑦⑧
【230(3)】①②③④⑤⑥⑦⑧
【231(1)】①②③④⑤⑥⑦⑧
【231(2)】①②③④⑤⑥⑦⑧
【231(3)】①②③④⑤⑥⑦⑧
【232(1)】①②③④⑤⑥⑦⑧
【232(2)】①②③④⑤⑥⑦⑧
【233】 ①②③④⑤⑥⑦⑧
【234】 ①②③④⑤⑥⑦⑧
【235】 ①②③④⑤⑥⑦⑧
【236(1)】①②③④⑤⑥⑦⑧
【236(2)】①②③④⑤⑥⑦⑧
【237(1)】①②③④⑤⑥⑦⑧
【237(2)】①②③④⑤⑥⑦⑧
【237(3)】①②③④⑤⑥⑦⑧
【237(4)】①②③④⑤⑥⑦⑧
【237(5)】①②③④⑤⑥⑦⑧
【238】 ①②③④⑤⑥⑦⑧
【239】 ①②③④⑤⑥⑦⑧

第12章 仮定法

【240(1)】①②③④⑤⑥⑦⑧
【240(2)】①②③④⑤⑥⑦⑧
【241(1)】①②③④⑤⑥⑦⑧
【241(2)】①②③④⑤⑥⑦⑧
【242(1)】①②③④⑤⑥⑦⑧
【242(2)】①②③④⑤⑥⑦⑧
【243】 ①②③④⑤⑥⑦⑧
【244(1)】①②③④⑤⑥⑦⑧
【244(2)】①②③④⑤⑥⑦⑧
【245(1)】①②③④⑤⑥⑦⑧
【245(2)】①②③④⑤⑥⑦⑧
【246】 ①②③④⑤⑥⑦⑧
【247】 ①②③④⑤⑥⑦⑧
【248(1)】①②③④⑤⑥⑦⑧
【248(2)】①②③④⑤⑥⑦⑧
【248(3)】①②③④⑤⑥⑦⑧
【249(1)】①②③④⑤⑥⑦⑧
【249(2)】①②③④⑤⑥⑦⑧
【250(1)】①②③④⑤⑥⑦⑧
【250(2)】①②③④⑤⑥⑦⑧
【251(1)】①②③④⑤⑥⑦⑧
【251(2)】①②③④⑤⑥⑦⑧
【252】 ①②③④⑤⑥⑦⑧
【253(1)】①②③④⑤⑥⑦⑧
【253(2)】①②③④⑤⑥⑦⑧
【254(1)】①②③④⑤⑥⑦⑧
【254(2)】①②③④⑤⑥⑦⑧
【255】 ①②③④⑤⑥⑦⑧
【256(1)】①②③④⑤⑥⑦⑧
【256(2)】①②③④⑤⑥⑦⑧
【257(1)】①②③④⑤⑥⑦⑧
【257(2)】①②③④⑤⑥⑦⑧
【257(3)】①②③④⑤⑥⑦⑧
【258(1)】①②③④⑤⑥⑦⑧
【258(2)】①②③④⑤⑥⑦⑧

第13章 疑問詞と疑問文

【259(1)】①②③④⑤⑥⑦⑧
【259(2)】①②③④⑤⑥⑦⑧
【260】 ①②③④⑤⑥⑦⑧
【261(1)】①②③④⑤⑥⑦⑧
【261(2)】①②③④⑤⑥⑦⑧
【262】 ①②③④⑤⑥⑦⑧
【263(1)】①②③④⑤⑥⑦⑧
【263(2)】①②③④⑤⑥⑦⑧
【263(3)】①②③④⑤⑥⑦⑧
【264】 ①②③④⑤⑥⑦⑧
【265(1)】①②③④⑤⑥⑦⑧
【265(2)】①②③④⑤⑥⑦⑧
【266(1)】①②③④⑤⑥⑦⑧
【266(2)】①②③④⑤⑥⑦⑧
【267(1)】①②③④⑤⑥⑦⑧
【267(2)】①②③④⑤⑥⑦⑧
【268】 ①②③④⑤⑥⑦⑧
【269(1)】①②③④⑤⑥⑦⑧
【269(2)】①②③④⑤⑥⑦⑧
【270(1)】①②③④⑤⑥⑦⑧
【270(2)】①②③④⑤⑥⑦⑧
【271】 ①②③④⑤⑥⑦⑧
【272】 ①②③④⑤⑥⑦⑧
【273(1)】①②③④⑤⑥⑦⑧

【273(2)】①②③④⑤⑥⑦⑧
【274(1)】①②③④⑤⑥⑦⑧
【274(2)】①②③④⑤⑥⑦⑧
【275(1)】①②③④⑤⑥⑦⑧
【275(2)】①②③④⑤⑥⑦⑧
【275(3)】①②③④⑤⑥⑦⑧
【276(1)】①②③④⑤⑥⑦⑧
【276(2)】①②③④⑤⑥⑦⑧
【277】①②③④⑤⑥⑦⑧
【278(1)】①②③④⑤⑥⑦⑧
【278(2)】①②③④⑤⑥⑦⑧
【279(1)】①②③④⑤⑥⑦⑧
【279(2)】①②③④⑤⑥⑦⑧
【280】①②③④⑤⑥⑦⑧
【281】①②③④⑤⑥⑦⑧
【282】①②③④⑤⑥⑦⑧

第14章 否定

【283(1)】①②③④⑤⑥⑦⑧
【283(2)】①②③④⑤⑥⑦⑧
【284】①②③④⑤⑥⑦⑧
【285(1)】①②③④⑤⑥⑦⑧
【285(2)】①②③④⑤⑥⑦⑧
【286(1)】①②③④⑤⑥⑦⑧
【286(2)】①②③④⑤⑥⑦⑧
【287】①②③④⑤⑥⑦⑧
【288(1)】①②③④⑤⑥⑦⑧
【288(2)】①②③④⑤⑥⑦⑧
【289(1)】①②③④⑤⑥⑦⑧
【289(2)】①②③④⑤⑥⑦⑧
【290(1)】①②③④⑤⑥⑦⑧
【290(2)】①②③④⑤⑥⑦⑧
【291(1)】①②③④⑤⑥⑦⑧
【291(2)】①②③④⑤⑥⑦⑧
【291(3)】①②③④⑤⑥⑦⑧
【292(1)】①②③④⑤⑥⑦⑧
【292(2)】①②③④⑤⑥⑦⑧
【293(1)】①②③④⑤⑥⑦⑧
【293(2)】①②③④⑤⑥⑦⑧
【294(1)】①②③④⑤⑥⑦⑧
【294(2)】①②③④⑤⑥⑦⑧
【295(1)】①②③④⑤⑥⑦⑧
【295(2)】①②③④⑤⑥⑦⑧
【295(3)】①②③④⑤⑥⑦⑧
【296(1)】①②③④⑤⑥⑦⑧
【296(2)】①②③④⑤⑥⑦⑧
【297(1)】①②③④⑤⑥⑦⑧
【297(2)】①②③④⑤⑥⑦⑧
【297(3)】①②③④⑤⑥⑦⑧
【298(1)】①②③④⑤⑥⑦⑧
【298(2)】①②③④⑤⑥⑦⑧
【298(3)】①②③④⑤⑥⑦⑧

第15章 話法

【299(1)】①②③④⑤⑥⑦⑧
【299(2)】①②③④⑤⑥⑦⑧
【300(1)】①②③④⑤⑥⑦⑧
【300(2)】①②③④⑤⑥⑦⑧
【301(1)】①②③④⑤⑥⑦⑧
【301(2)】①②③④⑤⑥⑦⑧
【302(1)】①②③④⑤⑥⑦⑧
【302(2)】①②③④⑤⑥⑦⑧
【303(1)】①②③④⑤⑥⑦⑧
【303(2)】①②③④⑤⑥⑦⑧
【304(1)】①②③④⑤⑥⑦⑧
【304(2)】①②③④⑤⑥⑦⑧
【305(1)】①②③④⑤⑥⑦⑧
【305(2)】①②③④⑤⑥⑦⑧
【306(1)】①②③④⑤⑥⑦⑧
【306(2)】①②③④⑤⑥⑦⑧
【307(1)】①②③④⑤⑥⑦⑧
【307(2)】①②③④⑤⑥⑦⑧
【308(1)】①②③④⑤⑥⑦⑧
【308(2)】①②③④⑤⑥⑦⑧
【309(1)】①②③④⑤⑥⑦⑧
【309(2)】①②③④⑤⑥⑦⑧
【310(1)】①②③④⑤⑥⑦⑧
【310(2)】①②③④⑤⑥⑦⑧

第16章 名詞構文・無生物主語

【311】①②③④⑤⑥⑦⑧
【312】①②③④⑤⑥⑦⑧
【313】①②③④⑤⑥⑦⑧
【314(1)】①②③④⑤⑥⑦⑧
【314(2)】①②③④⑤⑥⑦⑧
【315(1)】①②③④⑤⑥⑦⑧
【315(2)】①②③④⑤⑥⑦⑧
【316(1)】①②③④⑤⑥⑦⑧
【316(2)】①②③④⑤⑥⑦⑧
【317】①②③④⑤⑥⑦⑧
【318(1)】①②③④⑤⑥⑦⑧
【318(2)】①②③④⑤⑥⑦⑧

第17章 強調・倒置・挿入・省略・同格

【319(1)】①②③④⑤⑥⑦⑧
【319(2)】①②③④⑤⑥⑦⑧
【319(3)】①②③④⑤⑥⑦⑧
【320(1)】①②③④⑤⑥⑦⑧
【320(2)】①②③④⑤⑥⑦⑧
【321】①②③④⑤⑥⑦⑧
【322】①②③④⑤⑥⑦⑧
【323(1)】①②③④⑤⑥⑦⑧
【323(2)】①②③④⑤⑥⑦⑧
【324(1)】①②③④⑤⑥⑦⑧
【324(2)】①②③④⑤⑥⑦⑧
【325(1)】①②③④⑤⑥⑦⑧
【325(2)】①②③④⑤⑥⑦⑧
【325(3)】①②③④⑤⑥⑦⑧
【326】①②③④⑤⑥⑦⑧
【327】①②③④⑤⑥⑦⑧
【328(1)】①②③④⑤⑥⑦⑧
【328(2)】①②③④⑤⑥⑦⑧
【329(1)】①②③④⑤⑥⑦⑧
【329(2)】①②③④⑤⑥⑦⑧
【330(1)】①②③④⑤⑥⑦⑧
【330(2)】①②③④⑤⑥⑦⑧
【331】①②③④⑤⑥⑦⑧
【332】①②③④⑤⑥⑦⑧
【333】①②③④⑤⑥⑦⑧
【334】①②③④⑤⑥⑦⑧

第18章 名詞

【335(1)】①②③④⑤⑥⑦⑧
【335(2)】①②③④⑤⑥⑦⑧
【336(1)】①②③④⑤⑥⑦⑧
【336(2)】①②③④⑤⑥⑦⑧
【337(1)】①②③④⑤⑥⑦⑧
【337(2)】①②③④⑤⑥⑦⑧
【337(3)】①②③④⑤⑥⑦⑧
【338(1)】①②③④⑤⑥⑦⑧
【338(2)】①②③④⑤⑥⑦⑧
【339(1)】①②③④⑤⑥⑦⑧
【339(2)】①②③④⑤⑥⑦⑧
【340(1)】①②③④⑤⑥⑦⑧
【340(2)】①②③④⑤⑥⑦⑧
【341(1)】①②③④⑤⑥⑦⑧
【341(2)】①②③④⑤⑥⑦⑧
【341(3)】①②③④⑤⑥⑦⑧
【342】①②③④⑤⑥⑦⑧
【343】①②③④⑤⑥⑦⑧
【344(1)】①②③④⑤⑥⑦⑧
【344(2)】①②③④⑤⑥⑦⑧
【345(1)】①②③④⑤⑥⑦⑧
【345(2)】①②③④⑤⑥⑦⑧
【346(1)】①②③④⑤⑥⑦⑧
【346(2)】①②③④⑤⑥⑦⑧

第19章 冠詞

【347(1)】①②③④⑤⑥⑦⑧
【347(2)】①②③④⑤⑥⑦⑧
【348(1)】①②③④⑤⑥⑦⑧
【348(2)】①②③④⑤⑥⑦⑧
【349(1)】①②③④⑤⑥⑦⑧
【349(2)】①②③④⑤⑥⑦⑧
【350(1)】①②③④⑤⑥⑦⑧
【350(2)】①②③④⑤⑥⑦⑧
【351(1)】①②③④⑤⑥⑦⑧
【351(2)】①②③④⑤⑥⑦⑧
【351(3)】①②③④⑤⑥⑦⑧
【351(4)】①②③④⑤⑥⑦⑧
【352】①②③④⑤⑥⑦⑧
【353(1)】①②③④⑤⑥⑦⑧
【353(2)】①②③④⑤⑥⑦⑧
【353(3)】①②③④⑤⑥⑦⑧
【353(4)】①②③④⑤⑥⑦⑧
【354(1)】①②③④⑤⑥⑦⑧
【354(2)】①②③④⑤⑥⑦⑧
【355(1)】①②③④⑤⑥⑦⑧
【355(2)】①②③④⑤⑥⑦⑧
【355(3)】①②③④⑤⑥⑦⑧
【356(1)】①②③④⑤⑥⑦⑧
【356(2)】①②③④⑤⑥⑦⑧
【356(3)】①②③④⑤⑥⑦⑧

第20章 代名詞

【357(1)】①②③④⑤⑥⑦⑧
【357(2)】①②③④⑤⑥⑦⑧
【357(3)】①②③④⑤⑥⑦⑧
【358(1)】①②③④⑤⑥⑦⑧
【358(2)】①②③④⑤⑥⑦⑧
【358(3)】①②③④⑤⑥⑦⑧
【359(1)】①②③④⑤⑥⑦⑧
【359(2)】①②③④⑤⑥⑦⑧
【360】①②③④⑤⑥⑦⑧
【361】①②③④⑤⑥⑦⑧
【362(1)】①②③④⑤⑥⑦⑧
【362(2)】①②③④⑤⑥⑦⑧
【362(3)】①②③④⑤⑥⑦⑧
【363(1)】①②③④⑤⑥⑦⑧
【363(2)】①②③④⑤⑥⑦⑧
【363(3)】①②③④⑤⑥⑦⑧
【364】①②③④⑤⑥⑦⑧
【365(1)】①②③④⑤⑥⑦⑧
【365(2)】①②③④⑤⑥⑦⑧
【366(1)】①②③④⑤⑥⑦⑧
【366(2)】①②③④⑤⑥⑦⑧

【367(1)】①②③④⑤⑥⑦⑧

【367(2)】①②③④⑤⑥⑦⑧

【368(1)】①②③④⑤⑥⑦⑧

【368(2)】①②③④⑤⑥⑦⑧

【369(1)】①②③④⑤⑥⑦⑧

【369(2)】①②③④⑤⑥⑦⑧

【370(1)】①②③④⑤⑥⑦⑧

【370(2)】①②③④⑤⑥⑦⑧

【371(1)】①②③④⑤⑥⑦⑧

【371(2)】①②③④⑤⑥⑦⑧

【371(3)】①②③④⑤⑥⑦⑧

【372(1)】①②③④⑤⑥⑦⑧

【372(2)】①②③④⑤⑥⑦⑧

【373(1)】①②③④⑤⑥⑦⑧

【373(2)】①②③④⑤⑥⑦⑧

【373(3)】①②③④⑤⑥⑦⑧

【374(1)】①②③④⑤⑥⑦⑧

【374(2)】①②③④⑤⑥⑦⑧

【375(1)】①②③④⑤⑥⑦⑧

【375(2)】①②③④⑤⑥⑦⑧

【375(3)】①②③④⑤⑥⑦⑧

【376(1)】①②③④⑤⑥⑦⑧

【376(2)】①②③④⑤⑥⑦⑧

【376(3)】①②③④⑤⑥⑦⑧

【377(1)】①②③④⑤⑥⑦⑧

【377(2)】①②③④⑤⑥⑦⑧

【378(1)】①②③④⑤⑥⑦⑧

【378(2)】①②③④⑤⑥⑦⑧

【379(1)】①②③④⑤⑥⑦⑧

【379(2)】①②③④⑤⑥⑦⑧

【380(1)】①②③④⑤⑥⑦⑧

【380(2)】①②③④⑤⑥⑦⑧

【381(1)】①②③④⑤⑥⑦⑧

【381(2)】①②③④⑤⑥⑦⑧

【382(1)】①②③④⑤⑥⑦⑧

【382(2)】①②③④⑤⑥⑦⑧

【383(1)】①②③④⑤⑥⑦⑧

【383(2)】①②③④⑤⑥⑦⑧

第21章 形容詞

【384】 ①②③④⑤⑥⑦⑧

【385(1)】①②③④⑤⑥⑦⑧

【385(2)】①②③④⑤⑥⑦⑧

【386(1)】①②③④⑤⑥⑦⑧

【386(2)】①②③④⑤⑥⑦⑧

【387】 ①②③④⑤⑥⑦⑧

【388】 ①②③④⑤⑥⑦⑧

【389(1)】①②③④⑤⑥⑦⑧

【389(2)】①②③④⑤⑥⑦⑧

【390(1)】①②③④⑤⑥⑦⑧

【390(2)】①②③④⑤⑥⑦⑧

【391】 ①②③④⑤⑥⑦⑧

【392】 ①②③④⑤⑥⑦⑧

【393(1)】①②③④⑤⑥⑦⑧

【393(2)】①②③④⑤⑥⑦⑧

【393(3)】①②③④⑤⑥⑦⑧

【394(1)】①②③④⑤⑥⑦⑧

【394(2)】①②③④⑤⑥⑦⑧

【395(1)】①②③④⑤⑥⑦⑧

【395(2)】①②③④⑤⑥⑦⑧

【396(1)】①②③④⑤⑥⑦⑧

【396(2)】①②③④⑤⑥⑦⑧

【397(1)】①②③④⑤⑥⑦⑧

【397(2)】①②③④⑤⑥⑦⑧

【398(1)】①②③④⑤⑥⑦⑧

【398(2)】①②③④⑤⑥⑦⑧

【399(1)】①②③④⑤⑥⑦⑧

【399(2)】①②③④⑤⑥⑦⑧

第22章 副詞

【400(1)】①②③④⑤⑥⑦⑧

【400(2)】①②③④⑤⑥⑦⑧

【401(1)】①②③④⑤⑥⑦⑧

【401(2)】①②③④⑤⑥⑦⑧

【402(1)】①②③④⑤⑥⑦⑧

【402(2)】①②③④⑤⑥⑦⑧

【403(1)】①②③④⑤⑥⑦⑧

【403(2)】①②③④⑤⑥⑦⑧

【404(1)】①②③④⑤⑥⑦⑧

【404(2)】①②③④⑤⑥⑦⑧

【405(1)】①②③④⑤⑥⑦⑧

【405(2)】①②③④⑤⑥⑦⑧

【406(1)】①②③④⑤⑥⑦⑧

【406(2)】①②③④⑤⑥⑦⑧

【407(1)】①②③④⑤⑥⑦⑧

【407(2)】①②③④⑤⑥⑦⑧

【408(1)】①②③④⑤⑥⑦⑧

【408(2)】①②③④⑤⑥⑦⑧

【409(1)】①②③④⑤⑥⑦⑧

【409(2)】①②③④⑤⑥⑦⑧

【409(3)】①②③④⑤⑥⑦⑧

【410(1)】①②③④⑤⑥⑦⑧

【410(2)】①②③④⑤⑥⑦⑧

【410(3)】①②③④⑤⑥⑦⑧

【411(1)】①②③④⑤⑥⑦⑧

【411(2)】①②③④⑤⑥⑦⑧

【411(3)】①②③④⑤⑥⑦⑧

【412(1)】①②③④⑤⑥⑦⑧

【412(2)】①②③④⑤⑥⑦⑧

【413(1)】①②③④⑤⑥⑦⑧

【413(2)】①②③④⑤⑥⑦⑧

【414(1)】①②③④⑤⑥⑦⑧

【414(2)】①②③④⑤⑥⑦⑧

第23章 前置詞

【415(1)】①②③④⑤⑥⑦⑧

【415(2)】①②③④⑤⑥⑦⑧

【416(1)】①②③④⑤⑥⑦⑧

【416(2)】①②③④⑤⑥⑦⑧

【417(1)】①②③④⑤⑥⑦⑧

【417(2)】①②③④⑤⑥⑦⑧

【418(1)】①②③④⑤⑥⑦⑧

【418(2)】①②③④⑤⑥⑦⑧

【419(1)】①②③④⑤⑥⑦⑧

【419(2)】①②③④⑤⑥⑦⑧

【420(1)】①②③④⑤⑥⑦⑧

【420(2)】①②③④⑤⑥⑦⑧

【421(1)】①②③④⑤⑥⑦⑧

【421(2)】①②③④⑤⑥⑦⑧

【422(1)】①②③④⑤⑥⑦⑧

【422(2)】①②③④⑤⑥⑦⑧

【423(1)】①②③④⑤⑥⑦⑧

【423(2)】①②③④⑤⑥⑦⑧

【424(1)】①②③④⑤⑥⑦⑧

【424(2)】①②③④⑤⑥⑦⑧

【425】 ①②③④⑤⑥⑦⑧

【426(1)】①②③④⑤⑥⑦⑧

【426(2)】①②③④⑤⑥⑦⑧

【427(1)】①②③④⑤⑥⑦⑧

【427(2)】①②③④⑤⑥⑦⑧

【427(3)】①②③④⑤⑥⑦⑧

【427(4)】①②③④⑤⑥⑦⑧

【428(1)】①②③④⑤⑥⑦⑧

【428(2)】①②③④⑤⑥⑦⑧

【428(3)】①②③④⑤⑥⑦⑧

【429(1)】①②③④⑤⑥⑦⑧

【429(2)】①②③④⑤⑥⑦⑧

【429(3)】①②③④⑤⑥⑦⑧

【430(1)】①②③④⑤⑥⑦⑧

【430(2)】①②③④⑤⑥⑦⑧

【430(3)】①②③④⑤⑥⑦⑧

【430(4)】①②③④⑤⑥⑦⑧

【431(1)】①②③④⑤⑥⑦⑧

【431(2)】①②③④⑤⑥⑦⑧

【432(1)】①②③④⑤⑥⑦⑧

【432(2)】①②③④⑤⑥⑦⑧

第24章 接続詞

【433(1)】①②③④⑤⑥⑦⑧

【433(2)】①②③④⑤⑥⑦⑧

【434】 ①②③④⑤⑥⑦⑧

【435】 ①②③④⑤⑥⑦⑧

【436】 ①②③④⑤⑥⑦⑧

【437(1)】①②③④⑤⑥⑦⑧

【437(2)】①②③④⑤⑥⑦⑧

【438(1)】①②③④⑤⑥⑦⑧

【438(2)】①②③④⑤⑥⑦⑧

【439(1)】①②③④⑤⑥⑦⑧

【439(2)】①②③④⑤⑥⑦⑧

【440(1)】①②③④⑤⑥⑦⑧

【440(2)】①②③④⑤⑥⑦⑧

【441(1)】①②③④⑤⑥⑦⑧

【441(2)】①②③④⑤⑥⑦⑧

【442(1)】①②③④⑤⑥⑦⑧

【442(2)】①②③④⑤⑥⑦⑧

【442(3)】①②③④⑤⑥⑦⑧

【443】 ①②③④⑤⑥⑦⑧

【444(1)】①②③④⑤⑥⑦⑧

【444(2)】①②③④⑤⑥⑦⑧

【444(3)】①②③④⑤⑥⑦⑧

【445(1)】①②③④⑤⑥⑦⑧

【445(2)】①②③④⑤⑥⑦⑧

【446(1)】①②③④⑤⑥⑦⑧

【446(2)】①②③④⑤⑥⑦⑧

【447(1)】①②③④⑤⑥⑦⑧

【447(2)】①②③④⑤⑥⑦⑧

【448(1)】①②③④⑤⑥⑦⑧

【448(2)】①②③④⑤⑥⑦⑧

【449(1)】①②③④⑤⑥⑦⑧

【449(2)】①②③④⑤⑥⑦⑧

【450(1)】①②③④⑤⑥⑦⑧

【450(2)】①②③④⑤⑥⑦⑧

【451】 ①②③④⑤⑥⑦⑧

【452(1)】①②③④⑤⑥⑦⑧

【452(2)】①②③④⑤⑥⑦⑧

【453】 ①②③④⑤⑥⑦⑧

【454】 ①②③④⑤⑥⑦⑧

【455(1)】①②③④⑤⑥⑦⑧

【455(2)】①②③④⑤⑥⑦⑧

【456(1)】①②③④⑤⑥⑦⑧

【456(2)】①②③④⑤⑥⑦⑧

【457】 ①②③④⑤⑥⑦⑧

Step 1

TARGET 例文を使って基本文法を身につける

Step 1では『総合英語 Evergreen』の TARGET 例文をすべて覚えましょう。
トレーニング方法は次のとおりです。

① 英語音声を聞いて空所を埋める（ディクテーション）
② 例文の意味と文法項目を理解する
③ 英語音声を聞いて発話する（リスニング＆リピーティング・シャドーイング）
④ 日本語音声を聞いて英語を声に出す（スピーキング）

● 音声の聞き方

各頁のQRコードを音声再生アプリ「いいずなボイス」で読み取ると，TARGET 例文の英文音声を聞くことができます。トレーニング①と③で使用します。
トレーニング④で使用する日本語音声は，「Step 1日本語訳」（pp. 248-284）のQRコードを読み取ることで聞くことができます。

＊音声再生アプリ「いいずなボイス」の利用法については，表紙裏に説明があります。

● Step 1 英語音声を通しで聞きたい場合

Step 1の英語音声を，章ごとに通しで聞きたい場合は，下記QRコードを「いいずなボイス」で読み取ってください。

第1章 第2章 第3章 第4章 第5章 第6章
第7章 第8章 第9章 第10章 第11章 第12章
第13章 第14章 第15章 第16章 第17章 第18章
第19章 第20章 第21章 第22章 第23章 第24章

第1章 文の種類

001 □ (1) a. My sister (　　　　) a college student.

□ b. My sister (　　　　) an office worker.

□ (2) a. We (　　　　) to school even on Saturdays.

□ b. We (　　　　) (　　　　) to school on Sundays.

□ (3) a. My brother (　　　　) (　　　　) very fast.

□ b. My sister (　　　　) (　　　　) very fast.

002 □ (1) "(　　　　) (　　　　) hungry?" "Yes, I am."

□ (2) "(　　　　) (　　　　) (　　　　) her name?" "Yes, I do."

□ (3) "(　　　　) (　　　　) (　　　　) the piano?" "No, I can't."

003 □ (1) "(　　　　) (　　　　) this picture?" "My father did."

□ (2) "(　　　　) (　　　　) (　　　　) (　　　　)?" "I'm waiting for Mike."

---

001 (1) a. is (1) b. isn't (2) a. go (2) b. don't go (3) a. can swim (3) b. can't [cannot] swim 002 (1) Are you (2) Do you know (3) Can you play 003 (1) Who painted (2) What are you doing (3) When did you hear

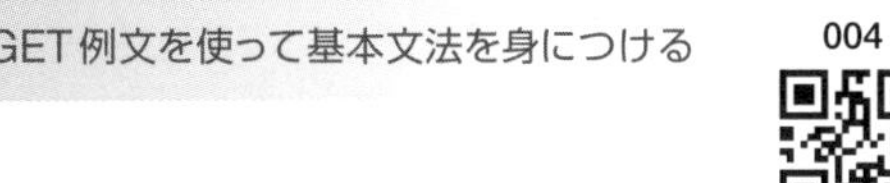

□ (3) "( ) ( ) ( ) ( ) about the accident?" "This morning."

□ (4) "( ) ( ) ( ) ( ) home?" "I don't know."

004 □ (1) ( ) careful!

□ (2) ( ) for me.

□ (3) ( ) ( ) so noisy!

□ (4) ( ) ( ).

005 □ (1) ( ) ( ) you are!

□ (2) ( ) ( ) ( ) ( ) this is!

006 □ (1) "( ) ( ) ( ) here by bicycle ( ) on foot?" "By bicycle."

□ (2) "( ) ( ) ( ) ( ) better, dogs ( ) cats?" "I like cats better."

007 □ (1) ( ) the door, ( ).

□ (2) ( ) me the salt, ( ) ( )?

□ (3) ( ) ( ) a break.

---

(3) When did you hear (4) When will he come **004** (1) Be (2) Wait (3) Don't be (4) Don't worry (1) How kind **005** (2) What a beautiful stone **006** (1) Did you come, or (2) Which do you like, or **007** (1) Open, please (2) Pass, will you (3) Let's take

第2章 動詞と文型

008 □ (1) He ( ) ( ).

□ (2) He didn't ( ) ( ) ( ).

009 □ (1) I ( ) a headache ( ).

□ (2) My brother ( ) surfing.

010 □ He ( ).

011 □ The movie ( ) ( ).

012 □ We ( ) ( ) ( ).

013 □ My father ( ) ( ) ( ) ( ).

014 □ They ( ) ( ) ( ).

015 □ (1) My uncle ( ) his watch ( ) me.

□ (2) My uncle ( ) an MP3 player ( ) me.

016 □ (1) ( ) ( ) ( ) ( ) under the table.

---

008 (1) didn't move (2) move the desk 009 (1)had, yesterday (2) likes 010 smiled 011 was funny 012 cleaned the classroom 013 bought me a watch 014 made me angry 015 (1) gave, to (2) bought, for 016 (1) There is a cat

□ (2) (　　　) (　　　) (　　　) (　　　) in the park.

017 □ (1) He (　　　) (　　　) me.

□ (2) He (　　　) (　　　) (　　　) (　　　).

018 □ (1) Linda (　　　) (　　　) (　　　) (　　　) (　　　).

□ (2) We (　　　) (　　　) (　　　).

019 □ I don't (　　　) (　　　) you.

020 □ (1) I'm (　　　) (　　　) a gift for my daughter.

□ (2) The discussion (　　　) (　　　) for hours.

021 □ (1) She (　　　) (　　　) during the earthquake.

□ (2) I (　　　) (　　　) before exams.

□ (3) Silk (　　　) (　　　).

□ (4) She (　　　) (　　　) at first.

022 □ (1) We (　　　) (　　　) at the party.

□ (2) Mike (　　　) (　　　) in the baseball game.

---

(2) There are three children 017 (1) ran to (2) runs a coffee shop 018 (1) married her high school classmate (2) discussed his plan 019 agree with 020 (1) looking for (2)went on 021 (1) kept calm (2) get nervous (3) feels smooth (4) seemed shy 022 (1) enjoyed ourselves (2) hurt himself

023

023 □ (1) I (　　) (　　) (　　) (　　).

□ (2) He (　　) (　　) (　　) (　　) (　　).

024 □ (1) She (　　) (　　) (　　) (　　).

□ (2) We (　　) (　　) (　　).

□ (3) You'll (　　) (　　) (　　) (　　).

第3章 動詞と時制

025 □ I (　　) chocolate ice cream.

026 □ I (　　) (　　) coffee at breakfast.

027 □ The earth (　　) (　　) the sun.

028 □ (1) She (　　) (　　) the piano now.

□ (2) These days, I (　　) (　　) a lot of vegetables.

029 □ The store (　　) full of young people (　　) (　　).

030 □ I (　　) (　　) my bicycle to school.

---

023 (1) lent Jim ten dollars (2) cooked me a nice meal 024 (1) keeps her desk clean (2) call him Teddy (3) find his brother cool 025 love 026 always drink 027 goes around 028 (1) is playing (2) am eating 029 was, last week 030 usually rode

031 □ We ( ) to a concert ( ) ( ).

032 □ (1) I ( ) ( ) TV around noon.

□ (2) I ( ) ( ) all night long.

033 □ (1) My brother ( ) ( ) ( ) next year.

□ (2) I ( ) ( ) ( ) my answer tomorrow.

034 □ (1) I'm ( ) ( ) ( ) a digital camera.

□ (2) ( ) you ( ) ( ) ( ) abroad next year?

□ (3) It's ( ) ( ) ( ).

035 □ (1) We ( ) ( ) ( ) tennis at this time tomorrow.

□ (2) I ( ) ( ) ( ) him at the airport next week.

036 □ (1) The birds will fly south ( ) ( ) ( ).

---

031 went, last night 032 (1) was watching (2) was coughing 033 (1) will be twenty (2) will give you 034 (1) going to buy (2) Are, going to study (3) going to rain 035 (1) will be playing (2) will be meeting 036 (1) when winter comes

☐ (2) (　　　) (　　　) (　　　) fine tomorrow, let's go swimming.

037 ☐ (1) The old bear in the zoo (　　　) (　　　).

☐ (2) The plane (　　　) (　　　) at Gate 5.

☐ (3) Our baby (　　　) (　　　) (　　　) every day.

038 ☐ (1) Tom (　　　) (　　　) (　　　) of other people.

☐ (2) Meg (　　　) (　　　) (　　　) snacks.

039 ☐ Our flight (　　　) at 11:45.

040 ☐ (1) I'm (　　　) (　　　) Paris tomorrow morning.

☐ (2) I thought you (　　　) (　　　) home at six.

041 ☐ (1) The soccer game (　　　) (　　　) (　　　) (　　　).

☐ (2) We (　　　) (　　　) (　　　) (　　　) (　　　) (　　　) up the game.

☐ (3) The President (　　　) (　　　) (　　　) a speech on TV tonight.

---

(2) If it is **037** (1) is dying (2) was stopping (3) is getting bigger **038** (1) is always thinking (2) is constantly eating **039** leaves **040** (1) leaving for (2) were coming **041** (1) is about to start (2) were on the point of giving (3) is to make

第4章 完了形

042 □ (1) I (　　　) (　　　) Paul since we were children.

□ (2) He (　　　) (　　　) here since last night.

□ (3) (　　　) you (　　　) here since last night?

043 □ (1) I (　　　) (　　　) (　　　) all my money.

□ (2) Henry (　　　) (　　　) (　　　) his homework.

044 □ (1) I (　　　) (　　　) London (　　　).

□ (2) (　　　) you (　　　) (　　　) Mt. Fuji?

045 □ (1) We (　　　) (　　　) in this house (　　　) 1992.

□ (2) I (　　　) (　　　) Greg (　　　) 20 years.

046 □ (1) I (　　　) (　　　) (　　　) this puzzle (　　　) 30 minutes.

□ (2) (　　　) (　　　) (　　　) you (　　　) (　　　) here?

---

042 (1) have known (2) hasn't been (3) Have, been 043 (1) have already spent (2) has just finished 044 (1) have visited, twice (2) Have, ever climbed 045 (1) have lived, since (2) have known, for 046 (1) have been doing, for (2) How long have, been waiting

047 □ (1) He ( ) here ( ) ( ).

□ (2) I ( ) ( ) him ( ).

048 □ The man ( ) ( ) ( ) when the police ( ).

049 □ The game ( ) ( ) ( ) when we ( ) at the stadium.

050 □ I ( ) ( ) ( ) to a foreigner before I ( ) college.

051 □ They ( ) ( ) each other ( ) ten years when they ( ) ( ).

052 □ I ( ) ( ) ( ) ( ) two hours when I ( ) the gas station.

053 □ I ( ) that I ( ) ( ) my umbrella in his car.

054 □ These leaves ( ) ( ) ( ) red ( ) next month.

055 □ The concert ( ) ( ) ( ) ( ) three.

---

047 (1) arrived, last night (2) haven't seen, lately 048 had run away, arrived 049 had already begun, arrived 050 had never spoken, entered 051 had known, for, got married 052 had been driving for, found 053 realized, had left 054 will have turned, by 055 will have finished by

056 □ I (　　　) (　　　) (　　　) the musical (　　　) (　　　) if I see it again.

057 □ Next month we (　　　) (　　　) (　　　) (　　　) (　　　) twenty years.

058 □ (1) I'm going to Rome (　　　) I (　　　) (　　　) my Italian lessons.

□ (2) I'll go shopping (　　　) it (　　　) (　　　) raining by this afternoon.

□ (3) Don't drive a car (　　　) you (　　　) (　　　) enough sleep.

第5章 助動詞

059 □ (1) David (　　　) (　　　) Japanese, but he (　　　) (　　　) it.

□ (2) I (　　　) (　　　) you tomorrow morning.

□ (3) You will (　　　) (　　　) (　　　) (　　　) soon.

060 □ (1) She (　　　) (　　　) the violin at five.

056 will have seen, three times 057 will have been married for
058 (1) when, have finished (2) if, has stopped (3) when, haven't had
059 (1) can speak, can't write (2) can see (3) be able to swim 060 (1) could play

□ (2) I (　　　) (　　　) (　　　) (　　　) 200 meters yesterday.

061 □ (1) You (　　　) (　　　) if you have a ticket.

□ (2) You (　　　) (　　　) your car here.

□ (3) (　　　) (　　　) (　　　) on the radio?

062 □ (1) (　　　) (　　　) (　　　) the window?

□ (2) (　　　) (　　　) (　　　) me the book?

063 □ (1) (　　　) (　　　) (　　　) your bathroom?

□ (2) You (　　　) (　　　) (　　　) this room.

064 □ (1) You (　　　) (　　　) the meeting.

□ (2) I (　　　) (　　　) (　　　) a report about my summer vacation.

065 □ (1) You (　　　) (　　　) (　　　) a cellphone in class.

□ (2) You (　　　) (　　　) (　　　) (　　　) off your shoes here.

066 □ (1) You (　　　) (　　　) every day.

---

(2) was able to swim 061 (1) can enter (2) can't park (3) Can I turn
062 (1) Can you open (2) Could you lend 063 (1) May I use (2) may not enter
064 (1) must attend (2) had to write 065 (1) must not use (2) don't have to take
066 (1) should exercise

□ (2) We (　　　) (　　　) (　　　) energy.

067 □ You (　　　) (　　　) (　　　) the accident to the police.

068 □ (1) Anybody (　　　) (　　　) mistakes.

□ (2) The light in the sky (　　　) (　　　) a plane.

□ (3) (　　　) his story (　　　) true?

069 □ (1) We (　　　) (　　　) some rain tomorrow.

□ (2) He (　　　) (　　　) to the party with his wife.

070 □ (1) The phone is ringing. That (　　　) (　　　) be my father.

□ (2) That (　　　) (　　　) the best solution.

071 □ (1) She (　　　) (　　　) Bobby's sister.

□ (2) Karen (　　　) (　　　) home now.

072 □ (1) My parents (　　　) (　　　) in Boston by now.

□ (2) Our guests (　　　) (　　　) (　　　) here in a few minutes.

(2) ought to save 067 had better report 068 (1) can make (2) could be (3) Can, be 069 (1) may have (2) might come 070 (1) will be (2) would be 071 (1) must be (2) can't be 072 (1) should be (2) ought to be

073 □ (1) I ( ) ( ) my best in my new job.

□ (2) He ( ) ( ) to our advice.

□ (3) My brother ( ) ( ) carrots when he was a boy.

074 □ (1) My grandfather ( ) ( ) ( ) fishing on Sundays.

□ (2) My grandfather ( ) ( ) ( ) me to the zoo on weekends.

075 □ (1) ( ) ( ) ( ) the window?

□ (2) ( ) ( ) ( ) quiet for a minute?

076 □ (1) ( ) ( ) ( ) some tea?

□ (2) ( ) ( ) ( ) away these old magazines?

077 □ You ( ) ( ) about me.

078 □ I ( ) ( ) ( ) to a gym after work, but now I don't.

079 □ There ( ) ( ) ( ) a post office on this corner.

073 (1) will do (2) won't listen (3) wouldn't eat 074 (1) will often go (2) would often take 075 (1) Will you close (2) Would you be 076 (1) Shall I make (2) Shall we throw 077 needn't worry 078 used to go 079 used to be

080 □ (1) You (　　　) (　　　) (　　　) this joke before.

□ (2) The keys (　　　) (　　　) (　　　) out of your pocket.

081 □ He (　　　) (　　　) (　　　) his umbrella in the shop.

082 □ He (　　　) (　　　) (　　　) me a lie.

083 □ The game (　　　) (　　　) (　　　) at noon.

084 □ (1) He (　　　) (　　　) (　　　) your plan.

□ (2) She (　　　) (　　　) (　　　) the difference.

085 □ You (　　　) (　　　) (　　　) up at seven.

086 □ You (　　　) (　　　) (　　　) (　　　) so much meat.

087 □ (1) (　　　) (　　　) (　　　) (　　　) your team.

□ (2) (　　　) (　　　) (　　　) home.

088 □ She (　　　) (　　　) (　　　) tired after her trip.

---

080 (1) may have heard (2) might have fallen 081 could have left 082 must have told 083 should have started 084 (1) cannot have accepted (2) couldn't have noticed 085 should have got 086 need not have bought 087 (1) I'd like to join (2) I'd rather stay 088 may well be

089 □ (1) You'll never solve that problem. You ( ) ( ) ( ) ( ) up.

□ (2) You ( ) ( ) ( ) ( ) your money away ( ) buy such a thing.

090 □ (1) It is ( ) ( ) he ( ) ( ) you.

□ (2) It is ( ) ( ) ( ) you ( ) ( ) ( ) ( ) this country.

091 □ (1) It is ( ) ( ) you ( ) ( ) this medicine.

□ (2) It is ( ) ( ) you ( ) ( ) the doctor's advice.

092 □ (1) I ( ) ( ) you ( ) ( ) at the hotel.

□ (2) He ( ) ( ) I ( ) ( ) to the meeting.

---

089 (1) might as well give (2) might as well throw, as 090 (1) natural that, should like (2) a pity that, should have to leave 091 (1) necessary that, should take (2) essential that, should follow 092 (1) suggest that, should stay (2) insisted that, should come

第6章 態

093 □ (1) This car (　　　) (　　　) (　　　) my brother.

□ (2) This temple (　　　) (　　　) about 500 years ago.

094 □ The book (　　　) (　　　) (　　　) from the library.

095 □ The stadium (　　　) (　　　) (　　　) now.

096 □ This song (　　　) (　　　) (　　　) (　　　) a lot of singers.

097 □ (1) His name (　　　) (　　　) (　　　) on the list.

□ (2) Bad words (　　　) (　　　) (　　　) (　　　) in the classroom.

098 □ (　　　) this bag (　　　) (　　　) Italy?

099 □ (1) (　　　) (　　　) (　　　) to the party?

□ (2) (　　　) (　　　) this bridge (　　　)?

---

093 (1) was repaired by (2) was built 094 can be borrowed 095 is being built 096 has been sung by 097 (1) was not found (2) must not be used 098 Was, made in 099 (1) Who was invited (2) When was, built

100 □ (1) Jim (　　　) (　　　) a Christmas card (　　　) Mary.

□ (2) A Christmas card (　　　) (　　　) (　　　) Jim (　　　) Mary.

101 □ The baby (　　　) (　　　) Carl (　　　) his grandfather.

102 □ The cat (　　　) (　　　) (　　　) (　　　) (　　　) my sister.

103 □ (1) (　　　) (　　　) (　　　) his mother is an actress.

□ (2) (　　　) (　　　) (　　　) (　　　) his mother is an actress.

104 □ (1) The street lights (　　　) (　　　) (　　　) at sunset.

□ (2) The street lights (　　　) (　　　) (　　　).

105 □ My glasses (　　　) (　　　) while I was playing soccer.

106 □ (1) The top of the mountain (　　　) (　　　) (　　　) snow.

---

100 (1) was sent, by (2) was sent to, by 101 was named, by 102 was taken care of by 103 (1) They say that (2) It is said that 104 (1) were switched on (2) were switched on 105 got broken 106 (1) is covered with

☐ (2) The driver (　　　) (　　　) (　　　) the accident.

107 ☐ She (　　　) (　　　) (　　　) the news.

第7章 不定詞

108 ☐ (1) Our plan is (　　　) (　　　) the mountain tomorrow.

☐ (2) (　　　) is useful (　　　) (　　　) a driver's license.

109 ☐ (1) My son (　　　) (　　　) (　　　) a dentist.

☐ (2) Sam (　　　) (　　　) easy (　　　) (　　　) friends.

110 ☐ (1) I'm looking for (　　　) (　　　) (　　　) me with my work.

☐ (2) I have (　　　) (　　　) (　　　) (　　　) (　　　) (　　　).

☐ (3) Do you have (　　　) (　　　) (　　　) (　　　)?

(2) was killed in 107 was shocked at 108 (1) to climb (2) It, to have 109 (1) needs to see (2) finds it, to make 110 (1) someone to help (2) a lot of homework to do (3) anything to write with

111 ☐ We were surprised at (　　　) (　　　) (　　　) (　　　) an actress.

112 ☐ She is working hard (　　　) (　　　) a car.

113 ☐ They came home (　　　) (　　　) that the window was broken.

114 ☐ I'm (　　　) (　　　) (　　　) (　　　) you.

115 ☐ (1) He must be a genius (　　　) (　　　) the theory.

☐ (2) You were careless (　　　) (　　　) such a mistake.

☐ (3) It is kind (　　　) you (　　　) (　　　) me.

116 ☐ (1) I (　　　) (　　　) (　　　) (　　　) more careful.

☐ (2) My mother (　　　) (　　　) (　　　) (　　　) more vegetables.

☐ (3) My father (　　　) (　　　) (　　　) (　　　) abroad.

117 ☐ (1) She went to the airport (　　　) (　　　) her friends.

---

111 her decision to become 112 to buy 113 to find 114 very happy to meet 115 (1) to understand (2) to make (3) of, to help 116 (1) want you to be (2) told me to eat (3) allowed me to study 117 (1) to meet

☐ (2) It is difficult (　　　) (　　　) a good job.

☐ (3) His dream is (　　　) (　　　) a movie star.

118 ☐ It is necessary (　　　) (　　　) (　　　) (　　　) a doctor.

119 ☐ He promised (　　　) (　　　) (　　　) late again.

120 ☐ (1) My mother (　　　) (　　　) (　　　) outside the store.

☐ (2) (　　　) (　　　) (　　　) my plan.

☐ (3) He (　　　) (　　　) (　　　) (　　　) at his leg.

121 ☐ I (　　　) (　　　) (　　　) (　　　) down.

122 ☐ (1) My dog (　　　) (　　　) (　　　) English.

☐ (2) The children (　　　) (　　　) (　　　) happy.

123 ☐ (1) The Romans (　　　) (　　　) (　　　) (　　　) this castle.

☐ (2) The boy (　　　) (　　　) (　　　) (　　　) (　　　) in the accident.

---

(2) to find (3) to become **118** for you to see **119** not to be **120** (1) made me wait (2) Let me explain (3) had the doctor look **121** saw the boy fall **122** (1) seems to understand (2) appeared to be **123** (1) seem to have built (2) appeared to have been hurt

124 □ (1) The ship seems (　　　) (　　　) (　　　)!

□ (2) I want (　　　) (　　　) (　　　) alone.

125 □ (1) I (　　　) (　　　) (　　　) Jim in a bookstore.

□ (2) His story (　　　) (　　　) (　　　) (　　　) true.

126 □ I (　　　) (　　　) (　　　) the small town.

127 □ (1) The next meeting (　　　) (　　　) (　　　) (　　　) in Hong Kong.

□ (2) You (　　　) (　　　) (　　　) your student card at the entrance.

□ (3) Not a sound (　　　) (　　　) (　　　) (　　　).

128 □ (1) Poetry is (　　　) (　　　) (　　　).

□ (2) Our teacher is (　　　) (　　　) (　　　) (　　　).

129 □ This curry is (　　　) (　　　) (　　　) (　　　) (　　　) (　　　).

---

124 (1) to be sinking (2) to be left **125** (1) happened to see (2) turned out to be **126** came to like **127** (1) is to take place (2) are to show (3) was to be heard **128** (1) hard to translate (2) easy to talk with **129** too spicy for me to eat

130 □ She was (　　　) (　　　) (　　　) (　　　) my baggage.

131 □ She was (　　　) (　　　) (　　　) (　　　) (　　　) my baggage.

132 □ (1) I left early (　　　) (　　　) (　　　) (　　　) heavy traffic.

□ (2) I hurried (　　　) (　　　) (　　　) (　　　) (　　　) the train.

133 □ You should teach your children (　　　) (　　　) (　　　).

134 □ (1) (　　　) (　　　) (　　　) (　　　) (　　　), that jacket doesn't suit you.

□ (2) (　　　) (　　　) (　　　), the missing plane was never found.

135 □ "Would you like to go to the movies?" "I'd (　　　) (　　　)."

第8章 動名詞

136 □ (1) My hobby is (　　　) pictures.

130 kind enough to carry 131 so kind as to carry 132 (1) so as to avoid (2) in order not to miss 133 how to swim 134 (1) To tell you the truth (2) Strange to say 135 love to 136 (1) taking

☐ (2) (　　　　　) people's names is difficult.

137 ☐ My grandfather (　　　　　) (　　　　　) golf.

138 ☐ She is good (　　　　　) (　　　　　) cookies.

139 ☐ (1) My brother doesn't like (　　　　　) computer games.

☐ (2) (　　　　　) is (　　　　　).

☐ (3) His hobby is (　　　　　) stamps.

140 ☐ (1) My brother doesn't like (　　　　　) (　　　　　) computer games.

☐ (2) I'm sure of (　　　　　) (　　　　　) (　　　　　) the game.

141 ☐ (　　　　　) (　　　　　) "thank you" is rude.

142 ☐ I don't like (　　　　　) (　　　　　) like a child.

143 ☐ She is proud of (　　　　　) (　　　　　) a medal at the Olympics.

144 ☐ (1) The boy (　　　　　) (　　　　　) (　　　　　) (　　　　　) his own breakfast.

---

(2) Remembering 137 enjoys playing 138 at baking 139 (1) playing (2) Seeing, believing (3) collecting 140 (1) my playing (2) our team winning 141 Not saying 142 being treated 143 having won 144 (1) is used to making

☐ (2) I'm (　　) (　　) (　　) (　　) you again.

145 ☐ (1) (　　) (　　) (　　) (　　) what will happen in the future.

☐ (2) (　　) (　　) (　　) (　　) (　　) about the past.

☐ (3) (　　) (　　) (　　) (　　) that?

146 ☐ (1) You should (　　) (　　) just before you go to bed.

☐ (2) I've (　　) (　　) (　　) for the cat.

147 ☐ (1) Masako (　　) (　　) (　　) (　　) abroad.

☐ (2) I (　　) (　　) (　　) to Italy next year.

148 ☐ (1) I'll never (　　) (　　) her.

☐ (2) Don't (　　) (　　) (　　) her.

149 ☐ (1) Do you (　　) (　　) the door?

☐ (2) Please (　　) (　　) (　　) the door.

---

(2) looking forward to seeing 145 (1) There is no knowing (2) It is no use worrying (3) Would you mind repeating 146 (1) avoid eating (2) given up looking 147 (1) has decided to study (2) hope to go 148 (1) forget meeting (2) forget to meet 149 (1) remember locking (2) remember to lock

150 □ (1) I (　　　) (　　　) your offer.

□ (2) I (　　　) (　　　) (　　　) that we must reject your offer.

151 □ (1) He (　　　) (　　　) the rock, and found it was not very heavy.

□ (2) He (　　　) (　　　) (　　　) the rock, but he couldn't.

152 □ (1) Sue (　　　) (　　　) when she heard the news.

□ (2) Tracy (　　　) (　　　) old folk songs.

153 □ (1) He (　　　) (　　　) pictures.

□ (2) He (　　　) (　　　) (　　　) pictures.

154 □ (1) I am (　　　) (　　　) (　　　) alone.

□ (2) I'm very (　　　) (　　　) (　　　) alone.

第9章 分詞

155 □ (1) Who is (　　　) (　　　) (　　　) a picture over there?

---

150 (1) regret rejecting (2) regret to say 151 (1) tried lifting (2) tried to lift 152 (1) started crying (2) loves singing 153 (1) stopped taking (2) stopped to take 154 (1) anxious about traveling (2) anxious to travel 155 (1) the girl painting

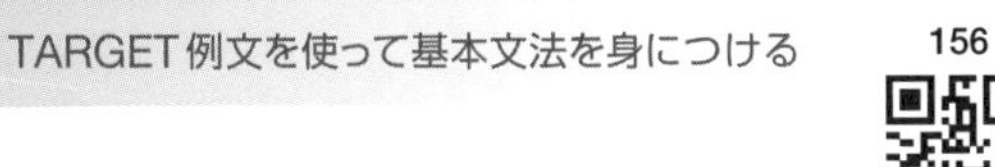

□ (2) (　　　) (　　　) (　　　) by a little girl won the contest.

156 □ (1) Someone is in that (　　　) (　　　)!

□ (2) The police found the (　　　) (　　　) in the car.

157 □ (1) It was an (　　　) (　　　).

□ (2) I saw a lot of (　　　) (　　　).

158 □ (1) He (　　　) (　　　) that he loved me.

□ (2) His eyes (　　　) (　　　).

159 □ (1) They (　　　) (　　　) into the room.

□ (2) The teacher (　　　) (　　　) by his students.

160 □ (1) He (　　　) (　　　) (　　　) for forty minutes.

□ (2) We usually (　　　) (　　　) (　　　) (　　　).

161 □ (1) The comedian (　　　) (　　　) (　　　) (　　　).

□ (2) He (　　　) (　　　) (　　　) (　　　).

(2) The picture painted 156 (1) burning house (2) stolen money 157 (1) exciting game (2) excited supporters 158 (1) kept saying (2) remain closed 159 (1) walked laughing (2) sat surrounded 160 (1) kept me waiting (2) keep the window locked 161 (1) had the people laughing (2) got the machine working

162 □ (1) I (　　　) (　　　) (　　　) (　　　) at a famous beauty salon.

□ (2) I (　　　) (　　　) (　　　) (　　　) in the train doors.

□ (3) (　　　) (　　　) (　　　) (　　　) by tomorrow!

163 □ (1) We (　　　) (　　　) (　　　) (　　　) a nest.

□ (2) I (　　　) (　　　) (　　　) (　　　) (　　　) by her mother.

164 □ (1) My mother is cleaning the kitchen (　　　) (　　　) (　　　).

□ (2) (　　　) (　　　) (　　　) (　　　), the island looks like a ship.

165 □ Some girls are walking down the road (　　　) (　　　) (　　　) (　　　).

166 □ (　　　) (　　　) (　　　) (　　　), I found a beautiful shell.

---

162 (1) had my hair cut (2) got my fingers caught (3) Have your essay finished
163 (1) saw a bird building (2) saw a little girl scolded 164 (1) singing a song (2) Seen from the plane 165 talking to each other 166 Walking along the beach

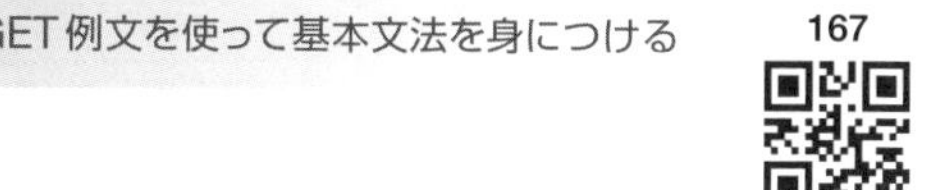

167 □ (　　　) (　　　) (　　　) (　　　) from his bag , he opened the box.

168 □ (　　　) (　　　) (　　　) (　　　), this book is easy to understand.

169 □ (　　　) (　　　) what to say, he kept silent.

170 □ (　　　) (　　　) the novel, I already (　　　) the ending of the movie.

171 □ (　　　) (　　　) in Hokkaido, he twisted his ankle.

172 □ (　　　) (　　　) Monday, the barber shop was closed.

173 □ (1) (　　　) (　　　), I think this work is boring.

□ (2) (　　　) (　　　) children, how old is your daughter now?

174 □ (1) The dog sat there (　　　) (　　　) (　　　) (　　　) out.

□ (2) He stood in front of us (　　　) (　　　) (　　　) (　　　).

175 □ (1) (　　　) a car (　　　).

---

167 Taking out a key 168 Written in simple English 169 Not knowing 170 Having read, knew 171 While skiing 172 It being 173 (1) Frankly speaking (2) Speaking of 174 (1) with his tongue hanging (2) with his arms folded 175 (1) There's, coming

□ (2) We (　　　) (　　　) (　　　) Ginza.

□ (3) We (　　　) (　　　) (　　　) (　　　) for the party.

第10章 比較

176 □ (1) My brother (　　　) (　　　) (　　　) (　　　) my father is.

□ (2) I can (　　　) (　　　) (　　　) (　　　) my brother can.

177 □ I (　　　) (　　　) (　　　) (　　　) (　　　) my sister does.

178 □ I (　　　) (　　　) (　　　) (　　　) (　　　) you do.

179 □ (1) This room (　　　) (　　　) (　　　) (　　　) (　　　) that one.

□ (2) That room (　　　) (　　　) (　　　) (　　　) (　　　) this one.

180 □ (1) Call the doctor (　　　) (　　　) (　　　) (　　　)!

(2) went shopping in (3) are very busy preparing 176 (1) is as tall as (2) run as fast as 177 don't sing as well as 178 have as many books as 179 (1) is twice as large as (2) is half as large as 180 (1) as soon as possible

トレーニング Step 1

☐ (2) The doctor came (　　　) (　　　) (　　　) (　　　) (　　　).

181 ☐ (1) This stone (　　　) (　　　) (　　　) that one.

☐ (2) She can (　　　) (　　　) (　　　) (　　　) me.

☐ (3) My sister (　　　) (　　　) (　　　) (　　　) me.

182 ☐ He (　　　) (　　　) (　　　) (　　　) my father.

183 ☐ (1) This house (　　　) (　　　) (　　　) (　　　) mine.

☐ (2) Sue is (　　　) (　　　) (　　　) (　　　) Tim.

184 ☐ This car is (　　　) (　　　) (　　　) that one.

185 ☐ He (　　　) much (　　　) than he (　　　) (　　　).

186 ☐ (1) He (　　　) (　　　) (　　　) (　　　) (　　　) this school.

---

(2) as quickly as he could 181 (1) is heavier than (2) speak English better than (3) has more CDs than 182 is not younger than 183 (1) is much larger than (2) three years younger than 184 less expensive than 185 looks, younger, really is 186 (1) is the fastest sprinter in

☐ (2) He (　　　) (　　　) (　　　) us all.

187 ☐ She is (　　　) (　　　) (　　　) (　　　) (　　　) in this country.

188 ☐ This is (　　　) (　　　) (　　　) (　　　) in this store.

189 ☐ This is (　　　) (　　　) (　　　) (　　　) (　　　) in the hotel.

190 ☐ Henry is (　　　) (　　　) (　　　) (　　　) in this class.

191 ☐ (　　　) (　　　) (　　　) in the United States is (　　　) (　　　) (　　　) Alaska.

192 ☐ (　　　) (　　　) (　　　) in the United States is (　　　) (　　　) Alaska.

193 ☐ Alaska is (　　　) (　　　) (　　　) (　　　) (　　　) in the United States.

194 ☐ The drama was (　　　) (　　　) (　　　) a tragedy (　　　) a comedy.

195 ☐ (1) She looks (　　　) (　　　) (　　　) (　　　).

---

(2) swims fastest of　187 by far the best singer　188 the least expensive computer　189 one of the nicest rooms　190 the second tallest student　191 No other state, as large as　192 No other state, larger than　193 larger than any other state　194 not so much, as　195 (1) as cheerful as ever

トレーニング Step 1

□ (2) He is (　　　) great an actor (　　　) (　　　) (　　　).

□ (3) He is (　　　) honest (　　　) (　　　) (　　　) (　　　) (　　　).

196 □ (　　　) (　　　) (　　　) fifty thousand birds spend the winter here.

197 □ We chose (　　　) (　　　) (　　　) (　　　) (　　　) puppies.

198 □ (1) The tree is growing (　　　) (　　　) (　　　).

□ (2) It's becoming (　　　) (　　　) (　　　) (　　　) to understand English.

□ (3) (　　　) (　　　) (　　　) (　　　) are traveling abroad these days.

199 □ (1) (　　　) (　　　) I study, (　　　) (　　　) I know.

□ (2) (　　　) (　　　) my dog gets, (　　　) (　　　) he gets.

200 □ (1) We respect him (　　　) (　　　) (　　　) (　　　) his honesty.

(2) as, as ever lived (3) as, as any man I know 196 As many as 197 the smaller of the two 198 (1) taller and taller (2) more and more important (3) More and more people 199 (1) The more, the more (2) The older, the fatter 200 (1) all the more for

☐ (2) She works (　　　) (　　　) (　　　) (　　　) she has a child.

201 ☐ His behavior was (　　　) (　　　) (　　　) rude.

202 ☐ He can't write a simple report, (　　　) (　　　) a novel.

203 ☐ (1) Humans are (　　　) (　　　) gorillas in intelligence.

☐ (2) I (　　　) playing sports (　　　) watching them.

204 ☐ (　　　) (　　　) (　　　) is not afraid of computers.

205 ☐ (1) Our guess was (　　　) (　　　) (　　　) correct.

☐ (2) (　　　) (　　　) (　　　) you will find a good solution.

☐ (3) I (　　　) (　　　) (　　　) (　　　) (　　　) sailing without a life jacket.

206 ☐ The video camera (　　　) (　　　) (　　　) (　　　) my hand.

---

(2) all the harder because 201 more foolish than 202 much less 203 (1) superior to (2) prefer, to 204 The younger generation 205 (1) more or less (2) Sooner or later (3) know better than to go 206 is no bigger than

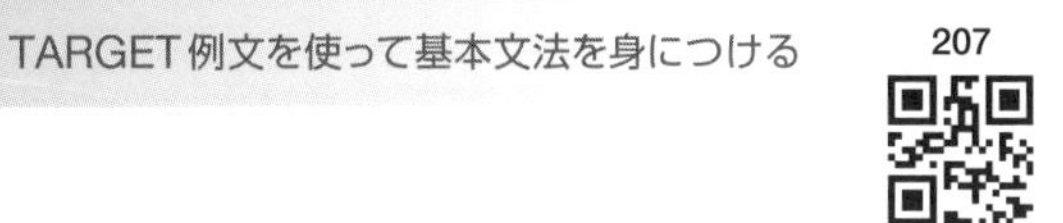

207 □ (1) Sleeping too much (　　　) (　　　) (　　　) (　　　) (　　　) eating too much is.

□ (2) Relaxing (　　　) (　　　) (　　　) (　　　) (　　　) working is.

208 □ (1) He paid me (　　　) (　　　) (　　　) 3,000 yen for the work.

□ (2) There were (　　　) (　　　) (　　　) twenty people in the theater.

209 □ (1) She paid me (　　　) (　　　) (　　　) 30,000 yen for the work.

□ (2) The cost will be (　　　) (　　　) (　　　) 20,000 yen.

210 □ (1) I (　　　) (　　　) when I'm with my friends.

□ (2) This lake (　　　) (　　　) here.

211 □ (　　　) (　　　) (　　　) sometimes feel afraid.

212 □ (1) It will take (　　　) (　　　) (　　　) ten minutes to get there.

---

207 (1) is no more healthy than (2) is no less important than **208** (1) no more than (2) not more than **209** (1) no less than (2) not less than **210** (1) feel happiest (2) is deepest **211** The bravest people **212** (1) at the most

□ (2) It will take (　　　) (　　　) (　　　) three hours to get there.

213 □ (1) People are (　　　) (　　　) (　　　) when they are under pressure.

□ (2) The small factory can produce 30 cars a month (　　　) (　　　) (　　　).

第11章 関係詞

214 □ (1) I have (　　　) (　　　) (　　　) (　　　) in Boston.

□ (2) They live in (　　　) (　　　) (　　　) (　　　) on a hill.

215 □ (1) (　　　) (　　　) (　　　) (　　　) (　　　) on the street works at a bank.

□ (2) I'm reading (　　　) (　　　) (　　　) (　　　) (　　　) from the library.

216 □ (1) He has (　　　) (　　　) (　　　) (　　　) (　　　) a singer.

(2) at the least 213 (1) at their best (2) at the best 214 (1) a friend who lives (2) a house which stands 215 (1) The man whom I met (2) a book which I borrowed 216 (1) a friend whose wife is

□ (2) I'm looking for (　　　　) (　　　　) (　　　　) (　　　　) (　　　　) jazz.

217 □ (1) I lent him (　　　　) (　　　　) (　　　　) (　　　　) in my pocket.

□ (2) Where is (　　　　) (　　　　) (　　　　) (　　　　) (　　　　) yesterday?

218 □ (1) He is the actor (　　　　) Ann (　　　　) a fan letter (　　　　).

□ (2) This is the city (　　　　) I (　　　　) (　　　　) (　　　　).

219 □ (1) (　　　　) (　　　　) me (　　　　) the result of the exam.

□ (2) They couldn't believe (　　　　) (　　　　) (　　　　).

□ (3) This watch is just (　　　　) (　　　　) (　　　　)!

220 □ (1) He married (　　　　) (　　　　) (　　　　) (　　　　) (　　　　) at the hospital.

□ (2) He married (　　　　) (　　　　), (　　　　) (　　　　) (　　　　) at the hospital.

(2) a book whose subject is 217 (1) the money that was (2) the CD that I bought 218 (1) who, sent, to (2) which, was born in 219 (1) What worries, is (2) what they saw (3) what I wanted 220 (1) a woman who he met (2) my sister, who he met

221 □ (1) He gave me some chocolates, (　　　　) (　　　　) (　　　　) at once.

□ (2) She lent me some books, (　　　　) (　　　　) (　　　　) so interesting.

□ (3) I telephoned Rod, (　　　　) (　　　　) (　　　　) while I was out.

222 □ (1) He wore a brown suit, (　　　　) (　　　　) (　　　　) (　　　　) Italy.

□ (2) He said he wasn't afraid of ghosts, (　　　　) (　　　　) (　　　　).

□ (3) It rained all day yesterday, (　　　　) (　　　　) (　　　　).

223 □ This is (　　　　) (　　　　) (　　　　) my aunt (　　　　).

224 □ There was (　　　　) (　　　　) (　　　　) dinosaurs (　　　　) on the earth.

225 □ (1) Tell me (　　　　) (　　　　) (　　　　) you look so happy today.

---

221 (1) which I ate (2) which were not (3) who had called 222 (1) which was made in (2) which wasn't true (3) which I expected 223 the hospital where, works 224 a time when, lived 225 (1) the reason why

□ (2) I really like sweets. (　　　) (　　　) my teeth are bad.

226 □ (　　　) (　　　) he succeeded in business.

227 □ (1) She moved to New York, (　　　) (　　　) (　　　) music.

□ (2) I was taking a shower at seven, (　　　) (　　　) (　　　) (　　　) out!

228 □ (1) The club (　　　) (　　　) (　　　) the entry fee.

□ (2) Help yourself (　　　) (　　　) (　　　) (　　　).

□ (3) You can (　　　) (　　　) (　　　) (　　　).

229 □ (1) On holidays, we can get up (　　　) (　　　) (　　　) (　　　).

□ (2) I visit my uncle (　　　) (　　　) (　　　) (　　　) Osaka.

□ (3) Put the table (　　　) (　　　) (　　　).

(2) That's why 226 That's how 227 (1) where she studied (2) when the lights went 228 (1) admits whoever pays (2) to whichever you want (3) order whatever you like 229 (1) whenever we want to (2) whenever I go to (3) wherever you like

230 □ (1) (　　　) (　　　) (　　　), I don't want to answer the phone.

□ (2) (　　　) (　　　) (　　　), please return it tomorrow.

□ (3) (　　　) (　　　), I will always love you.

231 □ (1) (　　　) (　　　) (　　　) (　　　), she always smiles.

□ (2) You will be welcomed (　　　) (　　　) (　　　).

□ (3) I'll be thinking of you (　　　) (　　　) (　　　).

232 □ (1) This is (　　　) (　　　) jacket (　　　) (　　　) (　　　) by the actor in the movie.

□ (2) Oil and water do not mix, (　　　) (　　　) (　　　) (　　　).

233 □ You did (　　　) work (　　　) I (　　　) (　　　).

234 □ The woman (　　　) (　　　) (　　　) (　　　) her sister was actually her mother.

---

230 (1) Whoever calls me (2) Whichever you take (3) Whatever happens
231 (1) However tired she is (2) whenever you come (3) wherever you go
232 (1) the same, as was worn (2) as we all know **233** more, than, had expected
234 who I thought was

235 □ The house (　　) (　　) (　　) (　　) (　　) the red roof is ours.

236 □ (1) The hotel (　　) (　　) (　　) (　　) last summer was wonderful.

□ (2) I couldn't understand her message, (　　) (　　) (　　) (　　) in French.

237 □ (1) This music is (　　) (　　) (　　) "rap."

□ (2) His father made him (　　) (　　) (　　) today.

□ (3) He plays the piano, and (　　) (　　) (　　), he sings very well.

□ (4) (　　) (　　) working (　　) housekeeping, I'm very busy.

□ (5) Reading (　　) (　　) the mind (　　) exercising (　　) (　　) the body.

238 □ I gave him (　　) (　　) I could give.

239 □ The men wore kilts, (　　) (　　) (　　) (　　) very interesting.

235 of which you can see 236 (1) at which I stayed (2) most of which was 237 (1) what is called (2) what he is (3) what is more (4) What with, and (5) is to, what, is to 238 what help 239 which clothing I thought

第12章 仮定法

240 □ (1) If it (　　　　) tomorrow, we (　　　　) (　　　　) the picnic.

□ (2) If I (　　　　) a lot of money, I (　　　　) (　　　　) an island.

241 □ (1) If he (　　　　) ready, we (　　　　) (　　　　).

□ (2) If I (　　　　) enough time and money, I (　　　　) (　　　　) around the world.

242 □ (1) If I (　　　　) (　　　　) ten minutes earlier, I (　　　　) (　　　　) (　　　　) (　　　　) the train.

□ (2) She (　　　　) (　　　　) (　　　　) if the climber (　　　　) (　　　　) (　　　　) her.

243 □ If I (　　　　) (　　　　) the medicine (　　　　) , I (　　　　) (　　　　) fine (　　　　).

244 □ (1) (　　　　) (　　　　) (　　　　) (　　　　) her telephone number.

---

240 (1) rains, will cancel (2) had, would buy **241** (1) were, would go (2) had, would travel **242** (1) had left, would not have missed (2) would have died, had not found **243** had taken, then, might be, now **244** (1) I wish I knew

□ (2) I (   ) (   ) (   ) (   ) such an expensive bag.

245 □ (1) He talks (   ) (   ) (   ) (   ) an expert in economics.

□ (2) You look (   ) (   ) you (   ) (   ) a ghost!

246 □ If you (   ) (   ) win the lottery, what (   ) (   ) (   )?

247 □ If he (   ) change his mind, he (   ) (   ) me.

248 □ (1) (   ) (   ) (   ), I (   ) (   ) her for a date.

□ (2) (   ) (   ) (   ) you were in the hospital, we (   ) (   ) (   ) you.

□ (3) (   ) (   ) (   ) an earthquake, this bookshelf (   ) (   ) forward.

249 □ (1) (   ) (   ) dreams, life (   ) (   ) no meaning.

(2) wish I hadn't bought 245 (1) as if he were (2) as if, had seen 246 were to, would you do 247 should, would call 248 (1) Were I you, would ask (2) Had we known, would have visited (3) Should there be, would fall 249 (1) But for, would have

□ (2) (　　　) your goal, we (　　　) (　　　) (　　　) the game.

250 □ (1) (　　　) time, this project (　　　) (　　　).

□ (2) (　　　) your advice, he (　　　) (　　　) (　　　) (　　　) in business.

251 □ (1) I know he is innocent; (　　　) I (　　　) (　　　) to save him.

□ (2) We stopped talking; (　　　) our teacher (　　　) (　　　) (　　　) us.

252 □ (　　　) (　　　) him talk, you (　　　) (　　　) he knew all about the secret.

253 □ (1) A secret agent (　　　) (　　　) (　　　) (　　　) his real name.

□ (2) Two years ago, I (　　　) (　　　) (　　　) your proposal.

254 □ (1) (　　　) (　　　) (　　　) (　　　) (　　　) music, life would be boring.

□ (2) (　　　) (　　　) (　　　) (　　　) (　　　) (　　　) (　　　) my seat belt, I would have been killed.

---

(2) Without, would have lost **250** (1) With, would succeed (2) With, would not have failed **251** (1) otherwise, wouldn't try (2) otherwise, would have scolded **252** To hear, would think **253** (1) would never tell you (2) Two years ago, would have accepted **254** (1) If it were not for (2) If it had not been for

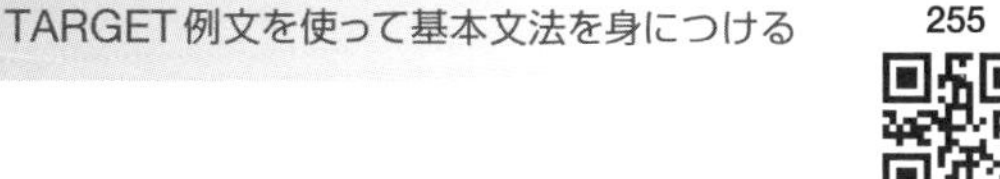

255 □ (　　　) (　　　) you (　　　) a new bicycle.

256 □ (1) (　　　) (　　　) she (　　　) here!

□ (2) (　　　) (　　　) I (　　　) (　　　) her advice!

257 □ (1) It (　　　) be nice (　　　) you (　　　) (　　　) me with my luggage.

□ (2) (　　　) it be all right (　　　) I (　　　) here?

□ (3) (　　　) you (　　　) (　　　) I (　　　) the window?

258 □ (1) I (　　　) (　　　) you (　　　) (　　　) me.

□ (2) I (　　　) (　　　) (　　　) I (　　　) (　　　) your phone.

第13章 疑問詞と疑問文

259 □ (1) "(　　　) (　　　) that girl over there?" "That's Linda."

---

255 It's time, bought 256 (1) If only, were (2) If only, had taken
257 (1) would, if, could help (2) Would, if, sat (3) Would, mind if, opened
258 (1) wonder if, could help (2) was wondering if, could use 259 (1) Who is

□ (2) "(　　　　) (　　　　) that building over there?"
"That's City Hall."

260 □ "(　　　　) (　　　　) your coat, this one (　　　　) that one?" "This one is."

261 □ (1) "(　　　　) (　　　　) (　　　　) planning to invite?" "Ann and Nancy."

□ (2) "(　　　　) (　　　　) (　　　　) have for breakfast?" "I usually have toast."

262 □ "There's a key on the table. (　　　　) (　　　　) (　　　　)?" "It's David's."

263 □ (1) "(　　　　) (　　　　) (　　　　) (　　　　)?"
"They're mine."

□ (2) "(　　　　) (　　　　) (　　　　) (　　　　) like?"
"I like basketball."

□ (3) "(　　　　) (　　　　) (　　　　) (　　　　) (　　　　) (　　　　) like?" "I like action movies."

264 □ "(　　　　) (　　　　) (　　　　) (　　　　) take?"
"The number 5."

---

(2) What is 260 Which is, or 261 (1) Who are you (2) What do you 262 Whose is it 263 (1) Whose shoes are these (2) What sport do you (3) What kind of movies do you 264 Which bus should we

265 □ (1) "(　　　) (　　　) (　　　) (　　　) begin?" "At seven."

□ (2) "(　　　) (　　　) (　　　) park my car?" "You can park on this street."

266 □ (1) "(　　　) (　　　) (　　　) go to the post office?" "To buy some stamps."

□ (2) "(　　　) (　　　) (　　　) go to school?" "By bus."

267 □ (1) "(　　　) (　　　) (　　　) meal?" "It was very good."

□ (2) "(　　　) (　　　) (　　　) (　　　) house from the station?" "About two kilometers."

268 □ "(　　　) (　　　) (　　　) come to the party (　　　)?" "With Cathy."

269 □ (1) I don't know (　　　) (　　　) (　　　) (　　　) (　　　).

□ (2) Can you tell me (　　　) (　　　) (　　　) (　　　)?

270 □ (1) "(　　　) (　　　) swim?" "No, I can't."

---

265 (1) When does the concert (2) Where can I 266 (1) Why did you (2) How do you 267 (1) How was your (2) How far is your 268 Who did he, with 269 (1) what he wants to do (2) when the movie starts 270 (1) Can't you

☐ (2) "(　　　　) (　　　　) a lovely day?" "Yes, it is."

271 ☐ "(　　　　) (　　　　) (　　　　) (　　　　) I open the window?" "(　　　　), not at all."

272 ☐ "(　　　　) (　　　　) use your bike?" "(　　　　). Go ahead."

273 ☐ (1) "(　　　　) (　　　　) (　　　　) (　　　　) that light is?" "I think it's a fishing boat."

☐ (2) "(　　　　) (　　　　) (　　　　) (　　　　) that light is?" "No, I don't."

274 ☐ (1) "It's very hot today, (　　　　) (　　　　)?" "Yes, it is."

☐ (2) "She doesn't like coffee, (　　　　) (　　　　)?" "No, she doesn't."

275 ☐ (1) "Billy hasn't arrived yet, (　　　　) (　　　　)?" "No, he hasn't."

☐ (2) "There's some juice in the fridge, (　　　　) (　　　　)?" "Yes, there is."

☐ (3) "She never listens, (　　　　) (　　　　)?" "No, she never does."

---

(2) Isn't it **271** Do you mind if, No **272** Can I, Sure **273** (1) What do you think (2) Do you know what **274** (1) isn't it (2) does she **275** (1) has he (2) isn't there (3) does she

276 □ (1) (　　　) (　　　)?

□ (2) (　　　) (　　　) (　　　) simpler than this?

277 □ (　　　) (　　　) (　　　) your telephone number?

278 □ (1) "I'm sorry, Dad. I broke your ..." "You broke (　　　) (　　　)?"

□ (2) "I told him the truth." "You told (　　　) (　　　)?"

279 □ (1) "Ichiro hit a home run yesterday." "Oh, (　　　) (　　　)?"

□ (2) "I'm not interested in video games." "(　　　) (　　　)?"

280 □ (　　　) (　　　) the police come here (　　　)?

281 □ (　　　) (　　　) the food in Spain (　　　)?

282 □ (　　　) (　　　) (　　　) (　　　) bring your sister?

---

276 (1) Who knows (2) What could be 277 You gave him 278 (1) my what (2) him what 279 (1) did he (2) Aren't you 280 What did, for 281 What is, like 282 How come you didn't

第14章 否定

283 □ (1) We (　　　) (　　　) (　　　) to school by train.

□ (2) My teacher told me (　　　) (　　　) (　　　) earrings.

284 □ I (　　　) (　　　) (　　　) a roller coaster again.

285 □ (1) There (　　　) (　　　) (　　　) in the park.

□ (2) Building a house is (　　　) (　　　) (　　　).

286 □ (1) I (　　　) (　　　) (　　　) he is so talented.

□ (2) I (　　　) (　　　) it (　　　) rain tomorrow.

287 □ "Will Jackie be late again?" "I (　　　) (　　　)."

288 □ (1) I (　　　) (　　　) (　　　) what he was saying.

□ (2) The injured child (　　　) (　　　) (　　　).

289 □ (1) I (　　　) (　　　) to classical music.

---

283 (1) do not come (2) not to wear 284 will never ride 285 (1) were no children (2) no simple task 286 (1) don't think that (2) hope that, won't 287 hope not 288 (1) could hardly understand (2) could scarcely walk 289 (1) rarely listen

☐ (2) England (   ) (   ) (   ) the World Cup.

290 ☐ (1) (   ) (   ) handed in the homework.

☐ (2) I had (   ) (   ) to buy a present for her.

291 ☐ (1) (   ) (   ) (   ) (   ) attended the meeting.

☐ (2) (   ) (   ) (   ) (   ) (   ) attended the meeting.

☐ (3) (   ) (   ) (   ) (   ) attended the meeting.

292 ☐ (1) She (   ) (   ) (   ) (   ) with me.

☐ (2) Your theory (   ) (   ) (   ) (   ).

293 ☐ (1) He (   ) (   ) us (   ) bringing a gift.

☐ (2) It's (   ) (   ) for couples to quarrel.

---

(2) has seldom won 290 (1) Few students (2) little time 291 (1) All of the members (2) Not all of the members (3) None of the members 292 (1) does not always agree (2) is not completely wrong 293 (1) never visits, without (2) not unusual

294 □ (1) I (　　　) (　　　) (　　　) when I hear that song.

□ (2) You (　　　) (　　　) (　　　) (　　　) when you swim in the sea.

295 □ (1) (　　　) (　　　) (　　　) (　　　) (　　　) he started to use a smartphone.

□ (2) I (　　　) (　　　) from university (　　　) I was twenty-five.

□ (3) The game (　　　) (　　　) (　　　) (　　　) it began to rain.

296 □ (1) Babies (　　　) (　　　) (　　　) (　　　).

□ (2) He (　　　) (　　　) (　　　) a strong wrestler.

297 □ (1) He was (　　　) (　　　) (　　　) (　　　) his homework.

□ (2) He would be (　　　) (　　　) (　　　) (　　　) (　　　) a lie.

□ (3) The alarm (　　　) (　　　) (　　　).

---

294 (1) cannot help crying (2) cannot be too careful 295 (1) It was not long before (2) didn't graduate, until (3) had hardly started when 296 (1) do nothing but cry (2) is no longer 297 (1) too sleepy to do (2) the last person to tell (3) failed to ring

298 □ (1) His story was (　　　) (　　　) (　　　).

□ (2) Twenty thousand yen for a T-shirt is (　　　) (　　　) (　　　)!

□ (3) No animal can live (　　　) (　　　) (　　　).

第15章 話法

299 □ (1) I (　　　), "(　　　) (　　　) interested in gospel music."

□ (2) I (　　　) (　　　) (　　　) (　　　) interested in gospel music.

300 □ (1) He always says, "(　　　) (　　　) (　　　) (　　　) hometown."

□ (2) He always says that (　　　) (　　　) (　　　) (　　　) hometown.

301 □ (1) He (　　　) (　　　) (　　　), "I want you to join the game."

□ (2) He (　　　) (　　　) (　　　) he wanted me to join the game.

---

298 (1) anything but boring (2) far from cheap (3) free from danger
299 (1) said, I am (2) said that I was 300 (1) I don't like my (2) he doesn't like his 301 (1) said to me (2) told me that

302 ☐ (1) He said to us, "You can't play baseball (   ) (   )."

☐ (2) He told us that we couldn't play baseball (   ) (   ) (   ).

303 ☐ (1) He (   ) (   ) me, "(   ) do your parents live?"

☐ (2) He (   ) me (   ) (   ) (   ) (   ).

304 ☐ (1) Mr. Brown (   ) (   ) me, "(   ) (   ) hungry?"

☐ (2) Mr. Brown (   ) me (   ) (   ) (   ) hungry.

305 ☐ (1) My mother (   ) (   ) me, "(   ) your room."

☐ (2) My mother (   ) me (   ) (   ) (   ) room.

306 ☐ (1) He (   ) (   ) me, "(   ) (   ) buy this dictionary."

---

302 (1) here today (2) there that day 303 (1) said to, Where (2) asked, where my parents lived 304 (1) said to, Are you (2) asked, if I was 305 (1) said to, Clean (2) told, to clean my 306 (1) said to, You should

☐ (2) He (　　　) (　　　) (　　　) (　　　) that dictionary.

307 ☐ (1) She said to me, "(　　　) (　　　) your motorcycle (　　　)!"

☐ (2) She (　　　) (　　　) how noisy my motorcycle (　　　).

308 ☐ (1) Bill said, "(　　　) (　　　) know when Kate (　　　) (　　　) (　　　)."

☐ (2) Bill said that (　　　) (　　　) know when Kate (　　　) (　　　) (　　　).

309 ☐ (1) The man said, "I (　　　) here yesterday, (　　　) I (　　　) stay for three days."

☐ (2) The man said that he (　　　) (　　　) there the day before, (　　　) (　　　) he (　　　) stay for three days.

310 ☐ (1) He said to me, "You look pale. (　　　) (　　　)?"

☐ (2) He (　　　) (　　　) that I (　　　) pale and he (　　　) me what was wrong.

---

(2) advised me to buy **307** (1) how noisy, is (2) complained about, was
308 (1) I don't, will arrive here (2) he didn't, would arrive there
309 (1) arrived, and, will (2) had arrived, and that, would **310** (1) What's wrong (2) told me, looked, asked

第16章 名詞構文・無生物主語

311 □ We are pleased with the news of (　　　) (　　　) (　　　) (　　　).

312 □ The scientist reported (　　　) (　　　) (　　　) (　　　) (　　　) (　　　).

313 □ Nobody noticed (　　　) (　　　) (　　　) (　　　) (　　　) (　　　).

314 □ (1) My father is (　　　) (　　　) (　　　).

□ (2) We (　　　) (　　　) (　　　) in the coffee shop.

315 □ (1) The bad weather (　　　) (　　　) (　　　) the game.

□ (2) My part-time job (　　　) (　　　) (　　　) (　　　) a lot of money.

316 □ (1) A helmet (　　　) (　　　) (　　　) (　　　) your head.

□ (2) The traffic jam (　　　) (　　　) (　　　) (　　　) on time.

311 his success in business 312 his discovery of a new virus 313 my absence from the club meeting 314 (1) a safe driver (2) had a chat 315 (1) made us cancel (2) allows me to save 316 (1) keeps you from hurting (2) prevented us from arriving

317 □ This meter (　　) (　　) (　　) (　　) in Fahrenheit.

318 □ (1) This road (　　) (　　) (　　) (　　) (　　).

□ (2) The new dishwasher will (　　) (　　) (　　) (　　) (　　) water.

第17章 強調・倒置・挿入・省略・同格

319 □ (1) (　　) (　　) (　　) to call me any time.

□ (2) This is (　　) (　　) (　　) I've been looking for!

□ (3) Your dress is (　　) (　　)!

320 □ (1) (　　) (　　) (　　) is calling at this hour?

□ (2) I (　　) (　　) his story (　　) (　　).

321 □ He tells the same jokes (　　) (　　) (　　).

317 tells you the temperature 318 (1) takes you to the station (2) save you a lot of 319 (1) Do feel free (2) the very book (3) just wonderful 320 (1) Who on earth (2) don't believe, at all 321 again and again

322 □ (　　　) (　　　) Jim (　　　) caught a turtle in this pond yesterday.

323 □ (1) (　　　) (　　　) (　　　) (　　　) her voice.

□ (2) (　　　) (　　　) (　　　) (　　　) (　　　) is to wait here.

324 □ (1) (　　　) (　　　) (　　　) (　　　) such a beautiful rainbow.

□ (2) (　　　) (　　　) (　　　) (　　　) a joke.

325 □ (1) (　　　) (　　　) an apple.

□ (2) (　　　) (　　　) (　　　) (　　　) his business card.

□ (3) (　　　) (　　　) the train.

326 □ (　　　) (　　　) (　　　) (　　　) she say.

327 □ (　　　) (　　　) (　　　) (　　　) from the balcony.

328 □ (1) His son, (　　　), was rescued from the burning house.

---

322 It was, that **323** (1) What I like is (2) All you have to do **324** (1) Never have I seen (2) Rarely does he tell **325** (1) Down fell (2) In my pocket was (3) Here comes **326** Not a word did **327** Wonderful was the view **328** (1) fortunately

☐ (2) The clothes in this store, (　　　) (　　　) (　　　), are too expensive.

329 ☐ (1) Fishing in this river, (　　　) (　　　) (　　　) (　　　) (　　　), is prohibited.

☐ (2) Too much exercise, (　　　) (　　　), is bad for your health.

330 ☐ (1) The girls were brave, but the boys (　　　) (　　　).

☐ (2) You may sit wherever you (　　　) (　　　).

331 ☐ He broke his left leg (　　　) (　　　) in Canada.

332 ☐ (　　　) (　　　) (　　　) Lisa is a nurse.

333 ☐ She was born and raised in (　　　) (　　　) (　　　) Seattle.

334 ☐ I heard (　　　) (　　　) (　　　) he's living in India now.

第18章 名詞

335 ☐ (1) I bought (　　　) (　　　) and (　　　) (　　　).

(2) in my opinion 329 (1) as far as I know (2) I think 330 (1) were not (2) want to 331 while skiing 332 Her best friend 333 the city of 334 a rumor that 335 (1) a table, four chairs

☐ (2) I prefer (　　　　) to (　　　　).

336 ☐ (1) (　　　　) live in Australia.

☐ (2) There are (　　　　) (　　　　) in (　　　　) (　　　　).

337 ☐ (1) There are about (　　　　) (　　　　) in this village.

☐ (2) My (　　　　) (　　　　) all soccer fans.

☐ (3) The (　　　　) (　　　　) (　　　　) for the robber.

338 ☐ (1) This statue is (　　　　) (　　　　) (　　　　).

☐ (2) My mother bought (　　　　) (　　　　) (　　　　) (　　　　).

339 ☐ (1) (　　　　) is the mother of (　　　　).

☐ (2) He gave me (　　　　) (　　　　) (　　　　) (　　　　) (　　　　).

340 ☐ (1) (　　　　) (　　　　) observed wild animals in (　　　　).

☐ (2) I went to (　　　　) (　　　　) (　　　　) last (　　　　).

(2) coffee, tea 336 (1) Koalas (2) seven days, a week. 337 (1) 100 families (2) family are (3) police are looking 338 (1) made of stone (2) a bottle of wine 339 (1) Necessity, invention (2) a useful piece of advice 340 (1) Dr. Jones, Africa (2) the British Museum, August

341 □ (1) My sister reads (　　　) (　　　) (　　　).

□ (2) Thank you for (　　　) (　　　) (　　　).

□ (3) I want to buy (　　　) (　　　) someday.

342 □ Will you set (　　　) (　　　) on the table?

343 □ Brush (　　　) (　　　) after meals.

344 □ (1) My father (　　　) (　　　) when he reads.

□ (2) They (　　　) (　　　) with each other.

345 □ (1) The man playing the piano is (　　　) (　　　).

□ (2) Come to the (　　　) (　　　) later.

346 □ (1) Can you see the roof (　　　) (　　　) (　　　)?

□ (2) I met a friend (　　　) (　　　) (　　　) at the station.

第19章 冠詞

347 □ (1) There is (　　　) (　　　) in the bowl.

341 (1) an English paper (2) your many kindnesses (3) a Porsche 342 the dishes 343 your teeth 344 (1) wears glasses (2) shook hands 345 (1) Jim's brother (2) teachers' room 346 (1) of the church (2) of my brother's 347 (1) a tomato

☐ (2) There (　　　　) (　　　　) in the bowl.

348 ☐ (1) I saw (　　　　) (　　　　) (　　　　) last night.

☐ (2) (　　　　) (　　　　) (　　　　) I saw last night was very bright.

349 ☐ (1) What is (　　　　) (　　　　) of your research?

☐ (2) We can't completely control (　　　　).

350 ☐ (1) I want to buy (　　　　) (　　　　) for my room.

☐ (2) What time do you (　　　　) (　　　　) (　　　　)?

351 ☐ (1) There is (　　　　) (　　　　) in my room.

☐ (2) I want to buy (　　　　) (　　　　).

☐ (3) Can you give me (　　　　) (　　　　)?

☐ (4) Rome was not built (　　　　) (　　　　) (　　　　).

352 ☐ This rope is 200 yen (　　　　) (　　　　).

353 ☐ (1) You took (　　　　) (　　　　) of me. Show (　　　　) (　　　　) to me.

☐ (2) Did you remember to lock (　　　　) (　　　　)?

---

(2) are tomatoes **348** (1) a shooting star (2) The shooting star **349** (1) the nature (2) nature **350** (1) a bed (2) go to bed **351** (1) a fly (2) a car (3) a hint (4) in a day **352** a meter **353** (1) a photo, the photo (2) the door

354

□ (3) He is (　　　) (　　　) (　　　) I can trust.

□ (4) Everyone knows that (　　　) (　　　) goes around (　　　) (　　　).

354 □ (1) In England, we buy butter (　　　) (　　　) (　　　).

□ (2) Jim (　　　) his daughter (　　　) (　　　) (　　　) and left the room.

355 □ (1) It's difficult to (　　　) (　　　) in the desert.

□ (2) We don't have to (　　　) (　　　) (　　　) on Sundays.

□ (3) They came to the wedding (　　　) (　　　).

356 □ (1) (　　　) (　　　) (　　　) (　　　) this is!

□ (2) It was (　　　) (　　　) (　　　) (　　　) that few people believed it.

□ (3) (　　　) (　　　) (　　　) (　　　) this club must attend the meeting.

---

(3) the only person (4) the earth, the sun 354 (1) by the pound (2) took, by the hand 355 (1) find water (2) go to school (3) by car 356 (1) What an interesting picture (2) so strange a story (3) All the members of

第20章 代名詞

357 □ (1) (　　　　) (　　　　) from Canada.

□ (2) (　　　　) (　　　　) has (　　　　) (　　　　) on it.

□ (3) Please (　　　　) (　　　　) the way to the theater.

358 □ (1) (　　　　) can't get a driver's license until (　　　　) eighteen.

□ (2) (　　　　) (　　　　) she is getting married next month.

□ (3) (　　　　) (　　　　) little rain last month.

359 □ (1) (　　　　) pencil is this? Is it (　　　　)?

□ (2) I met a (　　　　) (　　　　) (　　　　) at the station.

360 □ (　　　　) fell down the stairs and (　　　　) (　　　　).

361 □ (　　　　) should do it (　　　　).

---

357 (1) She comes (2) His shirt, his initials (3) tell me 358 (1) You, you're (2) They say (3) We had 359 (1) Whose, yours (2) friend of mine 360 I, hurt myself 361 You, yourself

362 □ (1) She left (　　　) (　　　) on my desk, but I couldn't understand (　　　).

□ (2) We wanted (　　　) (　　　) (　　　) (　　　), but (　　　) wasn't possible.

□ (3) He (　　　) (　　　) (　　　), but he won't admit (　　　).

363 □ (1) What day (　　　) (　　　) today?

□ (2) (　　　) very humid here, (　　　) (　　　)?

□ (3) (　　　) about two kilometers (　　　) the town (　　　) here.

364 □ (　　　) (　　　) going?

365 □ (1) (　　　) (　　　) fun (　　　) (　　　) new people.

□ (2) (　　　) (　　　) important (　　　) you (　　　) the rules.

366 □ (1) I thought (　　　) possible (　　　) (　　　) the problem.

362 (1) a message, it (2) to fly there directly, it (3) likes eating sweets, it
363 (1) is it (2) It's, isn't it (3) It's, to, from 364 How's it 365 (1) It is, to meet
(2) It is, that, follow 366 (1) it, to solve

☐ (2) I found (　　　　) surprising (　　　　) she didn't know his name.

367 ☐ (1) (　　　　) (　　　　) two hours (　　　　) (　　　　) to the airport.

☐ (2) (　　　　) (　　　　) thirty dollars (　　　　) (　　　　) the computer.

368 ☐ (1) (　　　　) (　　　　) (　　　　) the dessert I ordered!

☐ (2) Bring me (　　　　) (　　　　) from the table.

369 ☐ (1) He said he had met her at the party, (　　　　) (　　　　) (　　　　) a lie.

☐ (2) We have the right to express our opinions freely. (　　　　) (　　　　) (　　　　) freedom of speech.

370 ☐ (1) The human brain is more advanced (　　　　) (　　　　) (　　　　) the chimpanzee.

☐ (2) The ears of an African elephant are bigger (　　　　) (　　　　) (　　　　) an Indian elephant.

371 ☐ (1) I'd like to borrow (　　　　) (　　　　) if you have (　　　　).

---

(2) it, that 367 (1) It takes, to get (2) It cost, to fix 368 (1) This is not (2) those magazines 369 (1) but that was (2) This is called 370 (1) than that of (2) than those of 371 (1) a pen, one

☐ (2) I lost ( ) ( ) yesterday; I must buy ( ) ( ) ( ).

☐ (3) ( ) ( ) have worn out. I need to buy ( ) ( ) ( ).

372 ☐ (1) I don't like ( ) ( ). Could you show me ( )?

☐ (2) Would you like ( ) ( ) ( ) pie?

373 ☐ (1) ( ) ( ) my sisters is an office worker, and ( ) ( ) is a college student.

☐ (2) ( ) ( ) the members came on time, but ( ) ( ) were late.

☐ (3) Tom was in the classroom but ( ) ( ) ( ) were playing outside.

374 ☐ (1) ( ) like dancing, and ( ) don't.

☐ (2) He couldn't find the CD ( ), so he decided to check ( ) ( ).

375 ☐ (1) If you like ( ) ( ), I will bring you ( ).

---

(2) my umbrella, a new one (3) These boots, some new ones 372 (1) this shirt, another (2) another piece of 373 (1) One of, the other (2) Two of, the others (3) the other students 374 (1) Some, others (2) there, other stores 375 (1) Italian wine, some

☐ (2) There are (　　　　) (　　　　) (　　　　) in this jungle.

☐ (3) Are there (　　　　) (　　　　) for me, too?

376 ☐ (1) I need (　　　　) paper clips. Do you have (　　　　)?

☐ (2) There isn't (　　　　) (　　　　) (　　　　) his failing.

☐ (3) (　　　　) (　　　　) in this class can answer the question.

377 ☐ (1) (　　　　) (　　　　) (　　　　) (　　　　) were brought up in Hokkaido.

☐ (2) She broke (　　　　) (　　　　) in the accident.

378 ☐ (1) (　　　　) (　　　　) (　　　　) (　　　　) can attend the PTA meeting.

☐ (2) You can take (　　　　) (　　　　).

379 ☐ (1) We passed two gas stations, but (　　　　) (　　　　) (　　　　) was open.

☐ (2) I could find (　　　　) (　　　　) I was looking for.

---

(2) some rare animals (3) some messages 376 (1) some, any (2) any possibility of (3) Any student 377 (1) Both of my parents (2) both legs 378 (1) Either of your parents (2) either cake 379 (1) neither of them (2) neither book

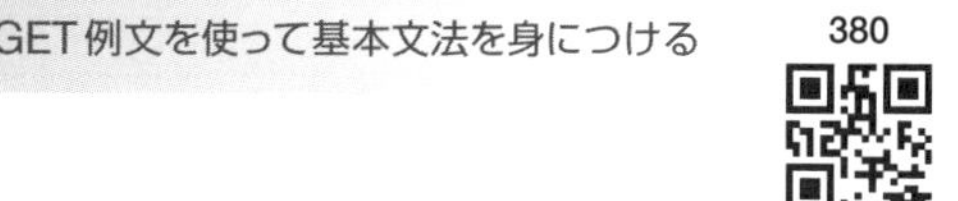

380 □ (1) (　　　) (　　　) (　　　) (　　　) were against the proposal.

□ (2) (　　　) (　　　) have to take the test.

381 □ (1) (　　　) (　　　) (　　　) agrees with you.

□ (2) (　　　) (　　　) in this class could answer the question.

382 □ (1) (　　　) (　　　) (　　　) (　　　) (　　　) made in America.

□ (2) (　　　) (　　　) in the store (　　　) on sale for 100 yen.

383 □ (1) (　　　) (　　　) at the door.

□ (2) (　　　) (　　　) ready for our school festival.

第21章 形容詞

384 □ I bought (　　　) (　　　) (　　　) because I didn't have (　　　) (　　　).

385 □ (1) I don't like traveling in (　　　) (　　　) (　　　) (　　　).

---

380 (1) All of the members (2) All students 381 (1) None of us (2) No student 382 (1) Each of these computers was (2) Each book, was 383 (1) There's someone (2) Everything is 384 a cheap shirt, much money 385 (1) trains full of people

☐ (2) I want to drink (　　　　) (　　　　).

386 ☐ (1) All the windows (　　　　) (　　　　).

☐ (2) I (　　　　) the windows (　　　　).

387 ☐ Black is (　　　　) (　　　　) (　　　　) that suits me.

388 ☐ At seven this morning, Judy (　　　　) (　　　　) in the office.

389 ☐ (1) His sister has (　　　　) (　　　　) (　　　　).

☐ (2) (　　　　) (　　　　) this is the correct answer.

390 ☐ (1) It was (　　　　) (　　　　) (　　　　).

☐ (2) I saw a lot of (　　　　) (　　　　).

391 ☐ (　　　　) (　　　　) to see you again.

392 ☐ (　　　　) (　　　　) (　　　　) for you to meet us at ten?

393 ☐ (1) (　　　　) (　　　　) (　　　　) (　　　　) she will win the race.

☐ (2) (　　　　) (　　　　) (　　　　) (　　　　) you will come to the next meeting?

---

(2) something cold 386 (1) were open (2) left, open 387 the only color 388 was alone 389 (1) a certain charm (2) I'm certain 390 (1) an exciting game (2) excited supporters 391 I'm happy 392 Is it convenient 393 (1) It is likely that (2) Is it possible that

☐ (3) (　　　) (　　　) (　　　) (　　　) he will pass the exam.

394 ☐ (1) He (　　　) (　　　) (　　　) come back.

☐ (2) This song (　　　) (　　　) (　　　) be a hit.

395 ☐ (1) I have never seen (　　　) (　　　) (　　　).

☐ (2) In this zoo, you can see (　　　) (　　　) (　　　) (　　　) the panda and the koala.

396 ☐ (1) Do you have (　　　) (　　　) on history?

☐ (2) We haven't had (　　　) (　　　) this summer.

397 ☐ (1) He has (　　　) (　　　) (　　　) (　　　) in Korea.

☐ (2) Kate drank (　　　) (　　　) (　　　) at her birthday party.

398 ☐ (1) I have (　　　) (　　　) (　　　) to finish this report.

☐ (2) Can you add (　　　) (　　　) (　　　) to this salad dressing?

---

(3) It is probable that 394 (1) is sure to (2) is certain to 395 (1) such a storm (2) such rare animals as 396 (1) many books (2) much rain 397 (1) a lot of friends (2) lots of wine 398 (1) a few days (2) a little pepper

399 □ (1) There ( ) ( ) ( ) for everybody.

□ (2) There ( ) ( ) ( ) in the pot.

第22章 副詞

400 □ (1) They ( ) ( ).

□ (2) She ( ) my advice ( ).

401 □ (1) My sister ( ) ( ).

□ (2) You ( ) ( ) your car ( ).

402 □ (1) The sale ( ) ( ).

□ (2) We ( ) a math test ( ).

403 □ (1) I ( ) ( ) to school by bus.

□ (2) He ( ) ( ) in his office until six on weekdays.

404 □ (1) The result of the experiment was ( ) ( ).

□ (2) I ( ) ( ) ( ) my homework.

399 (1) aren't enough chairs (2) isn't enough water 400 (1) danced happily (2) took, seriously 401 (1) went upstairs (2) can park, here 402 (1) started yesterday (2) have, tomorrow 403 (1) always go (2) is usually 404 (1) hardly surprising (2) have almost finished

405 □ (1) (　　　　　), the accident was caused by speeding.

□ (2) The dog (　　　　　) (　　　　　) (　　　　　).

406 □ (1) My father came home (　　　　　) (　　　　　) last night.

□ (2) He has been trying to lose weight (　　　　　).

407 □ (1) She is a (　　　　　) (　　　　　) student.

□ (2) She speaks (　　　　　) (　　　　　).

408 □ (1) I (　　　　　) eat out (　　　　　).

□ (2) Olive oil is (　　　　　) (　　　　　) in Italian cooking.

409 □ (1) I saw your mother (　　　　　) (　　　　　) (　　　　　).

□ (2) I told him that I had seen his mother (　　　　　) (　　　　　) (　　　　　).

□ (3) I (　　　　　) (　　　　　) that song (　　　　　).

410 □ (1) I (　　　　　) (　　　　　) (　　　　　) my room.

□ (2) She (　　　　　) (　　　　　) her homework (　　　　　).

□ (3) (　　　　　) (　　　　　) (　　　　　) sick.

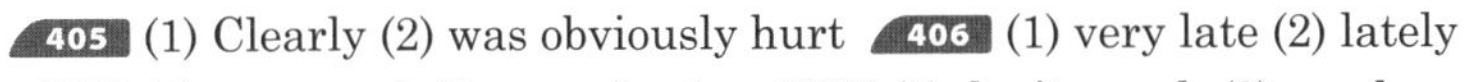

405 (1) Clearly (2) was obviously hurt **406** (1) very late (2) lately
407 (1) very good (2) very slowly **408** (1) don't, much (2) much used
409 (1) three days ago (2) three days before (3) have heard, before **410** (1) have already cleaned (2) hasn't done, yet (3) I'm still feeling

411 □ (1) "I'm from Arizona." "Really? (　　　　) (　　　　), (　　　　)."

□ (2) "I can't eat raw fish." "(　　　　) (　　　　), (　　　　)."

□ (3) "I don't feel like eating any more." "(　　　　) (　　　　) (　　　　)."

412 □ (1) He told me to wait in line and (　　　　) (　　　　) (　　　　).

□ (2) "Do you think it will be sunny tomorrow?" "(　　　　) (　　　　) (　　　　)."

413 □ (1) I often go to the library, and (　　　　) (　　　　) (　　　　) (　　　　).

□ (2) They say the greatest gift we have is our health, and (　　　　) (　　　　) (　　　　).

414 □ (1) Hurry up; (　　　　) we won't get good seats.

□ (2) This computer is very good. (　　　　), it is too expensive.

---

411 (1) I am, too (2) I can't, either (3) Neither do I 412 (1) I did so (2) I hope so
413 (1) so does my sister (2) so it is 414 (1) otherwise (2) However

第23章 前置詞

415 □ (1) Mike arrived (　　　　) (　　　　) (　　　　).

□ (2) The meetings usually begin (　　　　) (　　　　).

416 □ (1) I happened to see Cindy (　　　　) (　　　　) (　　　　).

□ (2) I first visited Germany (　　　　) (　　　　).

417 □ (1) Pick up those toys (　　　　) (　　　　) (　　　　).

□ (2) How about having dinner (　　　　) (　　　　) (　　　　)?

418 □ (1) Has the train (　　　　) (　　　　) arrived?

□ (2) I'll be on vacation (　　　　) (　　　　) (　　　　).

419 □ (1) Let's (　　　　) (　　　　) (　　　　) (　　　　) and feed the ducks.

□ (2) (　　　　) your name tag (　　　　) (　　　　) (　　　　), please.

---

415 (1) at the theater (2) at ten 416 (1) in the theater (2) in 1991 417 (1) on the table (2) on Christmas Eve 418 (1) from Osaka (2) from July 24 419 (1) go to the park (2) Attach, to the bag

420 □ (1) The train has already ( ) ( ) ( ).

□ (2) I am staying here ( ) ( ) ( ) ( ).

421 □ (1) Every ( ) ( ) ( ) ( ) attended the ceremony.

□ (2) A monkey ( ) ( ) ( ) my lunch box.

422 □ (1) That man ( ) ( ) Jane is Scott.

□ (2) That strange building ( ) ( ) ( ) my uncle.

423 □ (1) You must ( ) this job ( ) ( ).

□ (2) I ( ) for his call ( ) ( ).

424 □ (1) ( ) ( ) ( ), please.

□ (2) Something ( ) ( ) ( ) this computer.

425 □ They ( ) ( ) ( ) the accident.

426 □ (1) Let's play tennis ( ) ( ).

420 (1) left for Hakata (2) for a few days 421 (1) member of the club (2) robbed me of 422 (1) standing by (2) was designed by 423 (1) finish, by noon (2) waited, until midnight 424 (1) Come with me (2) is wrong with 425 were talking about 426 (1) after school

☐ (2) He got home (　　　) (　　　) (　　　).

427 ☐ (1) We (　　　) (　　　) (　　　) (　　　).

☐ (2) The man tried to (　　　) (　　　) (　　　) (　　　).

☐ (3) The train (　　　) (　　　) (　　　) (　　　).

☐ (4) Please (　　　) (　　　) the big table.

428 ☐ (1) Don't park your car (　　　) (　　　) (　　　) (　　　) (　　　).

☐ (2) The post office is (　　　) (　　　) (　　　).

☐ (3) The bank is (　　　) (　　　) (　　　).

429 ☐ (1) Please (　　　) (　　　) the living room.

☐ (2) (　　　) (　　　) (　　　) the kitchen now!

☐ (3) The cat (　　　) (　　　) the TV set.

430 ☐ (1) The rain clouds were (　　　) (　　　) (　　　).

☐ (2) I found my key (　　　) (　　　) (　　　).

(2) before five o'clock 427 (1) walked along the river (2) swim across the channel (3) went through a tunnel (4) sit around 428 (1) in front of this building (2) behind that building (3) opposite that building 429 (1) go into (2) Come out of (3) jumped onto 430 (1) over our heads (2) under the desk

□ (3) The people (　　　) (　　　) are very noisy.

□ (4) The sun sank (　　　) (　　　) (　　　).

431 □ (1) Peter (　　　) (　　　) Allison (　　　) Jane.

□ (2) He disappeared (　　　) (　　　) (　　　) in the crowd.

432 □ (1) (　　　) (　　　) George, Mary got a love letter from Steve.

□ (2) Mike couldn't join the team (　　　) (　　　) his broken arm.

第24章 接続詞

433 □ (1) Gary arrived (　　　) (　　　) (　　　) the game.

□ (2) I (　　　) a cheeseburger (　　　) French fries.

434 □ I thought the story was true, (　　　) (　　　) (　　　).

435 □ I want to (　　　) (　　　) Hong Kong (　　　) Singapore this summer.

---

(3) above us (4) below the horizon 431 (1) sat between, and (2) among the people 432 (1) According to (2) because of 433 (1) and we started (2) bought, and 434 but it wasn't 435 go to, or

436 □ Steve can (　　　) (　　　) (　　　) (　　　) Japanese.

437 □ (1) I think she is (　　　) a president (　　　) a director.

□ (2) The boy (　　　) admits (　　　) denies that he told a lie.

438 □ (1) (　　　) (　　　) early tomorrow, (　　　) (　　　) have time to eat breakfast.

□ (2) (　　　) (　　　) (　　　), (　　　) (　　　) have an accident.

439 □ (1) He has (　　　) (　　　) (　　　) (　　　) computers.

□ (2) He speaks (　　　) (　　　) English (　　　) (　　　) Spanish.

440 □ (1) What I need is (　　　) fame, (　　　) money.

□ (2) I don't want to see a snake, (　　　) (　　　) (　　　) want to touch one.

441 □ (1) You broke the speed limit, (　　　) (　　　) (　　　) (　　　) pay a fine.

---

436 both speak and write 437 (1) either, or (2) neither, nor 438 (1) Get up, and you'll (2) Drive more slowly, or you'll 439 (1) not one but two (2) not only, but also 440 (1) not, nor (2) nor do I 441 (1) so you'll have to

☐ (2) I got up at five, (　　　) (　　　) (　　　) to watch the sunrise.

442 ☐ (1) (　　　) (　　　) (　　　) (　　　) Bill passed the entrance exam.

☐ (2) (　　　) (　　　) (　　　) (　　　) you never learn from your mistakes.

☐ (3) I (　　　) (　　　) (　　　) he is an artist.

443 ☐ (　　　) (　　　) (　　　) he will succeed in business.

444 ☐ (1) (　　　) (　　　) (　　　) (　　　) there is life on that planet.

☐ (2) (　　　) (　　　) (　　　) (　　　) the voters will elect her.

☐ (3) She (　　　) (　　　) (　　　) we wanted something to drink.

445 ☐ (1) I (　　　) (　　　) go swimming in the river (　　　) (　　　) (　　　) a child.

☐ (2) I found a wallet (　　　) (　　　) (　　　) (　　　) in the park.

(2) for I wanted **442** (1) It is true that (2) The problem is that (3) can't believe that **443** I'm sure that **444** (1) It is unknown whether (2) The question is whether (3) asked us if **445** (1) used to, when I was (2) while I was jogging

446 □ (1) You need to get a visa (　　　) (　　　) (　　　) that country.

□ (2) I learned German (　　　) (　　　) (　　　) to Berlin.

447 □ (1) (　　　) (　　　) here (　　　) (　　　) (　　　) five years old.

□ (2) Wait here (　　　) (　　　) (　　　) (　　　).

448 □ (1) My dog started to bark (　　　) (　　　) (　　　) (　　　) (　　　) my voice.

□ (2) (　　　) (　　　) (　　　) a car, you can go anywhere you want.

449 □ (1) Mr. Brown was very angry (　　　) (　　　) (　　　) (　　　) the truth.

□ (2) (　　　) (　　　) (　　　) a fever, you should stay home tonight.

450 □ (1) The lecture was (　　　) (　　　) (　　　) half the students fell asleep.

---

446 (1) before you enter (2) after I moved 447 (1) I've lived, since I was (2) until I get back 448 (1) as soon as he heard (2) Once you get 449 (1) because I didn't tell (2) Since you have 450 (1) so boring that

□ (2) It was (　　　) (　　　) (　　　) (　　　) (　　　) half the students fell asleep.

451 □ Lock the door (　　　) (　　　) no one (　　　) (　　　) in.

452 □ (1) Please read my report (　　　) (　　　) (　　　) (　　　).

□ (2) He'll be here at six (　　　) his flight (　　　) (　　　).

453 □ (　　　) (　　　) (　　　) (　　　) Chinese, she can't write it.

454 □ Never give up (　　　) (　　　) (　　　) (　　　) mistakes.

455 □ (1) You can watch TV (　　　) (　　　) (　　　) (　　　) (　　　) your homework first.

□ (2) (　　　) (　　　) (　　　) (　　　) (　　　) he is not guilty.

456 □ (1) (　　　) (　　　) (　　　) (　　　), start without me.

(2) such a boring lecture that 451 so that, can get 452 (1) if you have time (2) unless, is delayed 453 Though she can speak 454 even if you make 455 (1) as long as you do (2) As far as I know 456 (1) In case I'm late

□ (2) I'll take an umbrella (　　　) (　　　) (　　　) (　　　).

457 □ You must eat the carrots (　　　) (　　　) (　　　) them (　　　) (　　　)!

(2) in case it rains 457 whether you like, or not

Step 2
TARGET 例文を使って発信力を身につける

Step 2ではStep 1で覚えたTARGET例文をアレンジした英文を使ったトレーニングをしましょう。

トレーニング方法は次のとおりです。

① 左ページの日本語を読んで右ページの英文の空所を埋める
② 英語音声を聞いて空所を埋める（ディクテーション）
③ 英語音声を聞いて発話する（リスニング＆リピーティング・シャドーイング）
④ 英語音声を聞いてブランク部分を補う（リスニング＆スピーキング）

● 音声の聞き方

左ページのQRコードを「いいずなボイス」で読み取ると，下線部分がブランクになった音声を聞くことができます。トレーニング④で使用します。
右ページのQRコードを読み取ると，すべての会話や文の音声を聞くことができます。トレーニング②と③で使用します。

● Step 2 英語ブランク音声を通しで聞きたい場合

Step 2の下線部をブランクにした英語音声を，章ごとに通しで聞きたい場合は，下記QRコードを読み取ってください。

＊ブランクなしのすべての英語音声を，章ごとに通しで聞きたい場合は，「Step 2 スクリプト」の章扉（p. 285）にあるQRコードを読み取ってください。

第1章 第2章 第3章 第4章 第5章 第6章
第7章 第8章 第9章 第10章 第11章 第12章
第13章 第14章 第15章 第16章 第17章 第18章
第19章 第20章 第21章 第22章 第23章 第24章

001

英語ブランク音声

第1章 文の種類

001 □ (1) A：あなたのお姉さんは秘書ですよね？
B：いいえ，違います。彼女は大学生*です。

□ (2) A：毎週土曜日に学校へ行きますか。
B：はい，行きます。私たちは土曜日も学校へ行きます。

□ (3) A：泳ぐことはできますか。
B：はい，泳げます。でも，あまり速く泳ぐことはできません。

002 □ (1) A：あら，もうお昼過ぎだわ。おなかはすいてる？
B：うん，すいてるよ。まだ昼食をとっていないんだ。

□ (2) A：あそこにいる女の子が見えますか。彼女の名前を知っていますか。
B：はい，知っています。彼女の名前はミカです。

□ (3) A：私たちのバンドに参加したいですか。あなたはピアノを弾くことができますか。
B：いいえ，できません。でも，ギターを弾くことはできます。

003 □ (1) A：この絵が気に入りました。だれが描きましたか。
B：私の父です。彼は絵を描くのがとても上手です。

□ (2) A：こんにちは，アキラ。ここで何をしているの？
B：マイクを待っているんだ。彼を見かけた？

□ (3) A：私はその事故のことを今さっき聞きました。あなたはいつそのことを聞きましたか。
B：今朝，サラがそのことを私に話してくれました。

□ (4) A：タケシは外出中ですか。彼はいつ帰ってきますか。
B：わからないわ。私に何も言わなかったから。

004 □ (1) この坂はすべりやすいようだ。気をつけて！

□ (2) まだ外出の準備ができていません。私を待っていてください。

□ (3) ちょっと君たち。ここは図書館だよ。そんなにうるさくするな！

001 大学生：a college [university] student

001

001

□ (1) A: Your sister is a secretary*, isn't she?
B: No, she isn't. ________________

□ (2) A: Do you go to school on Saturdays?
B: Yes, we do. ________________

□ (3) A: Can you swim?
B: Yes, I can. ________________

002

□ (1) A: Oh, it's already past noon. ________________
B: Yes, I am. I haven't had lunch yet.

□ (2) A: Can you see that girl over there?
____
B: Yes, I do. Her name is Mika.

□ (3) A: Do you want to join our band? ________________
B: No, I can't. But I can play the guitar.

003

□ (1) A: I like this picture. ________________
B: My father did. He's a very good painter.

□ (2) A: Hi, Akira. ________________
B: I'm waiting for Mike. Have you seen him?

□ (3) A: I heard about the accident just now.
____
B: Sarah told me about it this morning.

□ (4) A: Is Takeshi out? ________________
B: I don't know. He said nothing to me.

004

□ (1) This slope* seems to be slippery*.
____

□ (2) I'm not ready to go out yet. ________________

□ (3) Hey guys. This is a library. ________________

---

001 a secretary：秘書　**004** a slope：坂，スロープ　slippery：すべりやすい

□ (4) A：よく眠れた？　朝食はとった？　あなたは…

B：もう，私のことは心配しないで。

005 □ (1) A：私の席をどうぞ。
B：ありがとうございます。あなたは，なんて親切なんでしょう！

□ (2) A：これを見てください。私はこれを浜辺で見つけたんです。
B：わぁ。これはなんて美しい石なんだろう！

006 □ (1) A：アキラ，遅刻よ！　学校へは自転車で来たの，それとも歩いて*来たの？
B：自転車で来ました。

□ (2) A：この子ネコたち，とてもかわいいですね。あなたはイヌとネコ，どちらが好きですか。
B：ネコが好きです。実は，ネコを2匹飼っています。

007 □ (1) A：かばんをお持ちしましょうか。
B：いいえ，だいじょうぶです。でもドアは開けてください。

□ (2) A：このスープに塩もこしょうも加えませんでした。
B：そうなんですか。では，塩をとってくれませんか。

□ (3) 私たちは2時間働いています。だから，少し休憩しましょう*。

第2章 動詞と文型

008 □ (1) 火災報知器が鳴っていた。でも彼はまったく動かなかった。

□ (2) 彼はいすをすべて動かした。でも彼はその机を動かさなかった。

009 □ (1) A：昨日はどうして学校に来なかったの？
B：うん，ひどい*頭痛がした*んだ。

006 歩いて：on foot　007 休憩する：take [have] a break
009 ひどい：terrible [bad]　頭痛がする：have a headache

005

□ (4) A: Did you have a good sleep? Did you have breakfast? Did you ...
B: ______________

005 □ (1) A: Please have my seat.
B: Thank you very much. ______________

□ (2) A: Look at this. I found this on the beach.
B: Wow. ______________

006 □ (1) A: You're late, Akira! ______________

B: I came here by bicycle.

□ (2) A: These kittens are really cute. ______________

B: I like cats. Actually, I have two cats.

007 □ (1) A: Do you want me to carry your bag?
B: No, it's okay. ______________

□ (2) A: I didn't put any salt or pepper in this soup.
B: Really? ______________

□ (3) We've been working for two hours. ______________

008 □ (1) The fire alarm* was ringing, ______________.

□ (2) He moved all the chairs, ______________.

009 □ (1) A: Why didn't you come to school yesterday?
B: Well, ______________.

008 a fire alarm：火災報知器

□ (2) A：これはあなたのサーフボード?

B：いや，兄のだよ。彼はサーフィンが好きなんだ。僕は泳ぐのが好きなだけ。

010 □ A：彼はあなたに何を言ったの?

B：何も。ただにっこりしただけよ。

011 □ A：その映画を観ましたか。

B：はい，観ました。おもしろかった*です。音楽もよかったです。

012 □ A：昨日は授業後に何をしましたか。

B：私たちは教室を掃除しました。そして校庭のごみを拾いました。

013 □ A：昨日は何をしましたか。

B：父と買い物に行きました。父は僕に腕時計を買ってくれました。

014 □ 私は短気な性格ではありません。でも彼らは私を怒らせました。

015 □ (1) A：どう思いますか。おじが彼の腕時計を私にくれたんです。

B：とてもいいですね。それは金ですか。

□ (2) A：私が最初に就職したとき，おじは財布*を私に買ってくれました。

016 □ (1) 台所に入るときに気をつけてください。どこかにゴキブリ*がいます。

□ (2) ショーは15分後に開演します。でもここには3人しかいません。

017 □ (1) ドアを開けると，私の犬が私のところに走って来ました。

□ (2) A：あなたのおじさんはどんな仕事をしていますか。

B：彼は喫茶店*を経営しています*。

018 □ (1) A：リンダが結婚したことを聞きましたか。

B：ええ，彼女は高校からのボーイフレンドと結婚しました。

011 おもしろい：funny　015 財布：a wallet [purse]　016 ゴキブリ：a cockroach

017 喫茶店：a coffee shop　～を経営する：run

☐ (2) A: Is this your surfboard?
B: No, it's my brother's. ________________ I just like swimming.

010 ☐ A: What did he say to you?
B: Nothing. ________________

011 ☐ A: Did you see the movie?
B: Yes, I did. ________________ The music was good, too.

012 ☐ A: What did you do after class yesterday?
B: ________________ and picked up the trash* in the yard*.

013 ☐ A: What did you do yesterday?
B: I went shopping with my father. ________________

014 ☐ I'm not a short-tempered* person, ________________.

015 ☐ (1) A: What do you think? ________________
B: It's very nice. Is it gold?

☐ (2) When I got my first job, ________________.

016 ☐ (1) Be careful when you go in the kitchen.
____

☐ (2) The show starts in fifteen minutes, ________________.

017 ☐ (1) When I opened the door, ________________.

☐ (2) A: What does your uncle do?
B: ________________

018 ☐ (1) A: Did you hear that Linda got married?
B: Yes, ________________.

012 trash：ごみ　a yard：校庭，庭　014 short-tempered：短気な，怒りっぽい

□ (2) A：昨日の会議では何がありましたか。
B：いつもと同じです。ジムが節約のための新たな計画を提案しました。そして私たちはそれについて議論しました。

019 □ A：私たちはもっと看護師を雇う必要があります。
B：残念ながら，私はあなたとは意見が合いません。

020 □ (1) A：何かお探しですか。
B：ええ，娘への贈り物*を探しているんです。

□ (2) 私たちは全員疲れました。議論は何時間も*続きました。それでも私たちは結論に至りませんでした。

021 □ (1) 多くの人が台風の最中に慌てましたが，彼女はずっと落ち着いて*いました。

□ (2) A：だいじょうぶですか。手が震えていますよ。
B：ええ，私は試験前は緊張*するんです。

□ (3) 私のおばはいつも絹のブラウスを着ています。絹はなめらかな*肌ざわりだと彼女は言っています。

□ (4) 私は1か月前に，あるパーティーでメグに出会いました。彼女は最初のうちは内気に*見えました。

022 □ (1) 私たちを招待してくれてありがとう。私たちはパーティーを楽しみました。

□ (2) A：マイクを見かけましたか。
B：彼は今日来ることができません。彼は野球の練習中にけがをしました。

023 □ (1) ジムは財布を家に忘れました。それで私は彼に10ドル貸してあげました。

□ (2) ジムは私を食事に招待してくれました。彼は私においしい料理を作ってくれました。

024 □ (1) 彼女は何でも整理整頓されているのが好きです。彼女は机をいつもきれいにしています。

□ (2) A：彼は英語教師ですか。
B：はい。名前はエドワードです。でも私たちは彼をテディと呼びます。

020 贈り物：a gift　何時間も：for hours

021 落ち着いて：calm　緊張して：nervous　なめらかな：smooth　内気な：shy

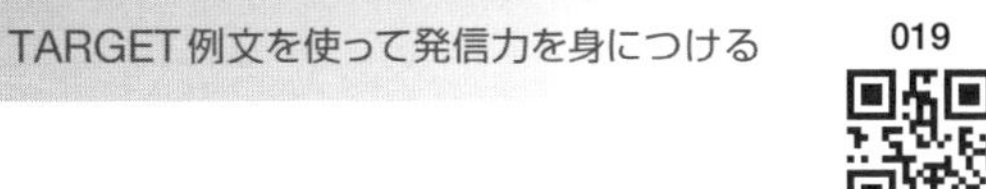

☐ (2) A: What happened in the meeting yesterday?
B: The same as usual. Jim proposed* a new plan to save money, ________________.

019 ☐ A: We need to hire* more nurses.
B: ________________

020 ☐ (1) A: May I help you?
B: Yes, ________________.

☐ (2) We all got tired. ________________, and we didn't reach a conclusion.

021 ☐ (1) Although many people got into a panic during the storm, ________________.

☐ (2) A: Are you all right? Your hands are shaking.
B: Yes, ________________.

☐ (3) My aunt always wears silk blouses. ________________

☐ (4) I met Meg at a party a month ago. ________________

022 ☐ (1) Thanks for inviting us. ________________

☐ (2) A: Have you seen Mike?
B: He can't come today. ________________

023 ☐ (1) Jim left his wallet at home, ________________.

☐ (2) Jim invited me for dinner. ________________

024 ☐ (1) She likes everything neat and tidy*. ________________

☐ (2) A: Is he an English teacher?
B: Yes, he is. His name is Edward, ________________.

018 propose：～を提案する　019 hire：～を雇う
024 neat and tidy：整理整頓されている

☐ (3) A：次の日曜日に彼の家族に会うことになっています。
B：あら，そう！ 彼のお兄さんのことをおもしろいって思うでしょうね。

第3章 動詞と時制

025 ☐ A：アイスクリームは好きですか？
B：はい，チョコレートのアイスクリームが大好きです。

026 ☐ A：私はコーヒーを飲みません。緑茶のほうが好きです。
B：そうなんですか。私は朝食にはいつもコーヒーを飲みます。

027 ☐ 人々は，太陽が地球の周りを回っていると信じていました。現在，私たちは地球が太陽の周りを回っていることを知っています。

028 ☐ (1) A：ケイコがどこにいるか知っていますか。
B：彼女は音楽室にいます。彼女は今，ピアノを弾いています。

☐ (2) A：とてもすてきに見えるよ。やせた？
B：ええ，やせたわ。このごろは野菜をたくさん食べているの。

029 ☐ その店はセールを開催しました。それで先週は若者でいっぱいでした。

030 ☐ A：中学のときは，どのように通学しましたか。
B：たいてい自転車に乗って*学校に行っていました。

031 ☐ A：昨日の夜は，どこに行きましたか。
B：私たちはコンサートに行きました。すばらしかったです。

032 ☐ (1) A：お昼ごろは何をしていましたか。
B：お昼ごろですか。家にいてテレビを観ていました。

☐ (2) まったく眠れませんでした。一晩中せきをして*いました。

033 ☐ (1) 私には兄と姉がいます。私の兄は来年20歳になります。

030 （自転車）に乗る：ride　032 せきをする：cough

☐ (3) A: I'm going to meet his family next Sunday.
B: Oh, really! ________________

025 ☐ A: Do you like ice cream?
B: Yes, ________________.

026 ☐ A: I don't drink coffee. I prefer* green tea.
B: Really? ________________

027 ☐ People believed the sun went around the earth.
____

028 ☐ (1) A: Do you know where Keiko is?
B: She's in the music room. ________________

☐ (2) A: You look great. Have you lost weight?
B: Yes, I have. ________________

029 ☐ The store had a sale, ________________.

030 ☐ A: How did you go to school when you were in junior high?
B: ________________

031 ☐ A: Where did you go last night?
B: ________________ It was great.

032 ☐ (1) A: What were you doing around noon?
B: Around noon? ________________

☐ (2) I couldn't sleep at all. ________________

033 ☐ (1) I have a brother and a sister. ________________

026 prefer：～のほうを好む

□ (2) A：私の提案を受け入れる決心はつきましたか。
B：まだです。明日，あなたにお返事します。

034 □ (1) A：そのお金をどうするの？
B：新しいカメラを買うつもりです。

□ (2) TOEFLを受けましたか。あなたは来年，留学する*つもりですか。

□ (3) 空が暗くなっています。雨が降りそうです。

035 □ (1) A：それであなたは今夜沖縄へ行くのですね。
B：はい。明日の今ごろは，私たちは海水浴をしている*でしょう。

□ (2) A：あなたのお父さんは，明日ロンドンから帰ってくるのですか？
B：はい，6時に空港で父と会うことになっています。

036 □ (1) この公園にはたくさんのツバメがいます。冬が来ると，ツバメたちは南のほうに飛んでいくでしょう。

□ (2) 今日は少し寒いね。明日天気がよければ*，泳ぎに行こう。

037 □ (1) A：今日の新聞には何が載っているの？
B：どれどれ。動物園の年老いた象が死にかけている。そのことは知ってた？

□ (2) 彼女が私にメールを送ってくれたとき，飛行機は5番ゲートに停止しようとしていました。

□ (3) A：あなたは疲れているようですが，うれしそうですね。
B：はい。私たちの赤ちゃんが日に日に大きくなっているんです。

038 □ (1) A：トムは本当にいいやつだね。
B：ええ，彼はいつもほかの人のことを考えてばかりいるわ。

□ (2) A：メグは体重が増えたね。
B：知ってる。彼女はいつもスナック菓子を食べてばかりいるのよ。

039 □ 電車は空港に9時半に到着し，そして私たちの便*は11時45分に出発します。

040 □ (1) A：荷造りをしているの？　海外に行くの？
B：ええ，明日の朝パリに出発します。

034 （海外）留学する：study abroad　035 海水浴をする：swim in the sea [ocean]
036 天気がよい：fine, sunny　039 便（フライト）：a flight

☐ (2) A: Have you made up your mind* to accept* my offer?
B: Not yet. ________________

034 ☐ (1) A: What will you do with the money?
B: ________________

☐ (2) Did you take the TOEFL? ________________

☐ (3) The sky is getting darker. ________________

035 ☐ (1) A: So you're going to Okinawa tonight.
B: Yes. ________________.

☐ (2) A: Is your father coming back from London tomorrow?
B: Yes, ________________.

036 ☐ (1) There are a lot of swallows in this park.
____

☐ (2) It's a bit cold today. ________________

037 ☐ (1) A: What's in the newspaper today?
B: Let's see. ________________ Did you know about that?

☐ (2) When she texted* me, ________________.

☐ (3) A: You seem tired but happy.
B: Yes. ________________

038 ☐ (1) A: Tom really is a nice guy.
B: Yes, ________________.

☐ (2) A: Meg has put on weight*.
B: I know. ________________

039 ☐ The train arrives at the airport at 9:30, ________________.

040 ☐ (1) A: Are you packing? Are you going abroad?
B: Yes, ________________.

033 make up one's mind：決心する　accept：～を受け入れる
037 text：～に（携帯電話で）メールを送る　**038** put on weight：体重が増える

□ (2) A：お母さん，帰ったよ！
B：今10時半よ，タカシ。6時に帰ってくるものと思っていたわ。

041 □ (1) チャンネルを変えていい？　映画が始まるところなの。

□ (2) 彼女たちが3点目を決めたとき，私たちは諦めかけていました。

□ (3) A：テロリストがワシントンD.C.のどこかに爆弾をしかけたんだ。

B：知ってるよ。大統領が今夜，テレビで演説する*ことになっているんだ。

第4章　完了形

042 □ (1) A：ポールと知り合ってどのくらいになりますか。
B：私は子どものころから彼を知っています。

□ (2) A：ポールがどこにいるか知っていますか。
B：まったくわかりません。彼は昨日の夜からここにいません。

□ (3) ポール，事務所で何をしているの？　昨日の夜からずっとここにいるの？

043 □ (1) A：もう一度ジェットコースターに乗りに行こうよ。
B：できないよ。もうお金を全部使っちゃったよ。

□ (2) A：もしもし，ジェーンです。ヘンリーは家にいますか。
B：はい，いますよ。ちょうど宿題を終えたところだよ。呼んでくるからね。

044 □ (1) A：イングランドに行ったことはありますか。
B：はい，あります。私は2度，ロンドンを訪れたことがあります。

□ (2) 日本ではどこへ行きましたか。今までに富士山に登ったことはありますか。

045 □ (1) 私たちはこの町に1992年に引っ越して来ました。そしてそれ以来ずっとこの家で暮らしています。

041 演説する：make a speech

□ (2) A: Mom, I'm back!
B: It's half past ten, Takashi. ________________

041 □ (1) Can I change the channel? ________________

□ (2) When they scored their third goal, ________________.

□ (3) A: Some terrorists put a bomb* somewhere in Washington D.C.
B: I know. ________________

042 □ (1) A: How long have you known Paul?
B: ________________

□ (2) A: Do you know where Paul is?
B: I have no idea. ________________

□ (3) What are you doing in the office, Paul?
____

043 □ (1) A: Let's go on the roller coaster* again.
B: I can't. ________________

□ (2) A: Hello, this is Jane. Is Henry at home?
B: Yes, he is. ________________ I'll get him for you.

044 □ (1) A: Have you been to England?
B: Yes, I have. ________________

□ (2) Where have you been in Japan? ________________

045 □ (1) We moved to this town in 1992, ________________.

041 a bomb：爆弾
043 a roller coaster：ジェットコースター

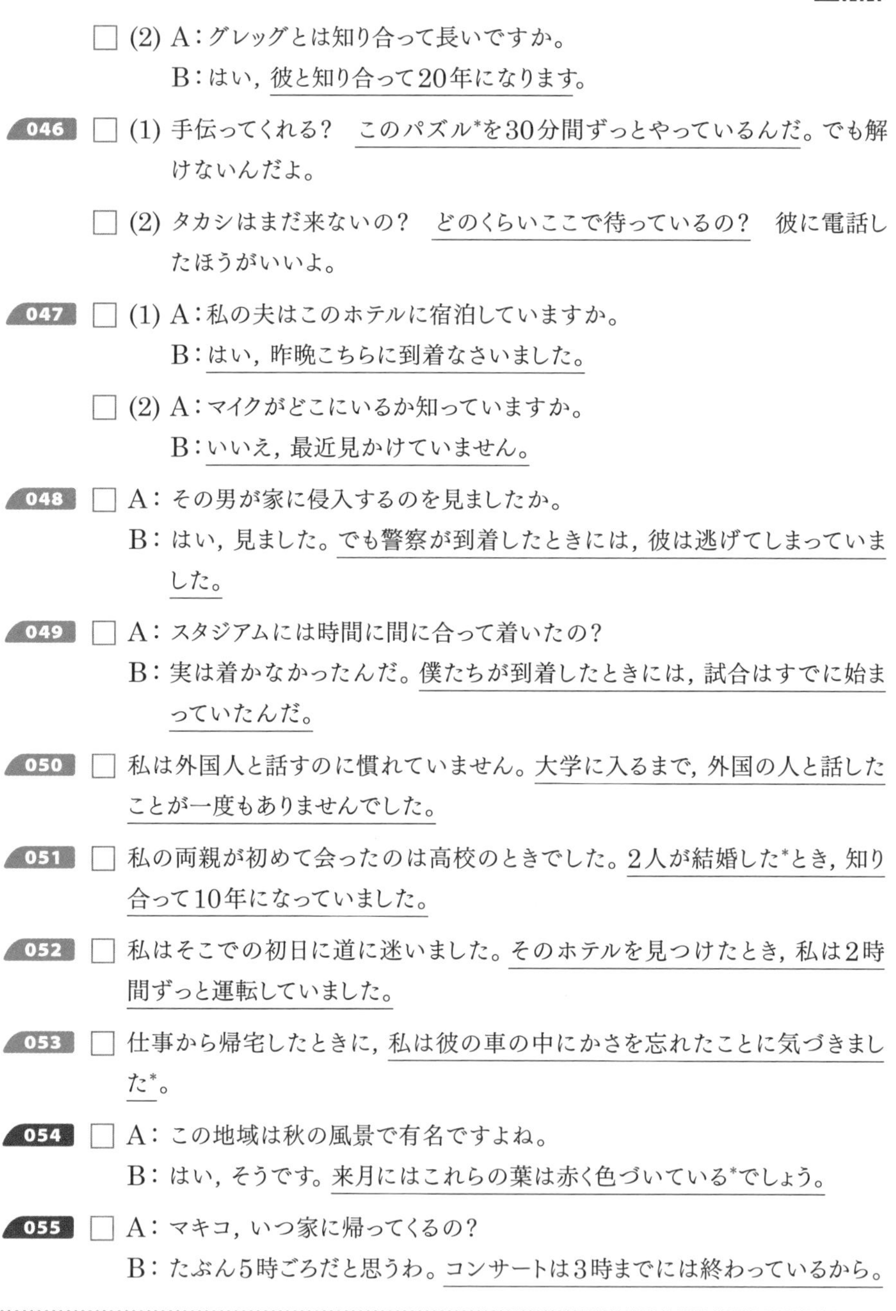

□ (2) A：グレッグとは知り合って長いですか。
B：はい，彼と知り合って20年になります。

046 □ (1) 手伝ってくれる？ このパズル*を30分間ずっとやっているんだ。でも解けないんだよ。

□ (2) タカシはまだ来ないの？ どのくらいここで待っているの？ 彼に電話したほうがいいよ。

047 □ (1) A：私の夫はこのホテルに宿泊していますか。
B：はい，昨晩こちらに到着なさいました。

□ (2) A：マイクがどこにいるか知っていますか。
B：いいえ，最近見かけていません。

048 □ A：その男が家に侵入するのを見ましたか。
B：はい，見ました。でも警察が到着したときには，彼は逃げてしまっていました。

049 □ A：スタジアムには時間に間に合って着いたの？
B：実は着かなかったんだ。僕たちが到着したときには，試合はすでに始まっていたんだ。

050 □ 私は外国人と話すのに慣れていません。大学に入るまで，外国の人と話したことが一度もありませんでした。

051 □ 私の両親が初めて会ったのは高校のときでした。2人が結婚した*とき，知り合って10年になっていました。

052 □ 私はそこでの初日に道に迷いました。そのホテルを見つけたとき，私は2時間ずっと運転していました。

053 □ 仕事から帰宅したときに，私は彼の車の中にかさを忘れたことに気づきました*。

054 □ A：この地域は秋の風景で有名ですよね。
B：はい，そうです。来月にはこれらの葉は赤く色づいている*でしょう。

055 □ A：マキコ，いつ家に帰ってくるの？
B：たぶん5時ごろだと思うわ。コンサートは3時までには終わっているから。

046 パズル：a puzzle　051 結婚する：get married　053 …だと気づく：realize that ...
054 赤く色づく：turn red

046

□ (2) A: Have you known Greg for long?
B: Yes, ______________.

046 □ (1) Can you help me? ______________, but I can't solve it.

□ (2) Hasn't Takashi come? ______________ You'd better call him.

047 □ (1) A: Is my husband staying at this hotel?
B: ______________

□ (2) A: Do you know where Mike is?
B: ______________

048 □ A: Did you see the man break into* the house?
B: Yes, I did. ______________

049 □ A: Did you get to the stadium in time*?
B: Actually, no. ______________

050 □ I'm not used to speaking* to foreigners.
____

051 □ My parents first met in high school. ______________

052 □ I got lost* on my first day there. ______________

053 □ When I got home from work, ______________.

054 □ A: This area is famous for its autumn scenery, isn't it?
B: Yes, it is. ______________

055 □ A: When are you coming home, Makiko?
B: About five, I guess. ______________

048 break into：～に侵入する　049 in time：間に合って
050 be used to *doing*：～するのに慣れている　052 get lost：道に迷う

056

056 □ A：あなたは本当にこのミュージカルが好きですよね。
B：ええ，そうなんです。もう一度それを見たら，11回見たことになります。

057 □ A：結婚してどのくらいになりますか。
B：来月で結婚して20年になります。

058 □ (1) A：今年の夏は海外に行くつもりですか。
B：はい，イタリア語のレッスンが終わったら，ローマ*に行こうと思っています。

□ (2) A：今日の午後は何か予定はありますか？
B：昼食の時間までに雨がやんでいれば，買い物に行きます*。

□ (3) だいじょうぶ？　疲れているようだね。十分な睡眠をとっていないときに運転をしてはいけないよ。

第5章 助動詞

059 □ (1) デイビッドは日本語のスピーチコンテストで賞をとりました。彼は日本語を話すのはとてもじょうずですが，書くことはできません。

□ (2) A：今日の夕方，お時間ありますか。
B：残念ながらありません。でも明日の午前中ならお会いできます。

□ (3) ライリー，練習を続けてね。すぐに泳げるようになるわよ。

060 □ (1) A：すごいね。彼女は本当に才能があるよ。
B：そうなんです。彼女は5歳でこのソナタ*を弾けたんですよ！

□ (2) A：昨日は水泳教室があったの？
B：ええ，あったわ。200メートル泳ぐことができたのよ。

061 □ (1) A：その展覧会は無料ですか。
B：いいえ，違います。チケットを持っている場合のみ入ることができます。

---

058 ローマ：Rome　買い物に行く：go shopping
060 ソナタ：a sonata

056

056 □ A: You really like this musical, don't you?
B: Yes, I do. ____________________

057 □ A: How long have you been married?
B: ____________________

058 □ (1) A: Are you going abroad this summer?
B: Yes, ____________________.

□ (2) A: Do you have any plans this afternoon?
B: ____________________

□ (3) Are you all right? You look tired. ____________________

059 □ (1) David won a prize in the Japanese speech contest.
____

□ (2) A: Do you have time this evening?
B: I'm afraid I don't. ____________________

□ (3) Keep practicing, Riley. ____________________

060 □ (1) A: My goodness. She's really talented*.
B: I know. ____________________

□ (2) A: Did you have a swimming lesson yesterday?
B: Yes, I did. ____________________

061 □ (1) A: Is the exhibition* free?
B: No, it isn't. ____________________

060 talented：才能のある　061 an exhibition：展覧会

062

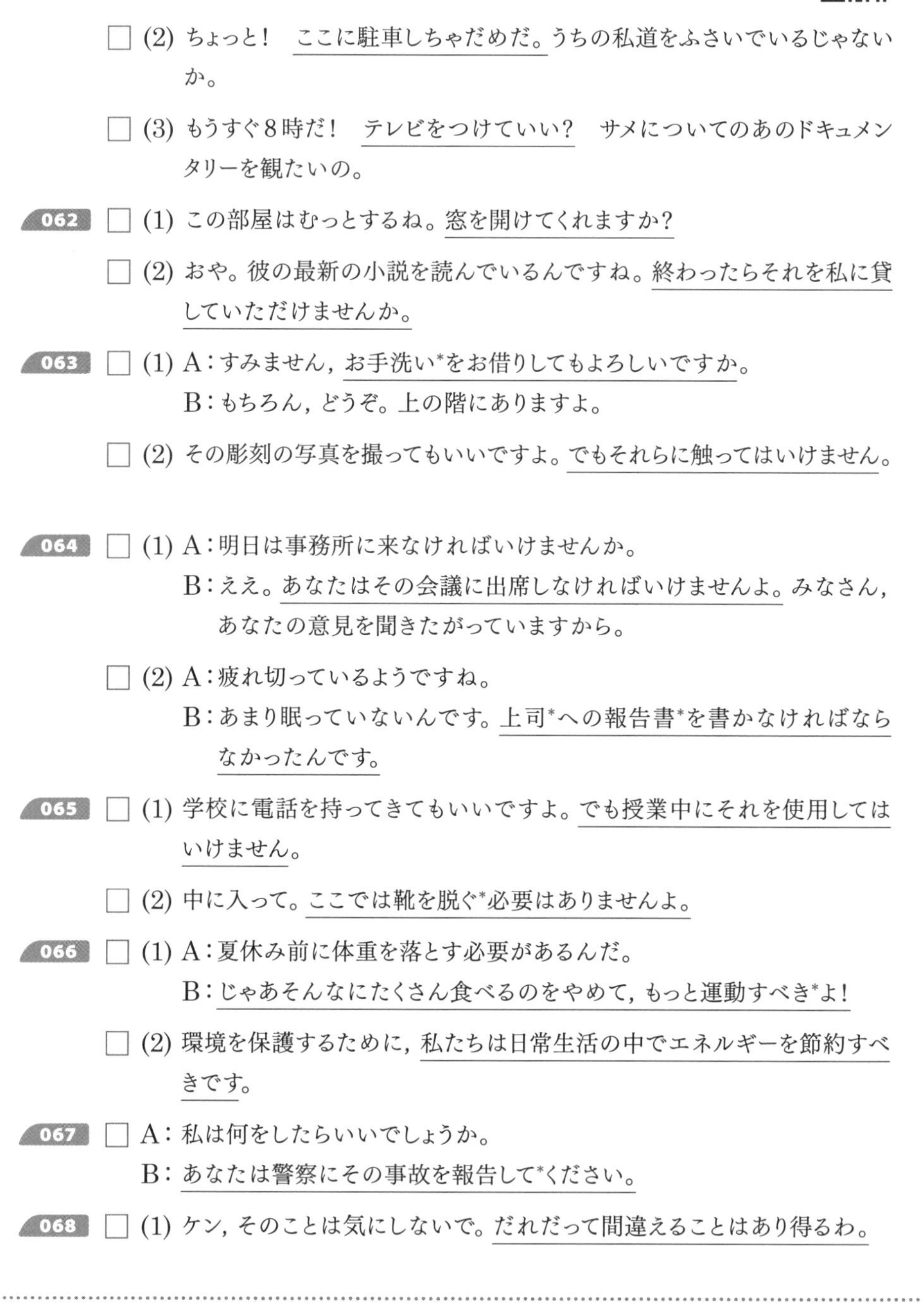
□ (2) ちょっと！ ここに駐車しちゃだめだ。うちの私道をふさいでいるじゃないか。

□ (3) もうすぐ8時だ！ テレビをつけていい？ サメについてのあのドキュメンタリーを観たいの。

062 □ (1) この部屋はむっとするね。窓を開けてくれますか？

□ (2) おや。彼の最新の小説を読んでいるんですね。終わったらそれを私に貸していただけませんか。

063 □ (1) A：すみません，お手洗い*をお借りしてもよろしいですか。
B：もちろん，どうぞ。上の階にありますよ。

□ (2) その彫刻の写真を撮ってもいいですよ。でもそれらに触ってはいけません。

064 □ (1) A：明日は事務所に来なければいけませんか。
B：ええ。あなたはその会議に出席しなければいけませんよ。みなさん，あなたの意見を聞きたがっていますから。

□ (2) A：疲れ切っているようですね。
B：あまり眠っていないんです。上司*への報告書*を書かなければならなかったんです。

065 □ (1) 学校に電話を持ってきてもいいですよ。でも授業中にそれを使用してはいけません。

□ (2) 中に入って。ここでは靴を脱ぐ*必要はありませんよ。

066 □ (1) A：夏休み前に体重を落とす必要があるんだ。
B：じゃあそんなにたくさん食べるのをやめて，もっと運動すべき*よ！

□ (2) 環境を保護するために，私たちは日常生活の中でエネルギーを節約すべきです。

067 □ A：私は何をしたらいいでしょうか。
B：あなたは警察にその事故を報告して*ください。

068 □ (1) ケン，そのことは気にしないで。だれだって間違えることはあり得るわ。

063 お手洗い：a bathroom　064 上司：a boss　報告書：a report
065 （靴）を脱ぐ：take off　066 運動する：exercise　067 ～を報告する：report

062

□ (2) Hey! ____________ You're blocking my driveway*.

□ (3) It's almost eight! ____________ I want to watch that documentary on sharks.

062 □ (1) It's stuffy* in this room. ____________

□ (2) Oh. You're reading his latest novel.
____

063 □ (1) A: Excuse me, ____________?
B: Of course, you can. It's upstairs.

□ (2) You can photograph* the sculptures*,
____________.

064 □ (1) A: Do I have to come to the office tomorrow?
B: Yes. ____________ People want to hear your opinions.

□ (2) A: You look exhausted*.
B: I didn't get much sleep. ____________

065 □ (1) You can bring your phone to school,
____________.

□ (2) Come in. ____________

066 □ (1) A: I need to lose weight before the summer vacation.
B: ____________

□ (2) In order to protect the environment,
____________.

067 □ A: What should I do?
B: ____________

068 □ (1) Don't worry about it, Ken. ____________

---

061 a driveway：私道　062 stuffy：（風通しが悪く）むっとする
063 photograph：～を写真に撮る　a sculpture：彫刻作品　064 exhausted：疲れ切った

□ (2) A：空のあの光はなんでしょう?

B：そうですね，動いているから星のはずはないですね。それは飛行機かもしれません。

□ (3) 幽霊を見たという彼の話は聞きましたか。それが本当だなんてありうるんでしょうか。

069 □ (1) 今日の午後は天気がいいでしょう。でも明日はいくらか雨が降るかもしれません。

□ (2) A：ジョンをパーティーに招待しましたか。

B：はい，しましたよ。彼は奥さんと一緒に来るかもしれません。

070 □ (1) 電話が鳴っている。たぶん父だと思います。ちょっと失礼しますね。

□ (2) A：うちの大阪営業所を閉めることについて，あなたはどう思いますか。

B：私たちの問題に対する最善の解決策*だろうと思います。

071 □ (1) A：あの人がだれか知っていますか。

B：ボビーと一緒にいる女の子? 彼女はきっと彼の妹だよ。彼にそっくりだから。

□ (2) A：カレンはカフェテリアにいるのかしら。

B：彼女が今そこにいるはずはないよ。2分前に図書館で彼女を見かけたから。

072 □ (1) 私の両親は東海岸を北へと旅行しています。彼らは今ごろはボストンに着いているはずです。

□ (2) 準備はすべて終わってる? お客さんたちは数分後にここに来るはずだよ。

073 □ (1) 今日から私が大阪支店の支店長です。全力を尽くすつもりです。

□ (2) A：タバコをやめるようお父さんを説得してみましたか。

B：しました。でも彼は私たちの助言を聞こうとしないんです。

□ (3) 私の兄は野菜が好きではありません。彼は少年だったころ，ニンジン*を食べようとしませんでした。

---

070 解決策：a solution　073 ニンジン：a carrot

☐ (2) A: What's that light in the sky?
B: Well, it can't be a star because it's moving.
____

☐ (3) Did you hear his story about seeing a ghost?
____

069 ☐ (1) It will be sunny this afternoon, ______________________.

☐ (2) A: Did you invite John to the party?
B: Yes, I did. ______________________

070 ☐ (1) The phone is ringing. ______________________ Excuse me for a minute.

☐ (2) A: What do you think about closing our Osaka office?
B: ______________________

071 ☐ (1) A: Do you know who that is?
B: The girl with Bobby? ______________________ She looks just like him.

☐ (2) A: I wonder if Karen is in the cafeteria.
B: ______________________ I saw her in the library two minutes ago.

072 ☐ (1) My parents are traveling up the east coast.
____

☐ (2) Is everything ready? ______________________

073 ☐ (1) I'm now the manager of our Osaka branch*.
____

☐ (2) A: Did you try to persuade* your father to stop smoking?
B: ______________________

☐ (3) My brother doesn't like vegetables. ______________________

073 a branch：支店　persuade：～を説得する

074

074 □ (1) 私の祖父は海が大好きです。彼は日曜日にはよく釣りに出かけます。

□ (2) A：おじいさんの思い出は何かありますか。

B：はい，週末には私をよく動物園に連れて行ってくれたものでした。

075 □ (1) 外が騒がしいですね。窓を閉めてもらえますか。

□ (2) レポートに集中しようとしています。少しのあいだ*静かにしていただけませんか。

076 □ (1) A：少し休憩しませんか。

B：いいですね。お茶をいれ*ましょうか。

□ (2) まず，私たちは彼女の寝室を片づけなければなりません。これらの古い雑誌は捨て*ましょうよ。

077 □ 今はずっと気分がいいです。私のことは心配しなくていいですよ。

078 □ A：定期的に運動をしていますか。

B：いいえ。以前は仕事のあとにジム*によく行っていましたが，今は行っていません。

079 □ この地域はずいぶん変わりました。以前はこの角*に郵便局がありました。

080 □ (1) 彼についてはすばらしい話を知っています。あなたは以前，それを聞いたことがあるかもしれませんが。

□ (2) A：まじか！　僕のカギが見つからないよ。

B：階段を駆け上がったのを覚えているでしょ。カギはポケットから落ちた*のかもしれないわよ。

081 □ かさをなくしてしまいました。郵便局に置き忘れたのかもしれません。

082 □ この洞窟に宝物はありません。あの男は私にうそを言った*に違いありません。

083 □ A：どうしてまだ試合が終わってないの？　今ごろには終わっているはずなのに。

B：対戦相手の到着が遅れたんです。

---

075 少しのあいだ：for a minute　**076** お茶をいれる：make tea　～を捨てる：throw away
078 ジム：a gym　**079** 角：a corner　**080** 落ちる：fall　**082** うそを言う：tell a lie

074

074 □ (1) My grandfather loves the sea. ______________

□ (2) A: Do you have any memories* of your grandfather?
B: Yes, ______________ .

075 □ (1) It's noisy outside. ______________

□ (2) I'm trying to concentrate on* my essay.
____

076 □ (1) A: How about having a short break?
B: Good idea. ______________

□ (2) First, we need to tidy up* her bedroom.
____

077 □ I'm feeling much better now. ______________

078 □ A: Do you exercise regularly?
B: No. ______________

079 □ This area has changed a lot. ______________

080 □ (1) I know a great story about him. ______________

□ (2) A: Oh, no! I can't find my keys.
B: You ran up the stairs, remember.
____

081 □ I've lost my umbrella. ______________

082 □ There's no treasure in this cave*. ______________

083 □ A: Why isn't the game over yet? ______________

B: The other team arrived late.

074 memories：思い出　075 concentrate on：～に集中する
076 tidy up：～を片づける　082 a cave：洞窟(くつ)

084 □ (1) A：依頼人は，私の助言に従うようです。
B：あなたの言うことは信じられません。彼があなたの提案*を受け入れたはずがありません。

□ (2) 彼は私の新しい髪型にふれませんでした。彼がその違い*に気づいたはずがありません。

085 □ 目覚まし時計が聞こえなかったの？ 7時に起きるべきだったのに。

086 □ バーベキューのための食べ物は十分あります。あなたはそんなにたくさんの肉を買う必要はなかったのに。

087 □ (1) A：バスケットボールに興味はありますか。
B：はい，あります。学校のバスケットボール部に入りたいです。

□ (2) A：今夜は外食しませんか。
B：僕は家にいるほうがいいな。ピザを頼まない？

088 □ A：エイミーは夕食のときにあまりしゃべらなかったね。機嫌が悪いの？
B：そんなことないと思うわ。たぶん旅行の後で疲れているだけでしょう。

089 □ (1) あなたがあの問題を解くことは決してないでしょう。あきらめたほうがいいですよ。

□ (2) マッサージチェアを注文したの？ そんなものを買うなんて，お金を捨てるようなものよ。

090 □ (1) A：彼が私と付き合いたいなんて，信じられないわ。
B：君は知的だしおもしろいよ。彼が君を好きなのは当然だよ。

□ (2) A：食事をありがとうございました。食べ物がすばらしかったです！
B：喜んでいただけてうれしいです。そんなに早くお帰りにならなければならないなんて残念です。

091 □ (1) この薬が苦いのは知っています。でもあなたがそれを飲むのは必要なことですよ。

□ (2) 元気になりたいのなら，医者の助言に従うことが必要不可欠*です。

092 □ (1) あのホテルはナイトクラブの隣にあります。そこに宿泊することはお勧めしません。

084 提案：a proposal　違い：a difference　091 必要不可欠な：essential

084 □ (1) A: The client* is going to take my advice.
B: I don't believe you. ________________

□ (2) He didn't mention* my new hairstyle.
____

085 □ Didn't you hear your alarm*? ________________

086 □ We have enough food for a barbecue. ________________

087 □ (1) A: Are you interested in basketball?
B: Yes, I am. ________________

□ (2) A: How about eating out tonight?
B: ________________ Why don't we order a pizza?

088 □ A: Amy didn't say much at dinner. Is she in a bad mood?
B: I don't think so. ________________

089 □ (1) You'll never solve that problem. ________________

□ (2) You ordered a massage chair? ________________

090 □ (1) A: I can't believe he wants to go out with* me.
B: You're smart and funny. ________________

□ (2) A: Thank you for dinner. The food was wonderful!
B: I'm glad you enjoyed it. ________________

091 □ (1) I know this medicine is bitter*, ________________.

□ (2) If you want to get better, ________________.

092 □ (1) That hotel is next to a nightclub. ________________

084 a client：依頼人　mention：～についてふれる　085 an alarm：目覚まし時計
090 go out with：～と付き合う　091 bitter：苦い

□ (2) A：だれがあなたにここに来るようにと言いましたか。
B：テイラーさんです。私がこの会議に出席することを彼は強く求めたのです。

第6章 態

093 □ (1) A：これはあなたの車ですか。ずいぶん古いですね。
B：ええ，そうなんです。私の兄によって修理され*，リストアされた*んです。

□ (2) A：このお寺は築何年か知っていますか。
B：よくわかりません。500年くらい前に建てられたと思いますよ。

094 □ その本は絶版になっています。でも図書館から借りることができますよ。

095 □ A：開幕戦は新しい競技場で行われましたか。
B：いいえ，古いほうでした。新しい競技場はまだ建設中なんです！

096 □ この歌は1987年に初めて発売されました。そしてたくさんの歌手によって歌われてきました。

097 □ (1) A：どうして彼は空港で逮捕されなかったのですか。
B：わかりません。彼の名前が容疑者*のリストになかったのかもしれませんね。

□ (2) 昨日の授業中，何人かの男子が教室で乱暴な口をきいていました。忘れないで，悪いことばを教室で使ってはいけませんよ。

098 □ うわぁ，とてもたくさんハンドバッグを持っているね。これらはイタリア製？

099 □ (1) お尋ねしてよろしければ，どなたが彼らの結婚式に招待されるのでしょうか。

□ (2) おたくの本社はとてもすばらしいですね。あなたの会社はいつ創立され*ましたか。

093 ～を修理する：repair　～をリストアする［きれいに仕上げる］：restore
097 容疑者：a suspect　099 ～を創立する：establish

□ (2) A: Who told you to come here?
B: Mr. Taylor. ________________

093 □ (1) A: Is this car yours? It's very old, isn't it?
B: Yes, it is. ________________

□ (2) A: Do you know how old this temple is?
B: I'm not sure. ________________

094 □ The book is out of print*, ________________.

095 □ A: Was the opening match held in the new stadium?
B: No, it was in the old one. ________________

096 □ This song was first released in 1987, ________________.

097 □ (1) A: Why wasn't he arrested at the airport?
B: I don't know. ________________

□ (2) Some boys were swearing* in class yesterday.
____

098 □ Wow, you have so many handbags. ________________

099 □ (1) If you don't mind my asking, ________________?

□ (2) Your head office is very impressive*. ________________

094 out of print：絶版になって　097 swear：乱暴な口をきく
099 impressive：すばらしい，印象的な

100 □ (1) 聞いた？ ジムがメアリーからクリスマスカードを送られたんだって。

□ (2) A：どうしてここに警察がいるのですか。

B：脅迫状*が反社会的*グループから知事*に送られたんです。

101 □ 彼らの赤ちゃんはこの都会から離れた村で生まれました。そして彼は祖父からカールと名づけられました。

102 □ A：結局子どもたちはどうなりましたか。

B：女の子は私の姉が世話をしています。男の子はボストンのある家族の養子になりました。

103 □ (1) A：アキラのお母さんはとてもエレガントだね。

B：同感だわ。彼女はかつてモデルだったそうよ。

□ (2) アキラのお父さんは政治家です。そして彼のお母さんは裕福な家の出*だと言われています。

104 □ (1) 私がそこに着いたとき，買い物客たちが手をたたき始めました。クリスマスのライトが点灯されたのです。

□ (2) エネルギーを節約するために，昼食時は不要な照明は消されています。

105 □ 新しいメガネを買わなければなりません。古いのは，スーツケースの中にあったときに壊れてしまいました。

106 □ (1) A：富士山は美しいですよね。

B：ええ，そうですね。その山頂が雪に覆われているときは，より美しく見えますよ。

□ (2) その自動車事故は悲惨なものでした。2名の歩行者*が亡くなり，運転手は重傷でした。

107 □ A：あなたが失業したと伝えたとき，メアリーは何と言いましたか？

B：彼女はその知らせにショックを受けました。彼女は何も言いませんでした。

100 脅迫状：a threatening letter　反社会的な：antisocial　知事：a governor

103 ～の出である：come from　106 歩行者：a pedestrian

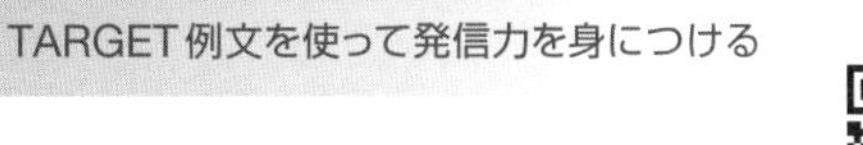

100 ☐ (1) Did you hear? ________________

☐ (2) A: Why are the police here?
B: ________________

101 ☐ Their baby was born in this remote* village,
________________.

102 ☐ A: What happened to the children in the end?
B: ________________ The boy was adopted* by a family in Boston.

103 ☐ (1) A: Akira's mother is so elegant.
B: I agree. ________________

☐ (2) Akira's father is a politician, ________________.

104 ☐ (1) The shoppers started clapping* when I got there.
____

☐ (2) In order to save energy, ________________.

105 ☐ I have to get new glasses. ________________

106 ☐ (1) A: Mt. Fuji is beautiful, isn't it?
B: Yes, it is. ________________

☐ (2) The car accident was terrible. ________________

107 ☐ A: What did Mary say when you told her you had lost your job?
B: ________________ She didn't say anything.

101 remote：都会から離れた，へんぴな　102 adopt：～を養子にする
104 clap：手をたたく

第7章 不定詞

108 □ (1) 今夜，私たちは小さな山小屋に泊まります。私たちの計画は，明日その山に登ることです。

□ (2) A：あなたは運転免許を持っていますか。車は持っていないですよね。

B：そのとおりです。でも運転免許は持っていると役に立ちます。それを身分証明書として使えますから。

109 □ (1) 私の息子は歯が痛いです。彼は歯医者さん*に診てもらう必要があります。

□ (2) サムは活発で社交的です。彼は友だちを作ることは簡単だと思っています。

110 □ (1) A：どうされました？

B：だれか私のプリンターのことで手助けしてくれる人を探しています。緊急です。

□ (2) A：明日，ディズニーランドに行きませんか。

B：残念ながら行けません。私にはすべき宿題がたくさんあるんです。

□ (3) 私が地図を書いてあげます。何か書くものを持っていますか。

111 □ メグはおとなしくて内気です。それで私たちは，彼女が学芸会*に参加する*ことを決めたことに驚きました。

112 □ A：スーは最近忙しいみたいですね。

B：そうなんです。彼女はパートの仕事を2つしているって聞きました。彼女は車を買うために貯金している*んです。

113 □ 彼らにとってひどい1日でした。彼らが帰宅すると，だれかが彼らの車を盗んだことに気づいたのです。

114 □ A：こんにちは，人事部長のエリック・バーンズです。お会いできてとてもうれしい*です。

B：はじめまして。タニザキ・サキです。

115 □ (1) あなたの息子さんは相対性理論を理解しているのですか。その理論*を理解しているとは，彼は天才*に違いないですね。

---

109 歯医者：a dentist　111 学芸会：a school play　～に参加する：participate in
112 貯金する：save up　114 うれしい：be pleased　115 理論：theory　天才：a genius

108 □ (1) Tonight we are staying in a small hut*.

____

□ (2) A: Do you have a driver's license? You don't have a car, do you?
B: That's true, ______________. You can use it as an ID.

109 □ (1) My son has a toothache. ______________

□ (2) Sam is active and outgoing*. ______________

110 □ (1) A: How can I help you?
B: ______________ It's urgent*.

□ (2) A: Why don't we go to Disneyland tomorrow?
B: I'm afraid I can't. ______________

□ (3) I'll draw a map for you. ______________

111 □ Meg is quiet and shy, ______________.

112 □ A: Sue seems to be busy these days.
B: Yes, I heard she has two part-time jobs.

____

113 □ It was a terrible* day for them. ______________

114 □ A: Hi, I'm Eric Barnes, the personnel* manager.

____

B: How do you do? I'm Saki Tanizaki.

115 □ (1) Your son understands relativity*? ______________

108 a hut：小屋　109 outgoing：社交的な　110 urgent：緊急の
113 terrible：ひどい　114 personnel：人事部　115 relativity：相対性理論

□ (2) A：たぶん私が再確認すべきだったのです。
B：そうですね。同じミスを繰り返すとは，あなたは不注意でしたね。

□ (3) A：かばんを私に渡してください。私が運びましょう。
B：ありがとうございます。私を助けてくれるなんて，あなたは親切ですね。

116 □ (1) あなたの運転は速度が速すぎます。あなたにはもっと気をつけてほしいです。

□ (2) 母は私の健康を心配しています。私に昨夜電話をかけてきて，もっと野菜を食べるよう私に言いました。

□ (3) A：エリカ，来年のあなたの予定は何ですか。
B：私はアメリカ合衆国に行くつもりです。私が海外留学するのを父が許して*くれました。

117 □ (1) A：ミカはどこですか。
B：彼女は友人たちを迎えに行く*ために空港へ行きましたよ。

□ (2) A：マーカス，就職活動はどう？　何かいいニュースはある？

B：まだだよ。この町でいい仕事を探すのは大変なんだ。

□ (3) A：あなたのお兄さんはとても野心家みたいですね。
B：はい。彼の夢は映画スターになることなんです。

118 □ あなたは熱と喉の痛みがありますね。あなたは医者に診てもらう必要があります。

119 □ A：彼は何時に会議に来ましたか。
B：9時半です。しかし，彼はもう遅刻しないと約束しました。

120 □ (1) 私はソフトクリームを食べていました。それで母が私を店の外で待たせたんです。

□ (2) 今日は私のために時間を作ってくださり，ありがとうございます。最初に，私の案について説明させてください。

□ (3) A：昨日，サムはレースの後，歩き方がおかしかったです。
B：知っています。彼は病院へ行って，医者に脚を診てもらいました。

---

116 ～を許す：allow　**117** ～を迎えに行く：pick up

□ (2) A: Maybe I should have double-checked.
B: Yes. ________________

□ (3) A: Give me your bag. I'll carry it for you.
B: Thank you. ________________

116 □ (1) You're driving too fast. ________________

□ (2) My mother is worried about my health.
____

□ (3) A: What's your plan for next year, Erika?
B: I'm going to the States. ________________

117 □ (1) A: Where's Mika?
B: ________________

□ (2) A: How's the job hunting* going, Marcus? Any good news?
B: Not yet. ________________

□ (3) A: Your brother seems very ambitious*.
B: Yes. ________________

118 □ You have a fever* and a sore throat*. ________________

119 □ A: What time did he get to the meeting?
B: Half past nine. ________________

120 □ (1) I was eating soft ice cream, ________________.

□ (2) Thank you for making time for me today.
____

□ (3) A: Sam was walking badly after the race yesterday.
B: I know. ________________

117 job hunting：就職活動　ambitious：野心のある
118 a fever：熱　a sore throat：喉の痛み

121 □ 彼は発砲の音を聞きました。そして，彼は男の人が倒れる*のを見たのです。

122 □ (1) A：あなたの犬は天気予報を見ていますよ！
B：はい，そうなんです。彼は司会者*が言っていることがわかるみたいです。

□ (2) 養護施設にいる子どもたち全員がクリスマスプレゼントをもらいました。彼らはうれしそうでした。

123 □ (1) A：アニーは今日顔色が悪いですね。
B：はい。彼女はかぜをひいたようです。

□ (2) その男の子は頭を押さえていました。彼はその事故でけがをした*ようでした。

124 □ (1) 川の中のあの女性を助けてください！ 彼女はおぼれている*みたいで，そして私は泳げないのです！

□ (2) どうか，しばらく私と一緒にいてもらえますか。ひとりっきりにされたくありません。

125 □ (1) A：ジムを見たんですか。彼は東京にいるんですか。
B：はい，私は彼をたまたま本屋で見かけました。

□ (2) 彼の話は私には信じられないようなものでした。でも，それが事実であることがわかったのです。

126 □ 最初，リトルトンは退屈だと思いました。でも，数年後その町が好きになりました。

127 □ (1) リーダーたちはみんな帰宅しました。次の会議は香港で行われます。

□ (2) その講演は会員限定です。入口であなたのクラブカードを見せなければなりません。

□ (3) ホールにはだれもいませんでした。そして，物音ひとつ聞こえませんでした。

128 □ (1) A：今は，何に取り組んでいますか。
B：ある日本の小説の英語版です。小説*は特に*翻訳するのが難しいです。

121 倒れる：fall down　122 司会者：a presenter　123 けがをしている：be hurt
124 おぼれている：be drowning　128 小説：fiction　特に：especially

121 □ He heard a gunshot*. ____________

122 □ (1) A: Your dog is watching the weather forecast!
B: Yes, he is. ____________

□ (2) All the children in the home* got a Christmas present.
____

123 □ (1) A: Annie looks pale today.
B: Yes. ____________

□ (2) The boy was holding his head. ____________

124 □ (1) Help that woman in the river! ____________

□ (2) Could you stay with me for a while, please?
____

125 □ (1) A: Did you see Jim? Is he in Tokyo?
B: Yes, ____________.

□ (2) His story seemed unbelievable to me,
____________.

126 □ I found Littleton boring at first, ____________.

127 □ (1) The leaders have all gone home. ____________

□ (2) The lecture is for members only. ____________

□ (3) There was nobody in the hall, ____________.

128 □ (1) A: What are you working on at the moment?
B: An English version of a Japanese novel.
____

121 a gunshot：発砲の音　122 a home：養護施設

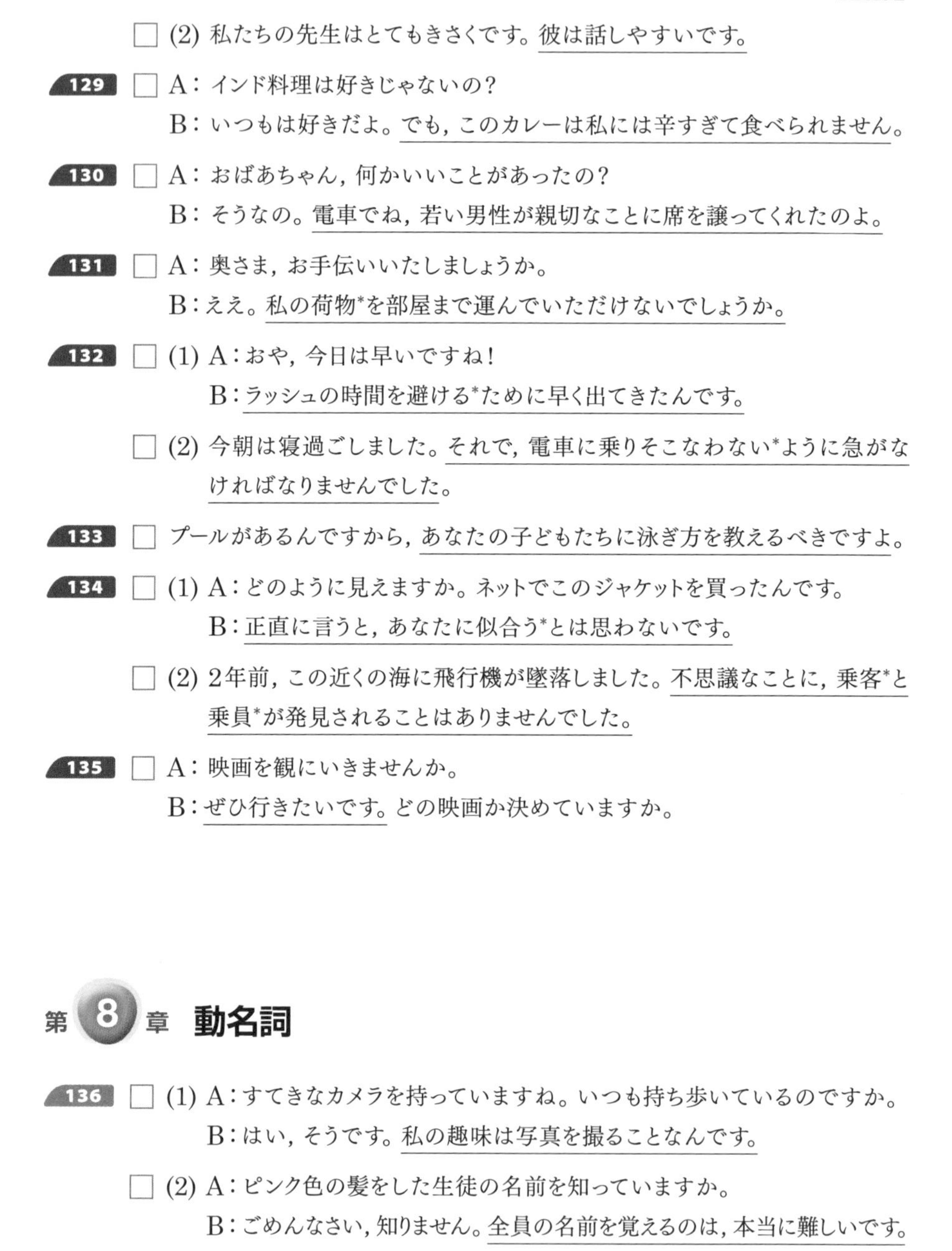

□ (2) 私たちの先生はとてもきさくです。彼は話しやすいです。

129 □ A：インド料理は好きじゃないの？
B：いつもは好きだよ。でも，このカレーは私には辛すぎて食べられません。

130 □ A：おばあちゃん，何かいいことがあったの？
B：そうなの。電車でね，若い男性が親切なことに席を譲ってくれたのよ。

131 □ A：奥さま，お手伝いいたしましょうか。
B：ええ。私の荷物*を部屋まで運んでいただけないでしょうか。

132 □ (1) A：おや，今日は早いですね！
B：ラッシュの時間を避ける*ために早く出てきたんです。

□ (2) 今朝は寝過ごしました。それで，電車に乗りそこなわない*ように急がなければなりませんでした。

133 □ プールがあるんですから，あなたの子どもたちに泳ぎ方を教えるべきですよ。

134 □ (1) A：どのように見えますか。ネットでこのジャケットを買ったんです。
B：正直に言うと，あなたに似合う*とは思わないです。

□ (2) 2年前，この近くの海に飛行機が墜落しました。不思議なことに，乗客*と乗員*が発見されることはありませんでした。

135 □ A：映画を観にいきませんか。
B：ぜひ行きたいです。どの映画か決めていますか。

第8章 動名詞

136 □ (1) A：すてきなカメラを持っていますね。いつも持ち歩いているのですか。
B：はい，そうです。私の趣味は写真を撮ることなんです。

□ (2) A：ピンク色の髪をした生徒の名前を知っていますか。
B：ごめんなさい，知りません。全員の名前を覚えるのは，本当に難しいです。

---

131 荷物：baggage　**132** ～を避ける：avoid　～に乗りそこなう：miss
134 ～に似合う：suit　乗客：a passenger　乗員：a crew（単数形で乗組員全体を指す）

☐ (2) Our teacher is very friendly. ________________

129 ☐ A: Don't you like Indian food?
B: Usually I do, ________________.

130 ☐ A: Did something good happen, grandma?
B: Yes. ________________

131 ☐ A: Can I help you, madam?
B: Yes. ________________

132 ☐ (1) A: Wow, you're early today!
B: ________________

☐ (2) I overslept this morning, ________________.

133 ☐ Since you have a pool, ________________.

134 ☐ (1) A: How do I look? I bought this jacket on the internet.
B: ________________

☐ (2) Two years ago, a plane crashed* into the sea near here.
____

135 ☐ A: Would you like to go to the movies?
B: ________________ What film do you have in mind*?

136 ☐ (1) A: You have a nice camera. Do you always carry it?
B: Yes, I do. ________________

☐ (2) A: Do you know the name of the student with pink hair?
B: I don't, sorry. ________________

134 crash：墜落する　135 have ～ in mind：～に決めている

137 □ 私の祖母はゴルフが嫌いです。祖父はそれをするのを楽しんでいますが。

138 □ A：これらのクッキーはおいしいです。
B：私の母がつくりました。彼女はクッキーを焼くのが得意です。

139 □ (1) 彼のクラスメイトとは違って，私の弟はコンピュータ・ゲームをするのが好きでありません。

□ (2) パリを訪れたら，あなたはそこが世界で最も美しい都市だということに賛同するでしょう。ことわざ*にあるように，百聞は一見にしかずですよ。

□ (3) A：あなたは外国を訪れると，どうしていつも切手を買うのですか。
B：私の兄のためのものなんです。彼の趣味は切手を集めることです。

140 □ (1) 姉が私に外へ出るように言いました。彼女は勉強しているときに，私がテレビを見ているのが好きではありません。

□ (2) 私たちには，国内の最も優秀な選手の何人かが所属しています。私は，私たちのチームが試合に勝つことを確信しています。

141 □「ありがとう」と言うのは礼儀正しいです。「ありがとう」と言わないのは失礼*です。

142 □ 私は今16歳です。私は子どものように扱われるのが好きでありません。

143 □ 母はかつてスポーツ選手でした。彼女はオリンピックでメダルを獲得したことを誇りに思っています。

144 □ (1) 私の両親は毎日早く家を出ます。なので，私は自分の朝食を作るのに慣れています。

□ (2) 午後2時ごろお宅に伺います。またお会いするのを楽しみにしています！

145 □ (1) 注意しすぎることはありません。将来何が起こるかわかりませんから。

□ (2) A：私は高校ではそれほどがんばって勉強しませんでした。
B：それはそうかもしれません。でも過去のことをくよくよして*もむだですよ。

□ (3) すみません，あなたが言ったことを聞き取れませんでした。もう一度繰り返していただけますか。

139 ことわざ：a proverb　141 失礼な：rude　145 くよくよする：worry

137 □ My grandmother hates golf. ____________________

138 □ A: These cookies are delicious.
B: My mom made them. ____________________

139 □ (1) Unlike his classmates, ____________________.

□ (2) When you go to Paris, you will agree that it is the world's most beautiful city. ____________________

□ (3) A: Why do you always buy stamps* when you visit foreign countries?
B: They're for my brother. ____________________

140 □ (1) My sister told me to go outside. ____________________

□ (2) We have some of the best players in the country.
____

141 □ Saying "thank you" is polite*. ____________________

142 □ I'm sixteen now. ____________________

143 □ My mother used to be an athlete. ____________________

144 □ (1) My parents leave home early every day,
____________________.

□ (2) I'll be at your house around two p.m. ____________________

145 □ (1) You can't be too careful. ____________________

□ (2) A: I didn't study hard enough in high school.
B: That may be true, ____________________.

□ (3) Sorry, I didn't catch what you said. ____________________

139 a stamp：切手　141 polite：礼儀正しい

146 □ (1) 体重を減らすには，寝る直前に食べるのを避ける*べきです。

□ (2) 私のネコは3か月前にいなくなりました。私はついに*探すのをやめました*。

147 □ (1) マサコは将来国連で働きたいと思っています。彼女は最近外国に留学する決心をしました。

□ (2) A：海外へ行ったことはありますか。

B：まだありません。でも，来年はイタリアに行くことを望んでいます。私はベニスを本当に見たいのです。

148 □ (1) A：エジプトでのあの休暇はすばらしかったですよね。

B：ええ，そうですね。私は初めてピラミッドを見たことを決して忘れないでしょう。

□ (2) 牛乳と卵が必要なんだ。家に帰る途中でスーパーに立ち寄る*のを忘れないでね。

149 □ (1) A：本当に家に戻らなくてもいいと思っていますか。

B：心配しないで。私はドアの鍵をかけたことをはっきりと*覚えていますから。

□ (2) A：この仕事を終わらせるために，今夜は残業する必要があります。

B：わかりました。事務所を出るとき，ドアに鍵をかけるのを忘れないでくださいね。

150 □ (1) A：エリザベスはあなたのことをまだ怒っているのですか。

B：そうなんです。彼女にあんなことを言ったことを本当に後悔しています。

□ (2) 私たちはあなたの応募を慎重に検討しました。しかし，残念ながらあなたに仕事を提供する*ことはできません。

151 □ (1) 道路の真ん中に岩がありました。彼はそれを持ち上げてみて，そんなに重くないことがわかりました。

□ (2) 道路の真ん中に岩がありました。彼はそれを動かそうとしましたが，それは重すぎました。

---

146 ～を避ける：avoid　ついに：finally　～をやめる：give up

148 ～に立ち寄る：call in at ～　**149** はっきりと：clearly　**150** ～を提供する：offer

146 □ (1) To lose weight, ________________ .

□ (2) My cat disappeared three months ago.

____

147 □ (1) Masako wants to work for the U.N.* in the future.

____

□ (2) A: Have you ever been overseas?

B: Not yet, ________________ . I really want to see Venice.

148 □ (1) A: That holiday in Egypt was wonderful, wasn't it?

B: Yes, it was. ________________

□ (2) We need milk and eggs. ________________

149 □ (1) A: Are you sure we don't need to go back to the house?

B: Don't worry. ________________

□ (2) A: I'll need to work overtime this evening to finish this job.

B: All right. ________________

150 □ (1) A: Is Elizabeth still angry with you?

B: Yes. ________________

□ (2) We considered your application* carefully,

________________ .

151 □ (1) There was a rock in the middle of the road.

____

□ (2) There was a rock in the middle of the road.

____

147 the U.N.：国際連合（the United Nations）　150 an application：応募

152

152 □ (1) スーの夫が事故に巻き込まれました。彼女はその知らせを聞くと泣き出しました。

□ (2) トレーシーは美しい声をしています。彼女は昔のフォークソングを歌うのが大好きです。

153 □ (1) モスクの前の数人の男性が彼に怒鳴りました。彼は写真を撮るのをやめました。

□ (2) 彼は車で家に帰っているときに美しい夕焼けを見ました。彼は写真を撮るために止まりました。

154 □ (1) 私は来月シリアに行かなければなりません。私はひとりでそこに行くことを不安に思っています。

□ (2) 片方のヘッドライトが故障しています。私は暗くなる前にホテルに到着したいのです。

第9章 分詞

155 □ (1) すみにいる男の子はだれですか。そして彼の隣で絵を描いている女の子はだれですか。

□ (2) 私たちはみんな驚きました。幼い女の子が描いた絵がコンテストで優勝したのです。

156 □ (1) 911に電話して！ だれかがあの燃えている家にいます！

□ (2) 警察はその強盗を捕まえました。そして，彼の車の中で盗まれたお金を見つけました。

157 □ (1) A：昨夜はジャイアンツがスワローズに勝ったのですか。
B：はい，そうです。それは本当に興奮する試合でした。

152 □ (1) Sue's husband was involved in* an accident.
____

□ (2) Tracy has a beautiful voice. ________________

153 □ (1) Some men in front of the mosque shouted at him.
____

□ (2) He saw a beautiful sunset while he was driving home.
____

154 □ (1) I have to go to Syria next month. ________________

□ (2) One of our headlights is broken. ________________

155 □ (1) Who is the boy in the corner, ________________?

□ (2) We were all surprised. ________________

156 □ (1) Call 911! ________________

□ (2) The police arrested the robber*, ________________.

157 □ (1) A: Did the Giants beat* the Swallows last night?
B: Yes, they did. ________________

152 be involved in：～に巻き込まれる　156 a robber：強盗　157 beat：～に打ち勝つ

□ (2) A：そのバンドは今朝ロンドンから到着しました。
B：知っています。空港にたくさんの興奮したファンがいました。

158 □ (1) それはとても混乱することでした。彼は結婚式をキャンセルしたにもかかわらず，私を愛していると言い続けたのです。

□ (2) 労働者たちはまだストライキ中です。そして工場*は閉鎖されたままです。

159 □ (1) 女の子たちは楽しそうでした。彼女たちは笑いながらその部屋へ歩いて入っていきました。

□ (2) A：それで田中さんはそのときこの部屋にいたのですか。
B：はい。彼は自分の生徒たちに囲まれて*座っていました。彼は天気について話していました。

160 □ (1) A：ボーイフレンドは駅で君に会えた？
B：ええ，でも彼は遅刻したわ。彼は私を40分も待たせたんだから。

□ (2) この扉が開いているのは不思議ですね。私たちはいつもそれに鍵をかけておくのです。

161 □ (1) 昨夜，ジェフはとてもおもしろかったです。彼はパーティーにいる全員を笑わせていました。

□ (2) 何度か試みたあと，彼はようやく洗濯機を再び動かすことができました。

162 □ (1) A：どう思う？ あの新しい美容室*で髪を切ってもらったんだ。
B：別の美容室に行くべきだったんじゃないかなって思うわ。

□ (2) A：今朝，恥ずかしいことがあったって聞いたよ。

B：うん，そう。私のマフラー*が電車のドアに挟まれちゃったのよ。それで，私は叫び出しちゃったの。

□ (3) A：もう少し時間をもらえませんか。
B：いいえ，期限を延長できません。明日までにあなたの小論文*を終わらせなさい！

163 □ (1) 今，鳥の巣箱にカメラが取り付けてあります。昨日，私たちはその中につばめ*が巣*を作っているのを見ました！

158 工場：a factory　159 ～を囲む：surround　162 美容室：a (beauty) salon
マフラー：a scarf　小論文：an essay　163 つばめ：a swallow　巣：a nest

□ (2) A: The band arrived from London this morning.
B: I know. ________________

158 □ (1) It was very confusing. Although he cancelled the wedding, ________________.

□ (2) The workers are still on strike*, ________________.

159 □ (1) The girls were in a good mood. ________________

□ (2) A: So Mr. Tanaka was in this room at that time?
B: Yes. ________________ He was talking about the weather.

160 □ (1) A: Did your boyfriend meet you at the station?
B: Yes, but he was late. ________________

□ (2) It's strange that this door is open. ________________

161 □ (1) Jeff was so funny last night. ________________

□ (2) After several attempts*, ________________.

162 □ (1) A: What do you think? ________________
B: I think you should have gone to a different salon.

□ (2) A: I heard you had an embarrassing* accident this morning.
B: Yes, I did. ________________, and I started screaming.

□ (3) A: Can you give me some more time?
B: No. I can't extend the deadline*. ________________

163 □ (1) We have a camera in the bird box now.
____

158 be on strike：ストライキ中である　**161** an attempt：試み
162 embarrassing：恥ずかしい　a deadline：期限

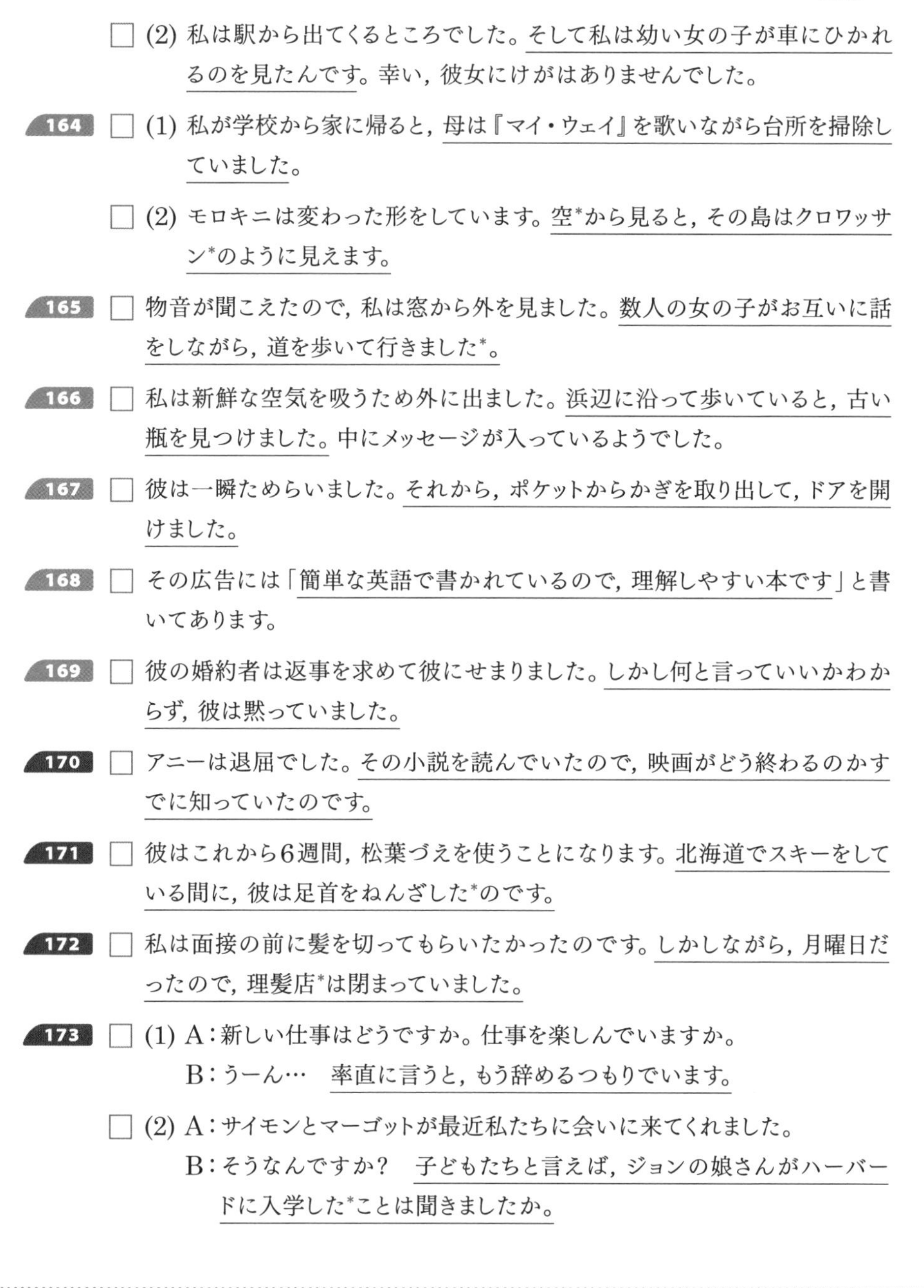

□ (2) 私は駅から出てくるところでした。そして私は幼い女の子が車にひかれるのを見たんです。幸い，彼女にけがはありませんでした。

164 □ (1) 私が学校から家に帰ると，母は『マイ・ウェイ』を歌いながら台所を掃除していました。

□ (2) モロキニは変わった形をしています。空*から見ると，その島はクロワッサン*のように見えます。

165 □ 物音が聞こえたので，私は窓から外を見ました。数人の女の子がお互いに話をしながら，道を歩いて行きました*。

166 □ 私は新鮮な空気を吸うため外に出ました。浜辺に沿って歩いていると，古い瓶を見つけました。中にメッセージが入っているようでした。

167 □ 彼は一瞬ためらいました。それから，ポケットからかぎを取り出して，ドアを開けました。

168 □ その広告には「簡単な英語で書かれているので，理解しやすい本です」と書いてあります。

169 □ 彼の婚約者は返事を求めて彼にせまりました。しかし何と言っていいかわからず，彼は黙っていました。

170 □ アニーは退屈でした。その小説を読んでいたので，映画がどう終わるのかすでに知っていたのです。

171 □ 彼はこれから6週間，松葉づえを使うことになります。北海道でスキーをしている間に，彼は足首をねんざした*のです。

172 □ 私は面接の前に髪を切ってもらいたかったのです。しかしながら，月曜日だったので，理髪店*は閉まっていました。

173 □ (1) A：新しい仕事はどうですか。仕事を楽しんでいますか。
B：うーん… 率直に言うと，もう辞めるつもりでいます。

□ (2) A：サイモンとマーゴットが最近私たちに会いに来てくれました。
B：そうなんですか？ 子どもたちと言えば，ジョンの娘さんがハーバードに入学した*ことは聞きましたか。

---

164 空：the air　クロワッサン：a croissant　**165** 歩いて行く：walk down　**171** 足首をねんざする：twist *one's* ankle　**172** 理髪店：a barber shop　**173** ～に入学する：get into

164

□ (2) I was coming out of the station, ________________.
Fortunately, she wasn't hurt.

164 □ (1) When I came home from school, ________________.

□ (2) Molokini is an unusual shape. ________________

165 □ I heard a noise and looked out of the window.
____

166 □ I went out to get some fresh air. ________________ It seemed to have a message in it.

167 □ He hesitated* for a moment. ________________

168 □ The advertisement says, "________________."

169 □ His fiancée* pressed* him for an answer.
____

170 □ Annie felt bored. ________________

171 □ He'll be on crutches* for the next six weeks.
____

172 □ I wanted to have my hair cut before an interview.
____

173 □ (1) A: How's your new job? Are you enjoying it?
B: Hmm ... ________________

□ (2) A: Simon and Margot came to visit us recently.
B: Oh, really? ________________

167 hesitate：ためらう　169 fiancée：婚約者　press：～にせまる
171 crutches：松葉づえ

174 □ (1) その犬は疲れ切っていました。彼は舌*を外にたらし*てそこに座っていました。

□ (2) その警察官は怒っているようでした。彼は腕組みをして私たちの前に立っていました。

175 □ (1) 君たち，通りで遊んじゃだめよ。ほら！　車が来てる。

□ (2) 昨日は祝日でした。私たちは銀座に買い物に行きました。

□ (3) A：今日の午後，テニスの試合をしない？
B：それはいい考えだけど，できないよ。パーティーの準備をするのに忙しいんだ。

第10章 比較

176 □ (1) 私の弟はたったの14歳です。でも，弟は父と同じくらいの身長があります。

□ (2) A：あなたのお兄さんは走るのが速いですよね。
B：はい，そうです。彼はコーチと同じくらい速く走ることができます。

177 □ A：お姉さんは歌がとても上手ですね。あなたも合唱隊に入っていますか。
B：はい，でも私は姉ほどうまくありません。

178 □ 私には集めたものがたくさんあります。私はあなたと同じくらいの数の漫画本*を持っていると思います。

179 □ (1) A：この部屋は私たちが昨日見た部屋より広いですか。
B：はい，そうです。この部屋はあの部屋の2倍の広さです。

□ (2) 私たちが見た部屋はかなり狭かったです。この部屋の約半分の広さでした。

180 □ (1) ブレーキライトが故障しています。できるだけ早くそれを修理する*必要があります。

---

174 舌：a tongue　外にたらす：hang out
178 漫画本：a comic book　180 ～を修理する：fix

174 □ (1) The dog was exhausted. ____________________

□ (2) The police officer looked angry. ____________________

175 □ (1) Don't play in the street, boys. ____________________

□ (2) Yesterday was a national holiday. ____________________

□ (3) A: Do you fancy* a game of tennis this afternoon?
B: That's a nice idea, but I can't. ____________________

176 □ (1) My little brother is only fourteen years old,
____________________ .

□ (2) A: Your brother is a good runner, isn't he?
B: Yes, he is. ____________________

177 □ A: Your sister sings really well. Are you in the choir*, too?
B: Yes, ____________________ .

178 □ I have a big collection. ____________________

179 □ (1) A: Is this room larger than the one we saw yesterday?
B: Yes, it is. ____________________

□ (2) The room we saw was quite small. ____________________

180 □ (1) Your brake light is broken. ____________________

175 fancy：～をしたいと思う　177 a choir：合唱隊

□ (2) 私はお医者さんに赤ちゃんを診てほしいと頼みました。彼はできるだけ急いで来てくれました。

181 □ (1) A：どちらの石がより重いですか。
B：どうでしょう… この石はあの石より重いです。

□ (2) 私の姉は英語部の部員です。彼女は私より英語を上手に話します。

□ (3) A：わぁ，あなたはたくさんのCDを持っていますね。
B：はい，そうです。でも，私の姉は私よりたくさんのCDを持っています。

182 □ A：テイラーさんは40代後半だと思います。
B：それはどうかなあ。彼女は私の父より若くはないです。父は52ですよ。

183 □ (1) A：ぼくの新しいソファ，どう思う？
B：とても快適で，私のよりかなり大きいわね。どこで買ったの？

□ (2) A：スーはあなたのお兄さんと同い年ですか。
B：いいえ，彼女は彼より3歳年下です。

184 □ 鈴木さま，このお車はいかがですか。この車はあの車より燃費がよく*，価格も高くありません。

185 □ A：この写真の男性があなたのお父さんとは信じられません。
B：そうなんです。父は実際の年齢よりずっと若く見えるんです。

186 □ (1) A：100メートル決勝はだれが勝ちましたか。
B：マイク・エバンスです。彼は学校でもっとも速い短距離選手*です。

□ (2) ケンがいつも勝ちます。彼は私たちみんなの中で泳ぐのがもっとも速いです。

187 □ A：あれは感動的な演技でした。
B：でしたよね。彼女はこの国で抜群に上手なスケート選手です。

188 □ A：このモデルはメモリが2ギガしかありません。
B：そのとおりです。でもそれが店にあるもっとも値段が高くないノートパソコン*です。

184 燃費がよい：fuel-efficient　186 短距離選手：a sprinter
188 ノートパソコン：a laptop

□ (2) I asked the doctor to examine* the baby.

____

181 □ (1) A: Which stone is heavier?
B: Let me see ... ________________

□ (2) My sister is a member of the English Club.

____

□ (3) A: Wow, you have a lot of CDs.
B: Yes, I do. ________________

182 □ A: I imagine Mrs. Taylor is in her late 40s.
B: I doubt it. ________________, and he's 52.

183 □ (1) A: What do you think of my new sofa?
B: It's very comfortable, ________________. Where did you get it?

□ (2) A: Is Sue the same age as your brother?
B: No, ________________.

184 □ How about this car, Mr. Suzuki? ________________

185 □ A: I can't believe the man in this photo is your father.
B: I know. ________________

186 □ (1) A: Who won the 100-meter final?
B: Mike Evans. ________________

□ (2) Ken always wins. ________________

187 □ A: That was an impressive performance.
B: Wasn't it? ________________

188 □ A: This model only has 2GB of memory.
B: That's true, ________________.

180 examine：～を診察する

189 □ バルコニーからの眺めがとても素敵です。ここはホテルでもっともよい部屋の1つです。

190 □ ヘンリーは身長が189センチを超えています。彼はチームで2番目に背の高い生徒です。

191 □ A：テキサスは広大ですね！　テキサスは最大の州ですか？
B：実際にはアラスカです。アラスカほど大きな州は合衆国にはありません。

192 □ A：合衆国で最大の州はどこですか。
B：アラスカです。アラスカより大きな州は合衆国にはありません。

193 □ アラスカ州は，北米の北西部に位置しています。アラスカは合衆国のほかのどの州よりも大きいです。

194 □ A：ジェイとアレクシスは付き合っているのです。昨日，2人は手をつないでいました。
B：彼らは恋人同士というよりは，むしろ親友同士です。彼らは知り合って何年もたちます。

195 □ (1) A：ジェシカを見て。彼女はまったく変わっていないね。
B：そうね。彼女はあいかわらず元気がよさそう*よね。

□ (2) A：アニーはとてもよくしてくれますよね。
B：はい。彼女はものすごく親切な人ですよ。

□ (3) ティムの言うことは信用できます。彼はきわめて正直な男ですから。

196 □ A：あらまあ。フラミンゴがいっぱいいるわ。
B：すごいですよね。ここで5万羽もの鳥が冬を越すんです。

197 □ ブリーダーが私に1匹選ぶように言いました。それで，私たちは2匹の子犬*のうち小さいほうを選びました。

198 □ (1) 私が生まれたとき，父がその木を植えました。そして，それはますます高くのびています。

□ (2) 今は外国のお客様がたくさんいらっしゃいます。それで，英語を話す従業員*がいることがますます重要になってきています。

195 元気のいい：cheerful　197 子犬：a puppy　198 従業員：an employee

189 □ The view from the balcony is really nice.

____

190 □ Henry is over 189 cm tall. ____________________

191 □ A: Texas is huge! Is it the largest state?
B: Actually, Alaska is. ____________________

192 □ A: What is the largest state in the United State?
B: Alaska. ____________________

193 □ The state of Alaska is located in* the northwestern part of North America. ____________________

194 □ A: Are Jay and Alexis a couple? They were holding hands yesterday.
B: ____________________ They've known each other for years.

195 □ (1) A: Look at Jessica. She hasn't changed at all.
B: I know. ____________________

□ (2) A: Annie's very helpful, isn't she?
B: Yes. ____________________

□ (3) You can trust what Tim says. ____________________

196 □ A: My goodness. That's a lot of flamingoes.
B: It's amazing, isn't it? ____________________

197 □ The breeder asked me to choose one, ____________________.

198 □ (1) My father planted the tree when I was born,
____________________.

□ (2) We have a lot of foreign customers now,
____________________.

193 be located in：～に位置している

□ (3) 強い経済のおかげで，最近はますます多くの人が海外旅行をしている。

199 □ (1) A：どうしてそんなにがんばって勉強するのですか。

B：そうですね，学べば学ぶほど，それだけ知識が増えるからです。それが私に自信を与えてくれます。

□ (2) A：あなたの犬，あなたに似てきたわね！

B：そうなんだよ。僕たちは年をとればとるほど，ますます太って*いくんだ。

200 □ (1) ロバートは勤勉なので，私たちは彼を尊敬しています。彼の誠実さ*のため，私たちはよりいっそう彼のことを尊敬しています。

□ (2) エミリーは今，2つ仕事をしています。彼女は子どもがいるので，それだけいっそう一生懸命働くのです。

201 □ A：私は彼があんなに無礼な人だとは知りませんでした。

B：私も知りませんでした。彼の行為は無礼というよりはむしろ愚か*でしたが。

202 □ A：ドナルドは小説を書いていると言っていました。本当だと思いますか。

B：いいえ。彼は簡単な報告書も書けないですし，ましてや小説なんて。

203 □ (1) 人類とゴリラは遺伝子レベルで約98パーセント一致しています。しかし，人類は知能*においてはゴリラより優れています。

□ (2) A：どうしてウィンブルドンを観なかったの？　テニスは好きよね？

B：うん，好きだよ。でも，僕はスポーツを観るよりスポーツをするほうが好きなんだ。

204 □ 今，子どもたちは小学校でプログラムのコード化を学びます。若い世代はコンピュータをまったくいやがりません。

205 □ (1) A：選挙の結果について何かコメントは？

B：ご覧のとおり，私の予測*はほぼ正しかったです。

□ (2) A：私はこの状況にどう対処すればいいか，見当もつきません。

B：そのことについては心配しないで。遅かれ早かれ，よい解決策が見つかりますよ。

199 太る：get fat　**200** 誠実さ：honesty　**201** 愚かな：foolish
203 知能：intelligence　**205** 予測：a prediction

□ (3) Thanks to the strong economy, ________________ .

199 □ (1) A: Why do you study so hard?
B: Well, ________________ . This gives me confidence*.

□ (2) A: Your dog is starting to look like you!
B: I know. ________________

200 □ (1) We look up to Robert because he works hard.
____

□ (2) Emily has two jobs now. ________________

201 □ A: I didn't know he was such a rude* person.
B: Me neither. ________________

202 □ A: Donald said he's writing a novel. Do you think it's true?
B: No. ________________

203 □ (1) Humans and gorillas are about 98 percent identical* on a genetic* level. ________________

□ (2) A: Why didn't you watch Wimbledon? You like tennis, don't you?
B: Yes, I do. ________________

204 □ Kids learn to code* in elementary school now.
____

205 □ (1) A: Any comment about the result of the election?
B: As you can see, ________________ .

□ (2) A: I have no idea how I can handle* this situation.
B: Don't worry about it. ________________

199 confidence：自信　201 rude：無礼な　203 identical：一致する
genetic：遺伝子の　204 code：（プログラムを）コード化する　205 handle：～に対処する

□ (3) A：必ず救命胴衣を着用してください。いいですか？
B：おいおい！ 僕は素人じゃないよ。救命胴衣を着けずにヨットを走らせる*ようなばかじゃないよ。

206 □ うわあ！ テクノロジーはとても速く進歩していますね。このビデオカメラは私の手と同じくらいの大きさしかありません！

207 □ (1) 私たちはみな睡眠が必要です。でも，寝過ぎは食べ過ぎと同じように健康的ではありません。

□ (2) あなたは，最近ずっと働き過ぎです。覚えておいて，リラックスすることは，仕事をすることと同じように大切なことですよ。

208 □ (1) A：あなたは本当にそんな古い車を買ったのですか。
B：はい，そうです。私はそれに10万円しか払っていません。

□ (2) ごめんなさい，あなたは乗れないわ。このエレベーターは10人までしか乗せられないの。

209 □ (1) A：この地域で，最も高級なゴルフクラブはどこですか。
B：セント・デイビッズですね。会員になるのに年100万円も払わなければなりません。

□ (2) A：その損傷を直すのにいくらかかりますか。
B：残念ながら，修理費は少なくとも20万円になるでしょう。

210 □ (1) A：ジェシカ，あなたが幸せを感じるのはいつですか。
B：私は自分の猫といると幸せです。そして，友人たちと一緒にいる時がもっとも幸せです。

□ (2) 調査を始めますよ。この湖はここがもっとも深いです。それでは器具を水中に入れてください。

211 □ A：びっくりしました。チャーリーが舞台に上がる前に緊張しているように見えたのです。
B：そうですか，どんなに勇敢な人でも，時にはおそれを感じるものです。

212 □ (1) 見て，標識に街の中心まで3キロと書いてあります。そこに着くのに，せいぜい20分しかかからないでしょう。

---

205 ヨットを走らせる：go sailing

206

□ (3) A: Make sure you wear a life jacket, all right?
B: Come on! I'm not an amateur. ＿＿＿＿＿＿＿＿

206 □ Wow! Technology is advancing so quickly.
＿＿＿＿＿＿＿＿

207 □ (1) We all need sleep, ＿＿＿＿＿＿＿＿.

□ (2) You've been working too hard lately. Remember,
＿＿＿＿＿＿＿＿.

208 □ (1) A: Did you really buy such an old car?
B: Yes, I did. ＿＿＿＿＿＿＿＿

□ (2) Sorry, you can't get in. ＿＿＿＿＿＿＿＿

209 □ (1) A: Which is the most expensive golf club in this area?
B: Saint David's. ＿＿＿＿＿＿＿＿

□ (2) A: How much will you charge me to fix the damage?
B: ＿＿＿＿＿＿＿＿

210 □ (1) A: When do you feel happy, Jessica?
B: I feel happy with my cat, ＿＿＿＿＿＿＿＿.

□ (2) We're going to do some research. ＿＿＿＿＿＿＿＿
Put the device* into the water now.

211 □ A: I was surprised. Charlie looked nervous before he went on stage.
B: Well, ＿＿＿＿＿＿＿＿.

212 □ (1) Look, the sign says it's three kilometers to the city center. ＿＿＿＿＿＿＿＿

---

210 a device：器具，装置

□ (2) A：ホテルは空港の近くですか。

B：残念ながら，違います。着陸して*からそこに着くのに，少なくとも3時間はかかるでしょう。

213 □ (1) あわてる人もいます。でも，プレッシャーがかかるときにもっとも力を発揮する人もいます。

□ (2) A：おたくの車を1台注文してから，どのくらい待つことになりますか。

B：約1年です。私たちは小さな会社です。ですから，最高でも1か月に30台の車しか生産できません。

第11章 関係詞

214 □ (1) A：アメリカ合衆国に知っている人はいますか。

B：はい，私はボストンに住んでいる友人がいます。以前，一緒に仕事をしていました。

□ (2) A：ジョンソン家にはたくさん子どもがいますか。

B：そうだと思います。彼らは寝室が6部屋ある家を買ったばかりです！

215 □ (1) 何という偶然でしょう！ たった今通りで出会った男性は，私の父と一緒に学校に通っていたんです。

□ (2) A：忙しいですか。

B：いいえ。図書館から借りた本を読んでいるところです。蜂についての本です。

216 □ (1) A：今度の金曜日のショーに歌手が必要です。だれか知りませんか。

B：マックスに聞いたらどう？ 彼には奥さんが歌手の友人がいますよ。

212 着陸する：land

□ (2) A: Is the hotel near the airport?
B: I'm afraid not. ____________________

213 □ (1) Some people panic*, ____________________.

□ (2) A: How long do people have to wait after ordering one of your cars?
B: About a year. We're a small company, ____________________.

214 □ (1) A: Do you know anyone in the United States?
B: Yes, ____________________. We used to work together.

□ (2) A: Do the Johnsons have a lot of children?
B: I guess* so. ____________________

215 □ (1) What a coincidence! ____________________

□ (2) A: Are you busy?
B: No. ____________________ It's about bees.

216 □ (1) A: We need a singer for the show next Friday. Do you know anyone?
B: Why don't you ask Max? ____________________

213 panic：あわてる **214** guess：～と思う

□ (2) A：何かお探しですか？
B：はい，『エバーグリーン』という題名の本を探しています。ありますか？

217 □ (1) 小さな男の子が駅で困っていました。その子は私にお金をなくしてしまったと言いました。私はその子がかわいそうに思い，それでポケットにあったお金をその子にあげました。

□ (2) A：どうしましたか。
B：昨日私が買った宝くじ券*が見つかりません。それを見ませんでしたか。

218 □ (1) A：どうしてあの女の子たちはみんな，ホテルの前で待っているんですか。
B：彼女たちはサイモン・ランディスに会いたいと思っているんです。彼はアンがファンレターを送った俳優です。

□ (2) マサチューセッツ州ボストン。ここは私が生まれた都市です。私は高校卒業後に故郷を去りました。

219 □ (1) A：あなたは地球温暖化について心配していますか。
B：いいえ。私を不安にさせるのはガソリン*代の上昇です！

□ (2) 突然，そのサルが踊り出しました。彼らは自分たちが見ていることが信じられませんでした。

□ (3) ダイバーズ・ウォッチ！　ありがとう。これはまさに私がほしかったものです。

220 □ (1) 私の兄はあの病院で3か月間働きました。彼はそこで出会った女性と結婚しました。

□ (2) 私の義理の兄は医者です。彼は私の姉と結婚しましたが，姉とは病院で出会ったのです。

221 □ (1) A：あなたのボーイフレンドはあなたの誕生日に何をくれましたか。
B：彼は私にチョコレートをいくつかくれて，それを私はクラスメートと分けました*。

□ (2) 私の友人のスージーは経験豊富な庭師です。彼女は私に本を何冊か貸してくれて，それらはとても役立ちました。

□ (3) 事務所に戻ってから，私はロッドに電話をかけました。彼は私が外出中に電話をくれたのです。

217 宝くじ券：a lottery ticket　219 ガソリン：gasoline　221 ～を分ける：share

□ (2) A: Can I help you?
B: Yes, ____________________. Do you have it?

217 □ (1) A little boy was at a loss at the station. He told me that he had lost his money. I felt sorry for him,
____________________.

□ (2) A: What's the matter?
B: ____________________ Have you seen it?

218 □ (1) A: Why are all those girls waiting in front of the hotel?
B: They're hoping to see Simon Landis.
____

□ (2) Boston, Massachusetts. ____________________ I left after I graduated high school.

219 □ (1) A: Do you worry about global warming?
B: No. ____________________

□ (2) All of a sudden, the monkey started dancing.
____

□ (3) A diver's watch! ____________________

220 □ (1) My brother worked at that hospital for three months.
____

□ (2) My brother-in-law is a doctor. ____________________

221 □ (1) A: What did your boyfriend give you for your birthday?
B: ____________________

□ (2) My friend Susie is an experienced gardener.
____

□ (3) When I came back to the office, ____________________.

222 □ (1) 私たちの上司は，自分のイメージにとても気をつけます。昨日，彼は紺色の*スーツを着ていて，それはイタリア製でした。

□ (2) ボーイフレンドと私は古い共同墓地を通って歩いて帰りました。彼は幽霊なんか怖くないと言いましたが，事実でありませんでした。

□ (3) 天気予報は曇りになると言いました。しかし，昨日は1日中雨が降り，それは私の思ったとおりでした。

223 □ そこの白い建物が見えますか。あれは私のおばが勤務している病院です。

224 □ A：このブロントサウルスの骨格はすごく大きいね！
B：そうですね。こんな生き物*が地球上に生きていた時代があったとは信じがたいです。

225 □ (1) ちょっと待って，エドワード。席に着く前に，授業に遅れた理由を私に言いなさい。

□ (2) A：デントンさん，息子さんにもう1つ虫歯があります。
B：驚きませんよ。この子はチョコレートを食べ過ぎるんです。それで歯が悪いんです。

226 □ 彼にはよいアイディアがあり，そして一生懸命に働きました。そうやって彼はビジネスに成功した*のです。

227 □ (1) 私の姉は高校を卒業してすぐに，彼女はニューヨークへ引っ越し，そこで音楽の勉強をしました。

□ (2) 昨晩は停電がありました。私が7時にシャワーを浴びていると，その時明かりが消えたんです！

228 □ (1) A：会員になるのは難しいですか。
B：そんなことはありません。そのクラブは入会金*を払う人ならだれにでも入会を認めています*。

□ (2) 赤ワインと白ワインがあります。どちらでも好きなほうをご自由にお飲みください。

□ (3) 今晩は私のおごりです。好きなものを何でも注文していいですよ。

222 紺色の：dark blue　**224** 生き物：a creature　**226** ～に成功する：succeed in
228 入会金：an entry fee　～に入会を認める：admit

222 □ (1) Our boss is very careful about his image.

____

□ (2) My boyfriend and I walked home through the old cemetery* . ____________________

□ (3) The weather forecast said it would be cloudy.

____

223 □ Can you see the white building over there?

____

224 □ A: This Brontosaurus skeleton* is huge!

B: I know. ____________________

225 □ (1) Just a minute, Edward. Before you sit down,

____________________ .

□ (2) A: Your son has another cavity* , Mrs. Denton.

B: I'm not surprised. He eats too much chocolate.

____

226 □ He had some good ideas and worked very hard.

____

227 □ (1) Soon after my sister graduated high school,

____________________ .

□ (2) We had a blackout* last night. ____________________

228 □ (1) A: Is it difficult to become a member?

B: Not at all. ____________________

□ (2) We have red wine and white wine. ____________________

□ (3) It's my treat tonight. ____________________

222 a cemetery：共同墓地，霊園　224 a skeleton：骨格　225 a cavity：虫歯
227 a blackout：停電

229 □ (1) 私は日曜日が大好きです。私たちはいつでも好きな時間に起きることができるからです。

□ (2) 私のおじは大阪でイタリア料理のレストランを経営しています。大阪に行くときはいつも，彼のところを訪れます。

□ (3) A：ソファをどこに置きましょうか？
B：ここにお願いします。そして，テーブルはどこでも好きなところに置いてください。

230 □ (1) 今日は体調がよくありません。だれが電話をかけてきても，留守だと伝えてください。話したくないのです。

□ (2) A：ここにあるDVDの1枚を借りていいですか。
B：ええ，もちろん。でもどれを持っていっても，明日返してくださいね。

□ (3) 明日の法廷がうまくいきますように。そして覚えておいて，何が起こっても，私はあなたのことをいつまでも愛しています。

231 □ (1) 事務所のだれもが彼女を尊敬しています。どんなに疲れていても，彼女はいつも礼儀正しい*です。

□ (2) ヒロシ，あなたを迎え入れて楽しかったですよ。あなたがいつイングランドに戻って来ても，ここに泊まっていいですよ。

□ (3) 私があなたを愛していることを知っていてほしかっただけです。あなたがどこにいても，私はいつもあなたのことを考えています。

232 □ (1) セールで何を買ったの？　見てもいい？　あら，まあ，これは私が昨日買ったのと同じジャケットだわ。

□ (2) ボリスと私は水と油のようです。みんな知っているように，私たちは合わないのです。

233 □ 手伝ってくれて本当にありがとう。あなたは期待以上の働きをしてくれました。

234 □ 私はとても恥ずかしかったです。私が彼女の姉だと思った女性は，実は彼女の母親だったのです。

231 礼儀正しい：polite

229 □ (1) I love Sundays. ____________________

□ (2) My uncle runs an Italian restaurant in Osaka.

____

□ (3) A: Where do you want us to put the sofa?
B: Right here, please. ____________________

230 □ (1) I'm not feeling well today. ____________________ I don't want to talk.

□ (2) A: Can I borrow one of these DVDs?
B: Yes, of course, ____________________.

□ (3) Good luck in court* tomorrow. And remember,

____________________.

231 □ (1) Everybody in this office respects her.

____

□ (2) We enjoyed having you, Hiroshi. ____________________

□ (3) I just wanted to let you know that I love you.

____

232 □ (1) What did you buy at the sale? Can I look at it? ...

____

□ (2) Boris and I are like oil and water. ____________________

233 □ I really appreciate your help. ____________________

234 □ It was really embarrassing*. ____________________

230 a court：法廷の場　234 embarrassing：恥ずかしい，困惑させるような

235 □ 私たちは今ビバリー・ヒルズにいます。赤い扉が見える家は，1960年代には有名な俳優が所有していました。

236 □ (1) 毎年夏になると彼らはハワイへ行きました。そして彼らが滞在するホテルはワイキキの中心部にありました。

□ (2) 昨日マリーが私にメールをくれました。残念ながら，私には彼女のメッセージはあまり理解できませんでした。そのほとんどがフランス語だったのです。

237 □ (1) A：あなたは一体何を食べているんですか。

B：この料理は「茶碗蒸し」と呼ばれるものです。カスタードですが，甘くはありません。

□ (2) A：あなたは今では有名です。どのようにしてワインづくりがとてもうまくなったのですか。

B：父が私を今日の私にしてくれました。私の知識はすべて，父が私に教えてくれました。

□ (3) A：あなたはフィオナ・アップルのファンですか。

B：はい，彼女は天才だと思います。彼女はすべての自分の曲を作り，そのうえ，彼女はピアノを見事に弾くのです。

□ (4) A：あなたは金曜日のジェンのパーティーに行きますか。

B：私は行けないんです。仕事やら家事*やらあって，最近は出かける時間がないんです。

□ (5) A：父はいつも私に本を読むように言います。どうしてなのか，私にはまったくわかりません。

B：あなたが年を取ると，読書と知性の関係は，運動と身体の関係と同じだとわかるでしょう。

238 □ 私はショックでした。私はなけなしのお金を彼に渡しましたが，彼はまったく感謝しませんでした。

239 □ その城にはバグパイプを演奏するスコットランド人兵士が何人かいました。彼らはキルトを着ていて，その衣装を私はとても印象的だ*と思いました。

---

237 家事：housekeeping　**238** 感謝する：be greatful　**239** 印象的な：impressive

235 □ We're now in Beverly Hills. ____________________

236 □ (1) Every summer they went to Hawaii,

____________________.

□ (2) Marie texted me yesterday. Unfortunately,

____________________.

237 □ (1) A: What on earth are you eating?

B: ____________________ It's custard but it's not sweet.

□ (2) A: You're famous now. How did you get so good at making wine?

B: ____________________ He taught me everything I know.

□ (3) A: Are you a fan of Fiona Apple?

B: Yes, I think she's a genius. ____________________

□ (4) A: Are you going to Jen's party on Friday?

B: I can't. ____________________

□ (5) A: My father always tells me to read books. I just can't understand why.

B: When you're older, ____________________.

238 □ I was shocked. ____________________

239 □ At the castle, there were some Scottish soldiers playing the bagpipes. ____________________

第12章 仮定法

240 □ (1) A：土曜日の天気予報はよくありません。
B：それは大したことではありません。明日雨が降ったら，ピクニックはやめて代わりに映画を観に行きます。

□ (2) この狭いアパートで暮らすのはうんざりだ。お金がたくさんあったら，海の近くの大きな家を買うんだけどな。

241 □ (1) あなたはくたくたに疲れているみたいですね。私があなたなら，気晴らしに*買い物に行くでしょうに。

□ (2) A：あなたの夢の休暇はどんなものですか。
B：もし私に十分な時間とお金があれば，世界中を旅行するでしょう。

242 □ (1) 列車はちょうど出たところです。もし私たちが30秒早く到着していれば，それに乗り遅れなかったでしょう。

□ (2) A：あの登山家は幸運でした。彼女は3日間行方不明でした。
B：そうなんです。もしレスキュー隊が彼女を見つけなかったら，彼女は亡くなっていたでしょう。

243 □ A：この道は交通量が多いですね。空港には何時に着きますか。
B：わかりません。でも高速道路*にしていたら，今ごろそこにいるかもしれませんね。

244 □ (1) A：ジャニスはエントリーコードが何かきっと知っていると思うよ。
B：ああ，彼女の電話番号を知っていたらなあ。

□ (2) このスカートはきつすぎます。先週，あれらのケーキを全部食べなかったらよかったなあ。

245 □ (1) A：タローはヨーロッパの歴史についてよく知っているようですね。
B：そうですね，彼はその科目についてまるで専門家であるかのように話します。でも，彼はただの学生なんです。

---

241 気晴らしに：for a change　**243** 高速道路：an expressway

240 □ (1) A: The weather forecast for Saturday is not good.
B: It doesn't matter. ________________

□ (2) I'm tired of living in this small apartment.
____

241 □ (1) You look exhausted*. ________________

□ (2) A: What's your dream vacation?
B: ________________

242 □ (1) The train has just left. ________________

□ (2) A: That climber was lucky. She was missing for three days.
B: I know. ________________

243 □ A: There's a lot of traffic on this road. What time will we get to the airport?
B: No idea. ________________

244 □ (1) A: I'm sure Janice knows what the entry code is.
B: ________________

□ (2) This skirt is too tight. ________________

245 □ (1) A: Taro seems to know a lot about European history.
B: Well, ________________, but he's just a student.

241 exhausted：疲れ果てた

□ (2) どうしたんですか。あなたはまるで一晩中泣いていたかのように見えます。

246 □ あれを見て。1等は1千万ドルだって。もしあなたが宝くじ*に当たるようなことがあったら，そのお金で何をする？

247 □ A：お宅まで駅から歩いて行くつもりです。
B：わかりました。もし考えが変わるようなことがあれば，電話してください。迎えに行きますから。

248 □ (1) 大学を卒業してからだと練習する時間はありませんよ。私があなたなら，今運転を習うでしょう。

□ (2) 伺わずに大変申し訳ありませんでした。あなたが入院していると知っていたら，お見舞いに伺ったのですが。

□ (3) この本棚は不安定です。もし地震が起こるようなことがあれば，倒れてしまうでしょう。

249 □ (1) ビリーはいつも私を笑わせます。彼のような友人がいなければ，私の人生はとても退屈で*しょう。

□ (2) 彼はすばらしいコーチです。彼のアドバイスがなかったら，私たちは試合に負けていたでしょう。

250 □ (1) A：ピアノは習得するのが難しい楽器ですか。
B：いいえ。十分な練習をすれば，あなたもよいピアニストになれますよ。

□ (2) この記事に，うちの会社の収益が減少してるって書いてあるよ！ この情報があったら，ここに就職しなかったのに。

251 □ (1) A：ほとんどの人は彼が妻を殺害したと思っています。
B：私は彼は無実だと信じています。そうでなければ彼を救おうとはしないでしょう。

□ (2) スミス先生が教室に入ってきた時，私たちは話すのをやめました。そうでなければ，彼は私たちをしかったでしょう。

246 宝くじ：a lottery　**249** 退屈な：dull

□ (2) What's the matter with you? ________________

246 □ Look at that. The first prize is ten million dollars.

____

247 □ A: We're going to walk to your place from the station.
B: All right. ________________ I'll come and pick you up.

248 □ (1) You won't have time to practice after you finish college.

____

□ (2) I'm so sorry that I didn't come. ________________

□ (3) This bookshelf is unsteady. ________________

249 □ (1) Billy always makes me laugh. ________________

□ (2) He's a great coach. ________________

250 □ (1) A: Is the piano a hard instrument to master?
B: No. ________________

□ (2) This article says that our company's profits are falling!

____

251 □ (1) A: Most people think he murdered his wife.
B: I believe he is innocent; ________________.

□ (2) When Mr. Smith entered the classroom, we stopped talking; ________________.

252 □ A：ジェイミーは大学で心理学を学んだのですか。

B：いいえ，でも彼が話すのを聞くと，彼はその学科*に関するすべてを知っていると思うでしょう。

253 □ (1) 彼は警察官なんかじゃなく，詐欺師に違いない。警察官なら，あなたにお金を引き出す*ようにとは決して言わないでしょう。

□ (2) 住宅の価格が最近上昇しました。6か月前だったら，私はあなたの提案を受け入れたでしょう。でも今は違います。

254 □ (1) 私は車で通勤している時，ポップスのチャンネルを聞きます。もし音楽がなければ，通勤は退屈でしょう。

□ (2) A：あなたは氷の上でスリップしたんですか。

B：そして，その後に木に激突しました。もしシートベルトがなかったら，私はひどいけがをしていたでしょう。

255 □ A：前輪がまたパンクしました。

B：今月3回目ですね。あなたは新しい自転車を買ってもいい時期ですよ。

256 □ (1) ジェニーはインクカートリッジの交換方法を知っています。彼女がここにいてくれさえすれば！

□ (2) サンディーは私に旅行保険に入るよう言いましたが，私はそうしなかったのです。彼女の助言を聞いてさえいたらなあ！

257 □ (1) A：お客さま，こちらが鍵でございます。お部屋は5階でございます。

B：ありがとう。どなたか私の荷物を運ぶのを手伝ってくださるとよいのですが。

□ (2) すみません，こちらの席はどなたかいらっしゃいますか。私がここに座ってもよろしいでしょうか。

□ (3) ここはむっとしますね。窓を開けてもよろしいでしょうか。

258 □ (1) すみません，エドモントン通りを探しています。助けていただけないかと思いまして。

252 学科：a subject　**253** （お金）を引き出す：withdraw

252

252 □ A: Did Jamie study psychology* at university?
B: No, ________________.

253 □ (1) He must be a fraud*, not a police officer.
____

□ (2) House prices have gone up recently.
____

254 □ (1) I listen to the pop channel when I'm driving to work.
____

□ (2) A: You skidded* on some ice?
B: And then I crashed into a tree. ________________

255 □ A: My front tire is flat again.
B: That's the third time this month. ________________

256 □ (1) Jenny knows how to change the ink cartridge.
____

□ (2) Sandy told me to get travel insurance, but I didn't.
____

257 □ (1) A: Here's your key, madam. Your room is on the fifth floor.
B: Thank you. ________________

□ (2) Excuse me, but is this seat taken? ________________

□ (3) It feels stuffy* in here. ________________

258 □ (1) Excuse me. I'm looking for Edmonton Street.
____

---

252 psychology：心理学 **253** a fraud：詐欺師 **254** skid：スリップする
257 stuffy：むっとする

□ (2) トイレに行きたいのです。私が席を外しているあいだ，私のかばんを見ていてくださらないでしょうか。

第13章 疑問詞と疑問文

259 □ (1) A：私はあそこにいる女の子を知りません。彼女はだれですか。
B：あれはリンダです。トムの妹ですよ。

□ (2) A：あそこにある建物は奇妙に見えますね。あれは何ですか。

B：あれは市役所です。有名な建築家が設計したものです。

260 □ A：ここにコートが2着あります。どちらがあなたの？　これ？　それともあちら？
B：黒いのが私のです。

261 □ (1) A：あなたはホームパーティーを開く予定ですか。だれを招待するつもりですか。
B：アンとナンシーです。

□ (2) A：あなたは何時に起きますか。そして朝食には何を食べますか。
B：私はたいてい7時に起きて，朝食にはトーストを食べます。

262 □ A：テーブルの上にカギがあります。だれのですか。
B：デイビッドのです。

263 □ (1) A：玄関が散らかっていますね。これらはだれの靴ですか。
B：ごめんなさい，これらは私のです。

□ (2) A：私は野球が好きです。あなたはどうですか。どんなスポーツが好きですか。
B：私はバスケットボールが好きです。

□ (2) I need to use the bathroom. ____________________

259 □ (1) A: I don't know that girl over there. ____________________
B: That's Linda, Tom's sister.

□ (2) A: The building over there looks weird*.
____
B: That's City Hall, designed by a famous architect*.

260 □ A: There are two coats here. ____________________
B: The black one is mine.

261 □ (1) A: Are you planning to have a home party?
____
B: Ann and Nancy.

□ (2) A: What time do you get up? ____________________
B: I usually get up at seven and have toast for breakfast.

262 □ A: There's a key on the table. ____________________
B: It's David's.

263 □ (1) A: The entrance is messy*. ____________________
B: Sorry, they're mine.

□ (2) A: I like baseball. How about you? ____________________
B: I like basketball.

259 weird：奇妙な　an architect：建築家　263 messy：散らかった

□ (3) A：あなたがタブレットで映画を観ているのをいつも見かけます。あなたはどんな映画が好きですか。
B：私はアクション映画が好きです。

264 □ A：私たちは空港へ行くつもりです。どのバスに乗ればいいですか。
B：5番のバスです。次のバスは5分後に到着します。

265 □ (1) A：今私たちはすぐに出発しなくてはいけませんか。コンサートはいつ始まりますか。
B：7時です。出かける準備はできていますか。

□ (2) A：このあたりは駐車場が見あたりません。車はどこに停めればよいのですか。
B：そうですね，この通りに停めていいですよ。

266 □ (1) A：あなたは郵便局に行ったのですか。どうして行ったのですか。
B：切手を何枚か買うように頼まれたのです。

□ (2) A：あなたは隣町に住んでいますよね。どうやって通学していますか。

B：たいていバスを使っています。

267 □ (1) A：お済みですか。お食事*はいかがでしたか。
B：とてもおいしかったです。ありがとうございます。

□ (2) A：あなたは電車で通勤していますか。あなたの家は，駅からどのくらいの距離がありますか。
B：約2キロです。駅までは自転車で通っています。

268 □ A：ジョンはそこにいましたか。彼はだれといっしょにパーティーに来ましたか。
B：キャシーとです，彼のガールフレンドとですよ。

269 □ (1) A：エリックは私の親友です。でも彼が何をしたいのか私にはわかりません。

□ (2) 映画を観に行く前にいとこの事務所に立ち寄りたいです。映画がいつ始まるのか教えてくれませんか。

270 □ (1) A：信じられない！　あなたはまったく泳げないの？
B：うん，泳げないんだ。一かきも泳げないよ。

267 食事：a meal

264

☐ (3) A: I always see you watching movies on your tablet.

____

B: I like action movies.

264 ☐ A: We're going to the airport. ____________________

B: The number 5. The next bus will arrive in five minutes.

265 ☐ (1) A: Do we have to leave now? ____________________

B: At seven. Are you ready to go?

☐ (2) A: I can't find a parking lot* around here.

____

B: Oh, you can park on this street.

266 ☐ (1) A: You went to the post office? ____________________

B: I was asked to buy some stamps.

☐ (2) A: You live in the next town, don't you?

____

B: Usually by bus.

267 ☐ (1) A: Are you finished? ____________________

B: It was very good. Thank you.

☐ (2) A: Do you commute* by train? ____________________

B: About two kilometers. I go to the station by bike.

268 ☐ A: Was John there? ____________________

B: With Cathy, his girlfriend.

269 ☐ (1) Eric is my best friend, ____________________.

☐ (2) I want to drop by* my cousin's office before going to the movie. ____________________.

270 ☐ (1) A: I can't believe it! ____________________

B: No, I can't. I can't swim a stroke*.

トレーニング Step 2

---

265 a parking lot：駐車場　**267** commute：通勤［通学］する

269 drop by：～に立ち寄る　**270** a stroke：（水泳の）一かき

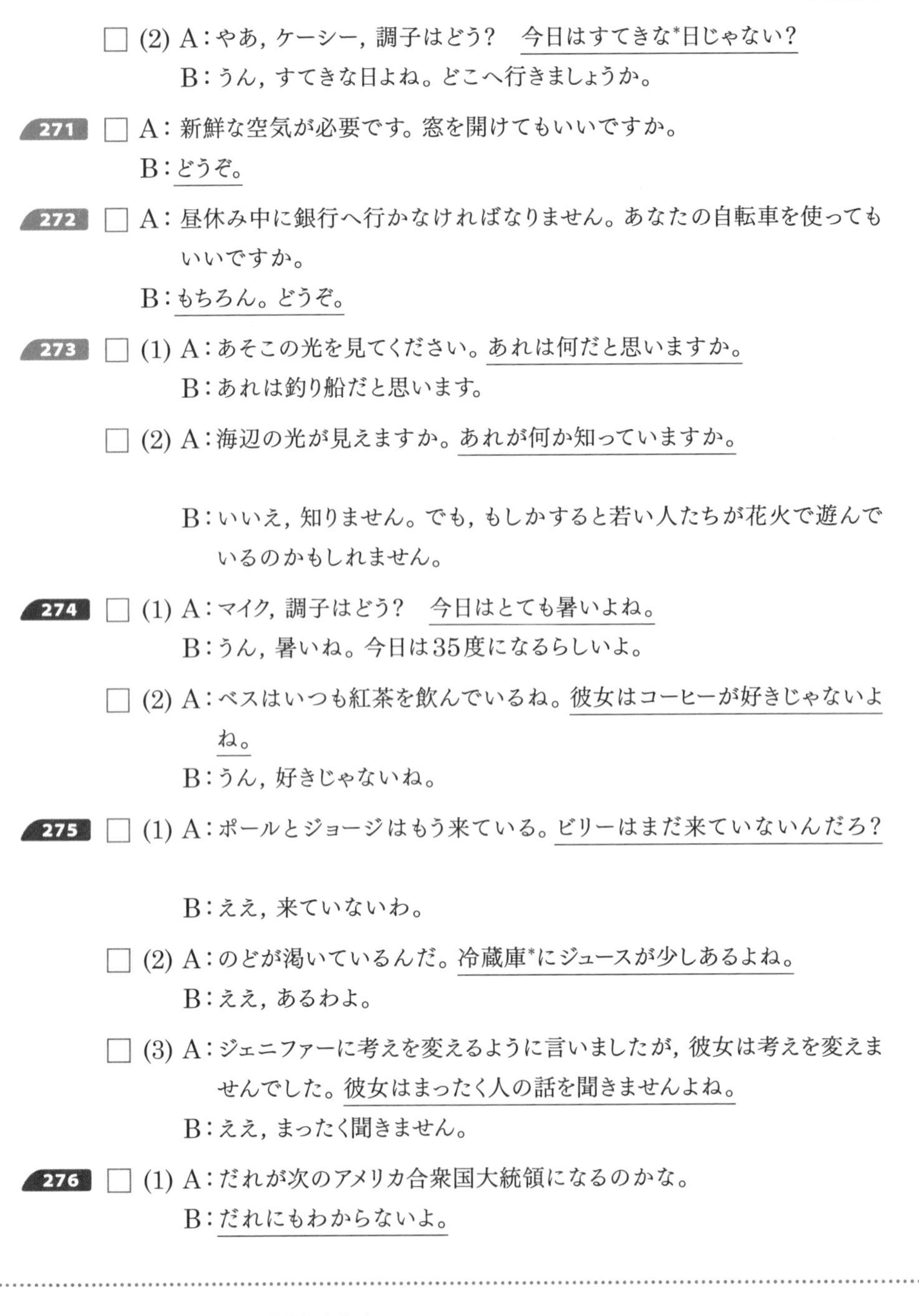

□ (2) A：やあ，ケーシー，調子はどう？ 今日はすてきな*日じゃない？
B：うん，すてきな日よね。どこへ行きましょうか。

271 □ A：新鮮な空気が必要です。窓を開けてもいいですか。
B：どうぞ。

272 □ A：昼休み中に銀行へ行かなければなりません。あなたの自転車を使ってもいいですか。
B：もちろん。どうぞ。

273 □ (1) A：あそこの光を見てください。あれは何だと思いますか。
B：あれは釣り船だと思います。

□ (2) A：海辺の光が見えますか。あれが何か知っていますか。
B：いいえ，知りません。でも，もしかすると若い人たちが花火で遊んでいるのかもしれません。

274 □ (1) A：マイク，調子はどう？ 今日はとても暑いよね。
B：うん，暑いね。今日は35度になるらしいよ。

□ (2) A：ベスはいつも紅茶を飲んでいるね。彼女はコーヒーが好きじゃないよね。
B：うん，好きじゃないね。

275 □ (1) A：ポールとジョージはもう来ている。ビリーはまだ来ていないんだろ？
B：ええ，来ていないわ。

□ (2) A：のどが渇いているんだ。冷蔵庫*にジュースが少しあるよね。
B：ええ，あるわよ。

□ (3) A：ジェニファーに考えを変えるように言いましたが，彼女は考えを変えませんでした。彼女はまったく人の話を聞きませんよね。
B：ええ，まったく聞きません。

276 □ (1) A：だれが次のアメリカ合衆国大統領になるのかな。
B：だれにもわからないよ。

270 すてきな：lovery　275 冷蔵庫：a fridge

☐ (2) A: Hi, Casey, how are you? ________________
B: Yes, it is. Where shall we go?

271 ☐ A: I need some fresh air. Do you mind if I open the window?
B: ________________

272 ☐ A: I have to go to the bank during the lunch break. Can I use your bike?
B: ________________

273 ☐ (1) A: Look at the light over there. ________________
B: I think it's a fishing boat*.

☐ (2) A: Can you see the light on the beach?
____
B: No, I don't. But maybe some young people are playing with fireworks*.

274 ☐ (1) A: How's it going, Mike? ________________
B: Yes, it is. It'll be 35 degrees today.

☐ (2) A: Beth always drinks tea. ________________
B: No, she doesn't.

275 ☐ (1) A: Paul and George have already arrived.
____
B: No, he hasn't.

☐ (2) A: I'm thirsty*. ________________
B: Yes, there is.

☐ (3) A: I asked Jennifer to change her mind, but she didn't.
____
B: No, she never does.

276 ☐ (1) A: Who will be the next President of the United States?
B: ________________

273 a fishing boat：釣り船　a firework：花火　275 thirsty：のどが渇いた

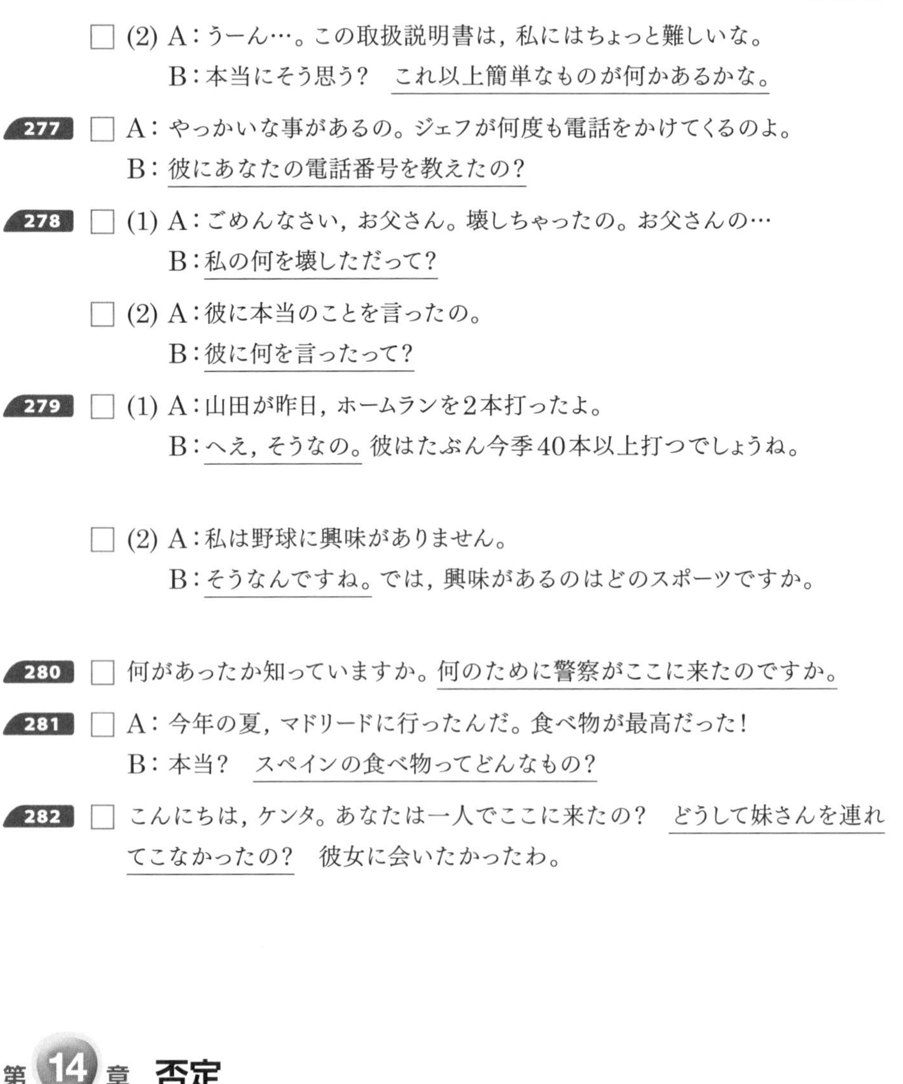

□ (2) A：うーん…。この取扱説明書は，私にはちょっと難しいな。
　　B：本当にそう思う？　これ以上簡単なものが何かあるかな。

277 □ A：やっかいな事があるの。ジェフが何度も電話をかけてくるのよ。
　B：彼にあなたの電話番号を教えたの？

278 □ (1) A：ごめんなさい，お父さん。壊しちゃったの。お父さんの…
　　B：私の何を壊しただって？

□ (2) A：彼に本当のことを言ったの。
　　B：彼に何を言ったって？

279 □ (1) A：山田が昨日，ホームランを2本打ったよ。
　　B：へえ，そうなの。彼はたぶん今季40本以上打つでしょうね。

□ (2) A：私は野球に興味がありません。
　　B：そうなんですね。では，興味があるのはどのスポーツですか。

280 □ 何があったか知っていますか。何のために警察がここに来たのですか。

281 □ A：今年の夏，マドリードに行ったんだ。食べ物が最高だった！
　B：本当？　スペインの食べ物ってどんなもの？

282 □ こんにちは，ケンタ。あなたは一人でここに来たの？　どうして妹さんを連れてこなかったの？　彼女に会いたかったわ。

第14章　否定

283 □ (1) A：学校へは徒歩で通っていますか。
　　B：はい，そうです。歩いてたった15分です。だから私は自転車では通学していません。

277

□ (2) A: Umm ... This instruction* is a bit complicated* for me.
B: Do you really think so? ____________________

277 □ A: I have a problem. Jeff called me again and again.
B: ____________________

278 □ (1) A: I'm sorry, Dad. I broke your ...
B: ____________________

□ (2) A: I told him the truth.
B: ____________________

279 □ (1) A: Yamada hit two home runs yesterday.
B: ____________________ He will probably hit over forty this season.

□ (2) A: I'm not interested in baseball.
B: ____________________ Then, what sport are you interested in?

280 □ Do you know what happened? ____________________

281 □ A: I went to Madrid this summer. The food was great!
B: Really? ____________________

282 □ Hi, Kenta. You came here alone? ____________________ I wanted to see her.

283 □ (1) A: Do you come to school on foot?
B: Yes, I do. It's only fifteen minutes' walk,
____________________.

276 an instruction：取扱説明書　complicated：難しい

□ (2) 私はファッションに興味があるので指輪やイヤリングをしたいです。でも私の先生は学校ではそれらをしないようにと私に言いました。

284 □ A：遊園地では楽しみましたか。
B：はい，楽しみました。でももう二度とジェットコースター*には乗りません。とても怖かったです。

285 □ (1) 昨日，雷が校庭の木に落ちました。幸い，そこには生徒が1人もいませんでした。

□ (2) A：あなたはあなたの家を自分で建てているそうですね。それはいつ完成しますか。
B：まったくわかりません。ご存知のとおり，家を建てるということは決して簡単なことではありません。

286 □ (1) A：彼は立派な作家になると思いますか。
B：よくわかりません。彼にそれほど才能がある*とは思いません。

□ (2) A：あなたは明日ビーチへ行くつもりですか。
B：はい，今，そのために準備をしているところです。明日雨が降らなければいいのですが。

287 □ A：ジャッキーは今日もまた遅刻するのかなあ？
B：そうじゃないといいんだけど。彼女に電話したほうがいいかな。

288 □ (1) A：スミス教授の授業はどうでしたか。
B：正直言って，私は彼の言っていることをほとんど理解できませんでした。

□ (2) 何人かが事故に巻き込まれました。彼らの大半は大丈夫そうでした。でもけがをした*子どもは，ほとんど歩けませんでした。

289 □ (1) A：トムのお父さんがオーケストラの指揮者だということは知っていましたか。
B：いいえ，知りませんでした。私はめったにクラシック音楽を聴きません。

□ (2) イングランドのサッカーリーグはもっとも古く，世界的に有名です。でもイングランドがワールドカップで優勝したことはめったにありません。

---

284 ジェットコースター：a roller coaster　286 才能がある：talented
288 けがをした：injured

☐ (2) I'm interested in fashion and want to wear a ring and earrings. ________________

284 ☐ A: Did you enjoy yourself at the amusement park*?
B: Yes, I did. ________________ It was so scary*.

285 ☐ (1) Lightning* hit a tree in the school yard yesterday. Fortunately, ________________.

☐ (2) A: I hear you're building your house by yourself. When will it be finished?
B: I have no idea. You know, ________________.

286 ☐ (1) A: Do you think he will be a good writer?
B: I'm not sure. ________________

☐ (2) A: Are you going to the beach tomorrow?
B: Yes, I'm preparing for it now. ________________

287 ☐ A: Will Jackie be late again today?
B: ________________ Should I call her?

288 ☐ (1) A: How did you like Professor Smith's lecture?
B: Honestly, ________________.

☐ (2) Some people were involved in the accident. Most of them seemed to be all right, ________________.

289 ☐ (1) A: Did you know Tom's father is an orchestra conductor*?
B: No, I didn't. ________________

☐ (2) The football league in England is the oldest and world-famous*, ________________.

284 an amusement park：遊園地　scary：怖い　285 lightning：雷
289 a conductor：指揮者　world-famous：世界的に有名な

290 □ (1) A：タイラー先生はどうして機嫌が悪いのですか。
B：その，彼のクラスでは宿題を提出した*生徒がほとんどいなかったんです。

□ (2) A：明日は母の日です。あなたはお母さんのために何か買いましたか。
B：買えませんでした。彼女へのプレゼントを買う時間がほとんどありませんでした。

291 □ (1) A：昨日の会議はどうでしたか。
B：会員の全員が出席し，すべてがうまくいきました。

□ (2) 天候が悪かったので，会員の全員が会議に出席したというわけではありませんでした。

□ (3) 私たちのグループを解散すべきだと私は思います。先週，会員はだれも会議に出席しませんでした。

292 □ (1) 妻と私はよく似た価値観を持っています。しかし彼女がいつも私に同意するとは限りません。

□ (2) 私はあなたの理論にいくつか問題を見つけました。でもそれが完全に間違っているというわけではありません。私はあなたにそれを再検討することを勧めます。

293 □ (1) A：私はトニーおじさんのことがとっても好きよ。
B：ぼくもだよ。彼がぼくたちのところに訪ねて来る時には，必ずおみやげをもってきてくれるね。

□ (2) A：昨晩，ボーイフレンドと口げんかをしたの。どうすればいいかな。
B：心配しないでいいよ。カップルが口げんかをするのは珍しいことではないよ。

294 □ (1) A：この歌は非常に涙を誘いますね！
B：本当に。それを聴くと，私は泣かずにはいられません。

□ (2) A：お母さん，ぼくたちは明日ビーチに行くつもりだよ。
B：かまわないわよ。でも注意してね，トニー。海で泳ぐ時はいくら注意してもしすぎることはないのよ，いいわね？

290 ～を提出する：hand in

290 □ (1) A: Why is Mr. Taylor in a bad mood*?
B: Well, ＿＿＿＿＿＿＿＿.

□ (2) A: Tomorrow is Mother's Day. Did you get something for your mother?
B: I couldn't. ＿＿＿＿＿＿＿＿

291 □ (1) A: How was the meeting yesterday?
B: ＿＿＿＿＿＿＿＿, and everything went well.

□ (2) Since the weather was bad, ＿＿＿＿＿＿＿＿.

□ (3) I think we should break up* our group.
＿＿＿＿＿＿＿＿

292 □ (1) My wife and I have a similar sense of values,
＿＿＿＿＿＿＿＿.

□ (2) I found some problems with your theory*,
＿＿＿＿＿＿＿＿. I recommend you review* it.

293 □ (1) A: I like Uncle Tony very much.
B: Me too. ＿＿＿＿＿＿＿＿

□ (2) A: I had a quarrel with my boyfriend last night. What should I do?
B: Don't worry. ＿＿＿＿＿＿＿＿

294 □ (1) A: This song is so moving*!
B: Indeed. ＿＿＿＿＿＿＿＿

□ (2) A: Mom, we're going to the beach tomorrow.
B: All right, but be careful, Tony. ＿＿＿＿＿＿＿＿

290 be in a bad mood：機嫌が悪い　**291** break up：～を解散する
292 a theory：理論　review：～を再検討する　**294** moving：涙を誘う

295 □ (1) 私は祖父にスマートフォンがどんなに役に立つか話しました。彼はまもなく1台購入して，それを使い始めました。

□ (2) 私は学生だった時に世界中を旅しました。私は25歳になってやっと大学を卒業しました。

□ (3) A：昨晩は野球の試合を楽しみましたか。
B：実は，そうじゃなかったんです。試合が始まるとすぐに雨が降り始めたんですよ。

296 □ (1) A：赤ちゃんが泣き止んだらいいのに。
B：そんなにいらいらしないで。なんていうか，赤ちゃんというものは泣いてばかりいるものだよ。

□ (2) A：私は彼が先週チャンピオンベルトを失ったことに失望しました。

B：私もです。彼はもはや強いレスラーではありません。

297 □ (1) A：どうして宿題をしなかったのですか。
B：本当にすみません。あまりにも眠かったので，できませんでした。

□ (2) A：彼は本当のことを言っていると思いますか。
B：はい，私はそう信じます。彼は決してうそはつかない人でしょう。

□ (3) 遅れてすみません。目覚まし時計がならなかったので寝過ごし*てしまいました。

298 □ (1) A：サマー博士の授業を取りましたか。彼の授業はあまり面白くないそうですね。
B：私は意見が違います。彼の講義は決して退屈ではありませんでした。

□ (2) A：見て！　このTシャツはとても珍しいのに，たったの20,000円よ。
B：何だって？！　Tシャツ1枚に20,000円だなんて，とても安いとは言えないよ！

□ (3) A：強いものだけが生き残る。それがジャングルの掟ですよね。

B：はい。しかし自然界で何の危険もなしに生きていける動物などいません。

297 寝過ごす：oversleep

295 □ (1) I told my grandfather how useful smartphones are.

____

□ (2) I traveled around the world when I was a student.

____

□ (3) A: Did you enjoy the baseball game last night?
B: Actually, no. ________________

296 □ (1) A: I wish the baby would stop crying.
B: Don't be so irritated*. You know,
________________.

□ (2) A: I was disappointed that he lost the championship belt last week.
B: So was I. ________________

297 □ (1) A: Why did you not do your homework?
B: I'm very sorry. ________________

□ (2) A: Do you think he is telling the truth?
B: Yes, I believe so. ________________

□ (3) I'm sorry I'm late. ________________

298 □ (1) A: Did you take Dr. Summer's class? They say his class is not so exciting.
B: I disagree. ________________

□ (2) A: Look! This T-shirt is so rare, but it's only twenty thousand yen.
B: What?! ________________

□ (3) A: Only the strongest survive. It's the law of the jungle, right?
B: Yes, ________________.

296 irritated：いらいらした

第15章 話法

299 □ (1) 学校で初日に自己紹介をした時，私は「クリケットに興味があります」と言いました。でも，ほかのだれも興味がありませんでした。

□ (2) A：あなたは野球に興味があると言いましたか。
B：いいえ，私はクリケットに興味があると言いました。

300 □ (1) 私の息子は東京に住んでいて，めったに家に帰ってきません。彼はいつも「ぼくは故郷の町が好きではない」と言います。

□ (2) ミカは都会の生活をとても楽しんでいます。彼女は田舎の*地域の出身で，いつも自分の故郷の町が好きではないと言います。

301 □ (1) A：ケンはあなたに何か熱心に言っていましたね。彼は何を言ったのですか。
B：彼は「ぼくたちのバンドに参加してほしい」と私に言いました。それで私は「いいよ」と言いました。

□ (2) 私がジェシカと電話で話していた時，彼女は私に，彼女のチームに参加してほしいと言いました。もちろん，私は「喜んで」と言いました。

302 □ (1) 私たちが公園で野球を始めるとすぐに公園の係員が私たちのところへやってきました。彼は「今日はここで野球をしてはいけません」と怒って言いました。

□ (2) A：先週の日曜日に野球をしましたか。
B：いいえ。私たちはしたかったのです。でも公園の係員が私たちに，その日はそこで野球をしてはいけないと言ったのです。

303 □ (1) A：あの男はだれ？　君に何を言ったの？
B：知らない。彼は私に「君はどこに住んでいるの？」と言ったわ。もちろん，ただ彼を無視したけどね。

□ (2) 就職の面接で，面接官は私がどこ出身で，専攻が何かを最初に尋ねました。

300 田舎の：rural

299 ☐ (1) When I introduced myself on the first day at school, ________________." No one else was interested, though.

☐ (2) A: Did you say you were interested in baseball?
B: No, ________________.

300 ☐ (1) My son lives in Tokyo and rarely comes home. ________________

☐ (2) Mika enjoys urban* life very much. ________________

301 ☐ (1) A: Ken said something to you eagerly*. What did he say?
B: ________________ And I said, "OK."

☐ (2) When I was talking to Jessica on the phone, ________________. Of course, I said, "I'd love to."

302 ☐ (1) As soon as we started to play baseball in the park, a park attendant* came to us. ________________

☐ (2) A: Did you play baseball last Sunday?
B: No. We wanted to, ________________.

303 ☐ (1) A: Who was that man? What did he say to you?
B: I don't know. ________________ Of course, I just ignored* him.

☐ (2) At the job interview*, ________________.

300 urban：都会の 301 eagerly：熱心に 302 an attendant：係員
303 ignore：～を無視する a job interview：就職の面接

304 □ (1) 私たちはブラウンさんの家へバーベキューに招待されました。私たちがそこにそろうと，彼は私たちに満面の笑みで「みなさん，おなかはすいていますか」と言いました。そして私たちの皿にステーキをいくらか取ってくれました。

□ (2) ブラウンさんは私たちを自宅に招待してくれました。私たちが客間で着席するとすぐに，彼は私にのどが渇いているかどうか尋ねました。

305 □ (1) 遅れてごめん。ぼくが家を出ようとしたちょうどその時，母がぼくに「出かける前に部屋を掃除しなさい！」と言ったんだ。知ってるでしょ，彼女がとても厳しいこと。

□ (2) A：君のお母さんは，本当にそんなにうるさく小言を言うの？
B：うん，言うよ。彼女はいつも私に，部屋を掃除しなさいとか，宿題しなさいとか，早く寝なさいとか言うの。

306 □ (1) フランス語の授業の初日に，先生は私たちに「まずこの辞書を買うといいですよ」と言いました。

□ (2) 最初のフランス語の授業の後，先生は私に，その辞書を買うように助言してくれました。

307 □ (1) A：そのおばあさんは，あなたに何て言ったの？
B：彼女はぼくに「あなたのバイクはなんてうるさいの！」と言ったんだ。彼女はぼくにかんかんに怒っていたんだと思う。

□ (2) 隣に住む女性はやっかいです。昨日，彼女は私のバイクはなんてうるさいのかと文句を言いました。

308 □ (1) A：ビルはケイトについて，何か言いましたか。
B：彼はただ「ケイトがいつここに着くのか知らない」と言っただけです。

□ (2) 私は，ビルがケイトの予定を知っていると思っていました。でも彼は彼女がいつそこに着くのか知らないと言いました。

309 □ (1) 私はホテルのバーである男性に会いました。その男性は「私は昨日ここに到着し，3日間滞在するつもりです」と言いました。そしてそれから彼は30分間自分のことを話し続けました。

304 □ (1) We were invited to a barbecue at Mr. Brown's house. When we were there, ________________ and put some steak on our plate.

□ (2) Mr. Brown invited us to his house. Right after we sat down in the guest room, ________________.

305 □ (1) Sorry, I'm late. Just when I was leaving home, ________________!" You know, she's so strict*.

□ (2) A: Does your mother really nag* you so much?
B: Yes, she does. ________________

306 □ (1) On the first day of French class, ________________."

□ (2) After the first French class, ________________.

307 □ (1) A: What did the old woman say to you?
B: ________________ I think she was mad* at me.

□ (2) The woman next door is annoying. Yesterday, ________________.

308 □ (1) A: Did Bill say anything about Kate?
B: ________________

□ (2) I thought Bill knew about Kate's schedule, ________________.

309 □ (1) I met a man at the bar of the hotel. ________________ And then he continued talking about himself for the next 30 minutes.

305 strict：厳しい　nag：～にうるさく小言を言う　307 mad：かんかんに怒る

310

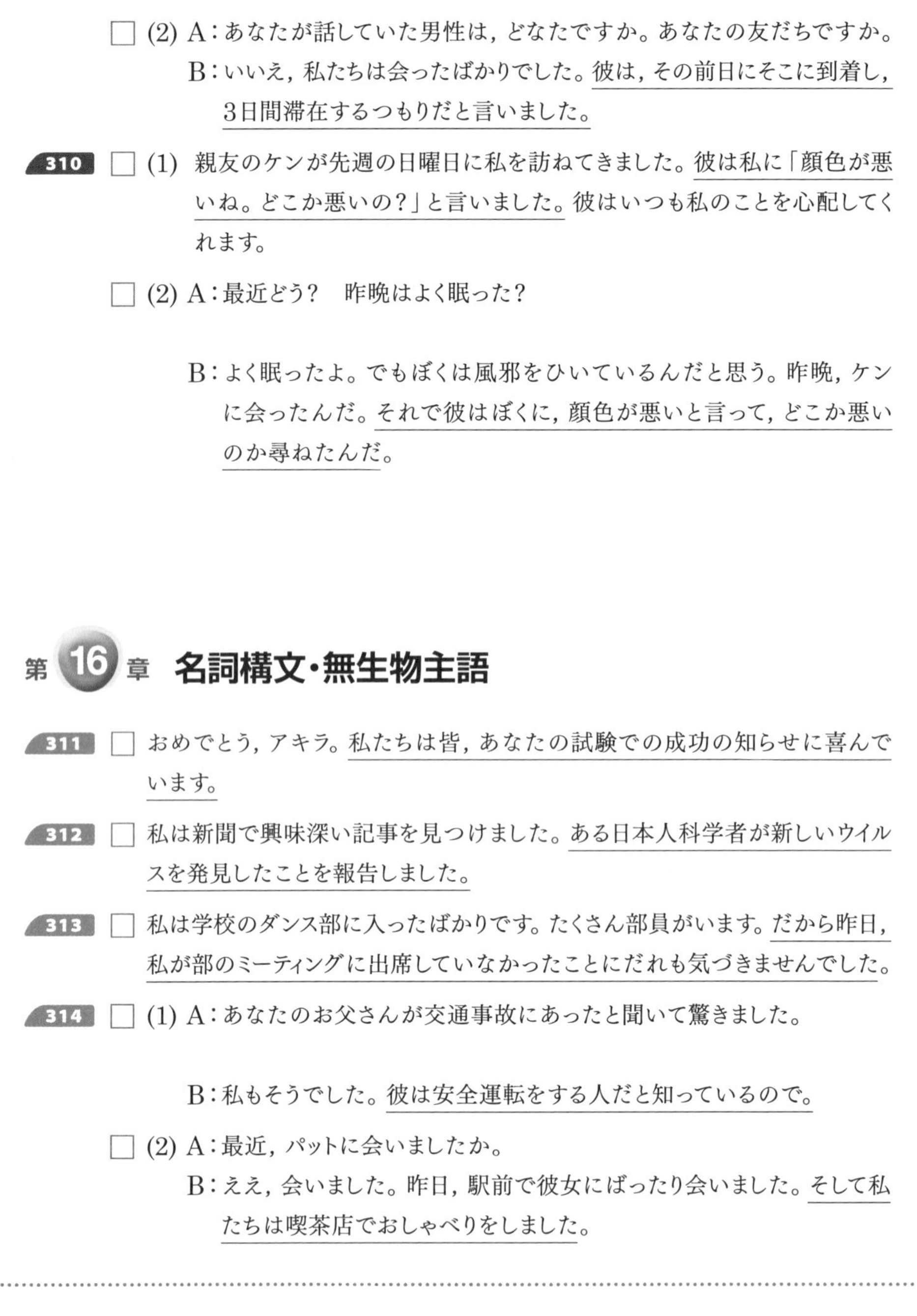

□ (2) A：あなたが話していた男性は，どなたですか。あなたの友だちですか。
B：いいえ，私たちは会ったばかりでした。彼は，その前日にそこに到着し，3日間滞在するつもりだと言いました。

310 □ (1) 親友のケンが先週の日曜日に私を訪ねてきました。彼は私に「顔色が悪いね。どこか悪いの？」と言いました。彼はいつも私のことを心配してくれます。

□ (2) A：最近どう？　昨晩はよく眠った？

B：よく眠ったよ。でもぼくは風邪をひいているんだと思う。昨晩，ケンに会ったんだ。それで彼はぼくに，顔色が悪いと言って，どこか悪いのか尋ねたんだ。

第16章　名詞構文・無生物主語

311 □ おめでとう，アキラ。私たちは皆，あなたの試験での成功の知らせに喜んでいます。

312 □ 私は新聞で興味深い記事を見つけました。ある日本人科学者が新しいウイルスを発見したことを報告しました。

313 □ 私は学校のダンス部に入ったばかりです。たくさん部員がいます。だから昨日，私が部のミーティングに出席していなかったことにだれも気づきませんでした。

314 □ (1) A：あなたのお父さんが交通事故にあったと聞いて驚きました。

B：私もそうでした。彼は安全運転をする人だと知っているので。

□ (2) A：最近，パットに会いましたか。
B：ええ，会いました。昨日，駅前で彼女にばったり会いました。そして私たちは喫茶店でおしゃべりをしました。

☐ (2) A: Who was the man you were talking with? Your friend?
B: No, we had just met. ___________________

310 ☐ (1) My best friend Ken visited me last Sunday.
___________________ He's always worried about me.

☐ (2) A: How have you been recently? Did you sleep well last night?
B: I did, but I think I have a cold. Last night, I met Ken, ___________________.

311 ☐ Congratulations, Akira. ___________________

312 ☐ I found an interesting article in the newspaper.
____

313 ☐ I've just joined the school dance club. There are so many members, ___________________.

314 ☐ (1) A: I was surprised that your father had a traffic accident.
B: So was I. ___________________

☐ (2) A: Have you seen Pat lately?
B: Yes, I have. I ran into* her in front of the station yesterday, ___________________.

314 run into：～にばったり会う

315 □ (1) 私たちは全員試合を続けたかったのです。でも悪天候のために私たちは試合を中止しました。

□ (2) 私はスーパーでパートの仕事をしています。そのおかげで，私はお金をたくさんためることができます。そのお金で，私は今年の夏にヨーロッパを旅してまわるつもりです。

316 □ (1) 洞窟で探検している間，あなたはこのヘルメットをかぶらなければなりません。そうすれば頭を傷つけずにすむでしょう。

□ (2) ラッシュの時間帯だとは知りませんでした。交通渋滞のせいで，私たちは時間どおりに到着できませんでした。

317 □ これはデジタル温度計です。この計器*は，温度を摂氏*と華氏*の両方で表示します。

318 □ (1) A：駅への行き方を教えてもらえますか。
B：ええ，とても簡単ですよ。この道を行けば，駅に着きます。ただまっすぐ行ってください。10分くらいです。

□ (2) 新しい食器洗い機を購入してはいかがですか。この新しい機種を使えば，たくさんの水を節約することができるでしょう。

第17章 強調・倒置・挿入・省略・同格

319 □ (1) 何か質問があれば，どうか本当に遠慮なく，いつでも電話してください。

□ (2) A：お望みなら，この本を持っていっていいですよ。
B：ありがとうございます。これこそまさに私がずっと探していた本です！

□ (3) A：このドレスはどう？
B：君のドレスは本当にすてきだよ！

320 □ (1) 午前1時です。いったい全体だれがこんな時間に電話をしてくるんだ。

317 計器：a meter　摂氏：Celsius　華氏：Fahrenheit

315 □ (1) We all wanted to continue playing,

__________________.

□ (2) I have a part-time job at a supermarket.

__________________ With the money, I'm going to travel around Europe this summer.

316 □ (1) While you are exploring in the cave*, you have to wear this helmet. __________________

□ (2) I didn't know it was rush hour. __________________

317 □ This is a digital thermometer*. __________________

318 □ (1) A: Can you tell me how to get to the station?

B: Oh, it's easy. __________________ Just go straight. It takes about ten minutes.

□ (2) Why don't you buy a new dishwasher?

____

319 □ (1) If you have any questions, __________________.

□ (2) A: You can have the book if you want it.

B: Thank you. __________________

□ (3) A: What do you think about this dress?

B: __________________

320 □ (1) It's 1:00 a.m. in the morning. __________________

316 a cave：洞窟　317 a thermometer：温度計

□ (2) A：彼は幽霊を見たことがあると言いました。
B：彼のことを信じたのですか。私は彼の話を少しも信じていません。

321 □ 私は彼のジョークをおもしろいと思いません。彼は同じジョークを何度も何度も言うからです。

322 □ A：ピーターがこの池でナマズを捕まえたのは本当ですか。
B：いいえ，違います。昨日ここで大きなナマズを捕まえたのは，ジムでした。

323 □ (1) A：私は彼女の演技がとても好きです。
B：同感です。でも私がもっと好きなのは彼女の声なんですよ。

□ (2) 私は10分後に戻ってきます。あなたはここで待っていさえすればいいの。わかった？

324 □ (1) A：見て！　あそこに虹があります。
B：すごい！　私はこんなにきれいな虹を一度も見たことがありません。

□ (2) 彼は少しまじめすぎます。彼はめったに冗談を言いません。

325 □ (1) 私はその木を強く揺さぶりました。すると下に落ちたのはリンゴでした。

□ (2) 私はポケットに何かがあるのを感じたので，手を入れてそれを取り出しました。私のポケットの中にあったのは彼の名刺でした。

□ (3) 私たちは，急いだほうがいいです。ほら，電車が来ますよ。

326 □ 私の軽率な発言が彼女を怒らせました。夕食の間ずっと彼女は一言も発しませんでした。

327 □ その古い教会は美しかったです。さらにいっそう美しかったのは，その頂上からの眺めでした。

328 □ (1) A：昨日，ボブの家で火事があったそうですね。ボブは大丈夫ですか。
B：ボブは仕事で家にいませんでした。そして彼の息子は，幸運にも，燃えている家から救出され*ました。

□ (2) 私にはこれらのうちどれも買う余裕はないと思います。この店の服は，私の意見では，値段が高すぎます。

328 ～を救出する：rescue

□ (2) A: He said he had seen a ghost.
B: Did you believe him? ________________

321 □ I don't think his jokes are funny, ________________.

322 □ A: Is it true that Peter caught a catfish* in this pond*?
B: No, it isn't. ________________

323 □ (1) A: I like her acting* very much.
B: I agree, ________________.

□ (2) I'll be back in ten minutes. ________________
Understand?

324 □ (1) A: Look! There is a rainbow over there.
B: Wow! ________________

□ (2) He is a little too serious. ________________

325 □ (1) I shook the tree hard, ________________.

□ (2) I felt something in my pocket, so I reached in and pulled it out. ________________

□ (3) We'd better hurry. ________________

326 □ My careless remark* made her angry. ________________

327 □ The old church was beautiful. ________________

328 □ (1) A: I hear Bob's house caught on fire yesterday. Is Bob all right?
B: Bob was away on business. ________________

□ (2) I don't think I can afford* any of these.
____

322 a catfish：ナマズ　a pond：池　323 acting：演技　326 a remark：発言
328 can afford：～を買う余裕がある

329 □ (1) A：私はこの川で釣りをしてみたいです。魚がたくさんいそうですね。

B：残念ながら，できません。この川で釣りをすることは，私の知る限り，禁止されて*います。

□ (2) A：私は毎日ジョギングをすることにしました。

B：本当に？　運動のしすぎは，私は思うのですが，健康によくないですよ。

330 □ (1) 生徒たちは初めてラフティングに挑戦しました。驚いたことに，女の子たちは勇敢でしたが，男の子たちはそうでありませんでした。

□ (2) A：私はどこに座ればいいですか。

B：どこでも好きなところに座っていいですよ。

331 □ A：彼は，どうしてこんなに長い間欠席しているのですか。

B：カナダでスキーをしている時に左脚を骨折したそうです。それで彼は入院しているんです。

332 □ A：エリカは大丈夫ですか。彼女は体調が悪そうですね。

B：私たちが心配する必要はありません。彼女の親友のリサは看護師です。

333 □ A：アンがどこで生まれたか知っていますか。

B：彼女はシアトル市で生まれ育ちました。

334 □ A：私はトニーが今どこに住んでいるのか知りません。彼について何か聞いていますか。

B：彼が今インドに住んでいるといううわさ*を聞きました。

第18章　名詞

335 □ (1) A：あなたはどんな家具を買いましたか。

B：私はテーブル1つといす4脚を買いました。

329 ～を禁止する：prohibit　334 うわさ：a rumor

329

329 □ (1) A: I'd like to try fishing in this river. There seems to be a lot of fish.
B: I'm sorry, you can't. ____________________

□ (2) A: I've decided to go jogging every day.
B: Really? ____________________

330 □ (1) The students tried rafting* for the first time.
Surprisingly, ____________________.

□ (2) A: Where should I sit?
B: ____________________

331 □ A: Why has he been absent for so long?
B: ____________________, and he's in the hospital.

332 □ A: Is Erika all right? She seems to be sick.
B: We don't have to worry. ____________________

333 □ A: Do you know where Ann was born?
B: ____________________

334 □ A: I have no idea where Tony is living now. Have you heard anything about him?
B: ____________________

335 □ (1) A: What furniture did you buy?
B: ____________________

330 rafting：ラフティング（いかだやゴムボートでの川下り）

□ (2) A：私は紅茶が一番好きです。
B：私は紅茶よりコーヒーが好きです。

336 □ (1) コアラは樹上で生活していて，日中は活動的ではありません。それらはオーストラリア東部にのみ生息しています。

□ (2) 息子はいつも私に質問をしてばかりいます。昨晩彼はどうして1週間が7日間なのか尋ねました。あなたはそれを説明できますか。

337 □ (1) A：その村には何世帯の家族が住んでいますか。
B：約100世帯の家族がいます。しかし人口はどんどん減少しています。

□ (2) A：あなたは本当にサッカーが好きですよね。
B：ええ，好きです。それから私の家族はみんなサッカーファンです。

□ (3) 昨晩銀行強盗がありました。それで警察はその強盗犯*を探しています。

338 □ (1) A：その像は何でできていますか。
B：この像は石でできています。とても古いです。

□ (2) 今日は私の両親の18回目の結婚記念日です。それで母はそれを祝う*ためにワイン1本を買いました。

339 □ (1) 彼の行動はこのことわざを如実に表していると思います。すなわち，必要は発明の母。

□ (2) 私は彼に本当に感謝しています。彼は私に役立つ忠告を1つしてくれました。

340 □ (1) 野生動物の行動を研究するのは長い時間がかかりました。ジョーンズ博士はアフリカで5年間野生動物を観察し*ました。

□ (2) A：あなたはどこかロンドンにある博物館に行ったことがありますか。
B：私は昨年の8月に大英博物館*へ行きました。すばらしかったです。

341 □ (1) 私の姉は英語をかなり速く読むことができます。おそらく英字新聞を毎日読んでいるからです。

337 強盗犯：a robber　338 ～を祝う：celebrate
340 ～を観察する：observe　大英博物館：the British Museum

□ (2) A: I like tea best.
B: ____________________

336 □ (1) Koalas live in trees, and they are not active during the day. ____________________

□ (2) My son is always asking me questions.
____________________ Are you able to explain it?

337 □ (1) A: How many families live in the village?
B: ____________________ But the population is getting smaller.

□ (2) A: You really like soccer, don't you?
B: Yes, I do. ____________________

□ (3) There was a bank robbery* last night,
____________________.

338 □ (1) A: What is the statue* made of?
B: ____________________ It's very old.

□ (2) Today is my parents' 18th wedding anniversary,
____________________.

339 □ (1) I think his behavior realizes* the proverb:
____________________.

□ (2) I'm really grateful to him. ____________________

340 □ (1) It took a long time to study the behavior of wild animals. ____________________

□ (2) A: Have you ever been to any museums in London?
B: ____________________ It was great.

341 □ (1) My sister can read English rather fast,
____________________.

337 a robbery：強盗事件　338 a statue：像　339 realize：〜を如実に表す

□ (2) あなたのご支援とご協力に感謝します。それから，あなたが私に示してくださった多くの親切な行為に感謝しております。

□ (3) A：君はどんな車が欲しい？
B：私はいつかBMWを買いたいな。

342 □ A：お母さん，何か手伝おうか？
B：テーブルにお皿を並べてくれる？

343 □ A：どうしたら虫歯を防げますか。
B：食後に歯をみがくことです。

344 □ (1) おそらく年を取ったせいで，最近父は何かを読む時，メガネをかけます。

□ (2) その2人の男性は交差点に着くまでいっしょに歩きました。そしてそれから彼らはお互いに握手をして別れました。

345 □ (1) ピアノの音色が聞こえますか。ピアノを弾いている人はジムのお兄さんです。彼はとても才能があります。

□ (2) ケン，あなたはまだ課題宿題を提出していません。後で職員室に来なさい。

346 □ (1) A：鳥たちはどこで鳴いているのかな。
B：教会の屋根が見えますか。その上にいますよ。

□ (2) A：どうしていつもより遅く帰ってきたの？
B：駅で友人に会って，かなり長い間彼と話したの。

第19章 冠詞

347 □ (1) 冷蔵庫の葉物野菜のほかに，ボウルの中にトマトが1つあります。サラダが作れますよ。

342

☐ (2) Thank you for your support and cooperation.

____

☐ (3) A: What kind of car do you want?
B: ____________________

342 ☐ A: Can I help you, mom?
B: ____________________

343 ☐ A: How can I prevent* tooth decay*?
B: ____________________

344 ☐ (1) Probably because of his age, ____________________.

☐ (2) The two men walked together until they came to a crossroads*, ____________________.

345 ☐ (1) Can you hear the sound of the piano?
____________________ He is so talented.

☐ (2) Ken, you haven't handed in your assignment yet.

____

346 ☐ (1) A: Where are the birds singing?
B: ____________________ They are on it.

☐ (2) A: Why did you come home later than usual?
B: ____________________

347 ☐ (1) Besides the greens in the refrigerator,
____________________. I can make salad.

343 prevent：～を防ぐ　tooth decay：虫歯　**344** a crossroads：交差点

□ (2) A：昼食にパスタはどうですか。
B：いいですね。ボウルの中にトマトがいくつかあります。それらを使ってパスタソースが作れますね。

348 □ (1) 私は夜に星を眺めるのが好きです。昨晩は流れ星を見ました。

□ (2) 都会に住んでいると，星が見えることはめったにありません。でも昨晩私が見た流れ星はとても明るかったです。

349 □ (1) A：あなたの上司はあなたに何と尋ねましたか。
B：彼は私に，問題の本質*が何なのか尋ねました。

□ (2) どんなにテクノロジーが進歩しても，私たちが自然を完全に制御することはできるわけではありません。

350 □ (1) 最近私は新しいアパートに引っ越しました。それで私は自分の部屋のためにベッドを買いたいのです。

□ (2) あなたはいつも眠そうですね。たいてい何時に寝ますか。

351 □ (1) お父さん，こっちに来て！ 私の部屋にクモがいる！ 取ってくれる？

□ (2) A：今，あなたが一番欲しいものは何ですか。
B：私は車が欲しいです。ドライブにでかけたいです。

□ (3) 私はこのなぞなぞが解けません。ヒントをください。

□ (4) A：偉大なことを成し遂げるには長い時間がかかると思います。
B：あなたの意見に同意します。ことわざが言うように，「ローマは1日にして成らず」ですね。

352 □ A：これはいくらですか。
B：このロープは1メートル200円です。

353 □ (1) あのネコの写真を撮りましたか。私にその写真を見せてください。

□ (2) あなたが家を出た最後の人でした。忘れずにドアのカギをかけましたか。

349 本質：nature

☐ (2) A: How about pasta for lunch?
B: Good idea. ________________ We can use them to make pasta sauce.

348 ☐ (1) I like watching stars at night. ________________

☐ (2) Living in the city, I rarely see stars,
________________.

349 ☐ (1) A: What did your boss ask you?
B: ________________

☐ (2) No matter how much technology advances,
________________.

350 ☐ (1) Recently, I've moved to a new apartment,
________________.

☐ (2) You always look sleepy. ________________

351 ☐ (1) Dad, come over here! ________________ Will you get rid of it?

☐ (2) A: What do you want most right now?
B: ________________ I want to go for a drive.

☐ (3) I can't solve this riddle*. ________________

☐ (4) A: I think it will take a long time to achieve great things.
B: I agree with you. ________________

352 ☐ A: How much is this?
B: ________________

353 ☐ (1) Did you take a photo of that cat? ________________

☐ (2) You were the last to leave the house.
____

351 a riddle：なぞなぞ

□ (3) 彼がうそをつくのを聞いたことは一度もありません。彼は私が信頼できる唯一の人です。

□ (4) 約400年前，たいていの人は地球が宇宙の中心にあると信じていました。しかし今日では，地球が太陽の周りを回っていることをだれもが知っています。

354 □ (1) 私はパンを焼くために多くのバターを使います。それで私は今でもポンド単位でバターを買っています。

□ (2) A：ジムがどこにいるか知っていますか。
B：私は彼を1時間前に見かけました。彼は娘の手を引いて部屋を出ていきました。

355 □ (1) 砂漠で道に迷ったら，生き残る可能性は低いです。そこで水を見つけるのは困難だからです。

□ (2) いくつかの国では，日曜日は休日でありません。ですから，私たちが日曜日には学校へ行かなくてもよいということを当然だと思うべきではありません。

□ (3) A：ビールはいかがですか。
B：ありがとう，でも飲めないんです。私はここに車で来ましたので。

356 □ (1) A：私が買った絵を見てください。
B：あなたはこれを本当に買ったのですか。これはなんておもしろい絵なのでしょう！

□ (2) 私は彼が私たちに言ったことを信じました。しかしそれはあまりにも奇妙な話だったので，それを信じる人はほとんどいませんでした。

□ (3) A：私はその会議に出席するべきですか。
B：もちろん出席するべきです。このクラブの部員は全員，それに出席しなければなりません。

☐ (3) I've never heard him telling a lie. ____________________

☐ (4) About 400 years ago, most people believed the earth was at the center of the universe, but today,
____________________.

354 ☐ (1) I use a lot of butter for baking, ____________________.

☐ (2) A: Do you know where Jim is?
B: I saw him an hour ago. ____________________

355 ☐ (1) If you get lost in the desert*, you are not likely to survive, ____________________.

☐ (2) In some countries, Sunday is not a holiday.
____

☐ (3) A: Would you like some beer?
B: Thank you, but I can't drink. ____________________

356 ☐ (1) A: Please look at the picture I bought.
B: You really bought this? ____________________

☐ (2) I believed what he told us, ____________________.

☐ (3) A: Should I attend the meeting?
B: Of course you should. ____________________

355 a desert：砂漠

第20章 代名詞

357 □ (1) A：私たちの新しい英語の先生がどこ出身か知っていますか。

B：カナダです。彼女はトロント出身だそうです。

□ (2) A：ボブがワイシャツをすべて特注していることを知っていますか。
B：知っています。彼のシャツはどれも彼のイニシャルがついています。

□ (3) すみません。グローブ座がどこにあるかご存知ですか。そこへの行き方を教えていただけませんか。

358 □ (1) 留学生としてアメリカ合衆国を訪れる場合，18歳になっていれば運転免許を取得できます。

□ (2) A：ナンシーは最近とてもうれしそうですね。
B：彼女は来月結婚するらしいです。

□ (3) 今年の夏，おそらく私たちは水不足で苦しむでしょう。先月はほとんど雨が降りませんでした。

359 □ (1) 私の机の上にえんぴつがあります。これは私のではありません。あなたのですか。

□ (2) A：昨日，あなたは何をしましたか。
B：私は友人と買い物に行きました。楽しかったです。

360 □ 私は会議に間に合わないのではないかと思います。今朝，階段から落ちて，けがをしました。

361 □ A：私の数学の宿題を手伝ってくれませんか。
B：いや。それは自分でやるべきです。

362 □ (1) A：あなたのお母さんは，買い物をしにどこへ出かけたのですか?
B：彼女は私の机の上に伝言を置いていきましたが，私にはそれを理解することができませんでした。

357 □ (1) A: Do you know where our new English teacher comes from?
B: Canada. ____________________

□ (2) A: Do you know Bob has all his shirts custom-made?
B: I know. ____________________

□ (3) Excuse me. Do you know where the Globe Theater is?
____

358 □ (1) When visiting the United States as an international student, ____________________.

□ (2) A: Nancy looks very happy these days.
B: ____________________

□ (3) We'll probably suffer from a water shortage this summer. ____________________

359 □ (1) There's a pencil on my desk. This is not mine.
____

□ (2) A: What did you do yesterday?
B: ____________________ I had a good time.

360 □ I'm afraid I won't be in time for the meeting.
____

361 □ A: Can you help me with my math homework?
B: No. ____________________

362 □ (1) A: Where did your mother go out to do the shopping?
B: ____________________

□ (2) A：フィレンツェまでは，飛行機で何時間かかりましたか。
B：15時間です！　私たちはそこまで直行便の飛行機で行きたかったのですが，それは不可能でした。

□ (3) 私は弟が私の部屋から出ていくのを見ました。彼は私のコンピュータを使ったに違いないのですが，彼はそれをどうしても認めようとしません。

363 □ (1) A：今日あなたは仕事に行かなくてもいいんですよね。
B：今日は何曜日ですか。

□ (2) 私は日本で生活するのは好きですが，この暑さは耐えられません。とてもむしむしします*よね。

□ (3) ここから街の中心部まで歩いていけます。約1キロです。

364 □ やあ，ルーシー。このところ会わなかったね。調子はどう？

365 □ (1) 私はパーティーに出かけるのが好きです。初めての人と会うのは楽しいです。

□ (2) A：もしだれかが規則を破ったら，その人はそれ相応に罰せられるでしょう。
B：その通りです。規則に従うことは大切です。

366 □ (1) 私たちは何度も挑戦し，失敗しました。私たちは，その問題を解決するのは不可能だと思いました。でもとうとう解決することができました。

□ (2) 私はジュリアがボブのことをよく知っていると思っていました。しかし彼女が彼の名前すら知らないのには驚きました。

367 □ (1) 明日の朝，私たちは6時半に家を出なければなりません。私たちの飛行機の便は10時半に出ます。でも空港に着くまで2時間かかります。

□ (2) 私のコンピュータは急に動かなくなりました。それで，それを修理するのに30ドルかかりました。

368 □ (1) A：こちらが，デザートとコーヒーです。すべてよろしいですか。
B：実は，そうではありません。これは私が注文したデザートではありません。私は，パンナコッタではなくクレームブリュレを注文しました。

---

363 むしむしした：humid

363

☐ (2) A: How long did it take you to fly to Florence?
B: Fifteen hours! ____________________

☐ (3) I saw my little brother leaving my room.
____

363 ☐ (1) A: You don't have to go to work today, do you?
B: ____________________

☐ (2) I like living in Japan, but I can't stand this heat!
____

☐ (3) You can walk to the city center from here.
____

364 ☐ Hello, Lucy. I haven't seen you lately.
____

365 ☐ (1) I like going out to parties. ____________________

☐ (2) A: If anyone breaks the rules, that person will be punished accordingly*.
B: Exactly. ____________________

366 ☐ (1) We tried and failed so many times.
____________________, but finally we could.

☐ (2) I thought Julia knew Bob well, ____________________.

367 ☐ (1) Tomorrow morning, we have to leave home at 6:30. Our flight leaves at 10:30, ____________________.

☐ (2) My computer suddenly stopped working,
____________________.

368 ☐ (1) A: This is your dessert and coffee. Is everything all right?
B: Actually, no. ____________________ I ordered crème brûlée, not panna cotta.

---

365 accordingly：それ相応に

□ (2) A：ぼくに何て言ったの？　電話に出ていたんだ。
B：テーブルの上のあれらの雑誌がまだ必要なのか聞いただけよ。

369 □ (1) 警察に尋問された時，その容疑者*は，彼女に会ったことはないと言いましたが，それはうそでした。

□ (2) アメリカ合衆国憲法修正第1条を知らないのですか。私たちは自分の意見を自由に表明する権利をもっています。これは「言論の自由」と呼ばれています。

370 □ (1) 人間は遺伝子学的にチンパンジーによく似ています。しかし，人間の脳はチンパンジーの脳より発達しています。

□ (2) アフリカ象とインド象の違いはわかりますか。アフリカ象の耳はインド象の耳より大きいのです。

371 □ (1) 私はこの用紙に名前と住所を記入する必要があるのですね。お持ちでしたら，ペンをお借りしてもいいですか。

□ (2) 昨日，ビニール製のかさを買いましたが，強風で壊れてしまいました。私は新しいのを買わなければなりません。

□ (3) このブーツは私のお気に入りですが，すり切れてしまいました。新しいのを買わなければなりません。

372 □ (1) A：この青いシャツはいかがですか。試着なさいますか。

B：うーん…色が好きではありません。ほかのを見せてください。

□ (2) A：夕食を楽しんでいただいていますか。
B：ええ，ありがとうございます。パイをもう1切れもらえますか。

373 □ (1) 私には姉が2人います。1人は会社員で，もう1人は大学生です。

□ (2) 会議は時間どおりに開始できませんでした。メンバーのうち2人は時間どおりに来ましたが，それ以外の人たちは遅れました。

□ (3) A：昼休みの間，生徒たちはどこにいましたか。
B：トムは教室にいましたが，ほかの生徒たちは外で遊んでいました。

369 容疑者：a suspect

□ (2) A: What did you say to me? I was on the phone.
B: ＿＿＿＿＿＿＿＿

369 □ (1) When he was questioned* by the police,
＿＿＿＿＿＿＿＿.

□ (2) Don't you know the First Amendment to the United States Constitution? ＿＿＿＿＿＿＿＿

370 □ (1) Humans are genetically* similar to chimpanzees. However, ＿＿＿＿＿＿＿＿.

□ (2) Do you know the difference between an African elephant and an Indian elephant? ＿＿＿＿＿＿＿＿

371 □ (1) Do I have to fill in* my name and address on this form?
＿＿＿＿＿＿＿＿

□ (2) I bought a plastic umbrella yesterday, but it was broken by the strong wind. ＿＿＿＿＿＿＿＿

□ (3) These boots are my favorite, but they have worn out*.
＿＿＿＿＿＿＿＿

372 □ (1) A: How about this blue shirt? Would you like to try this on?
B: Hmm ... I don't like the color. ＿＿＿＿＿＿＿＿

□ (2) A: Are you enjoying the dinner?
B: Yes, thank you. ＿＿＿＿＿＿＿＿

373 □ (1) I have two older sisters. ＿＿＿＿＿＿＿＿

□ (2) The meeting couldn't start on time. ＿＿＿＿＿＿＿＿

□ (3) A: Where were the students during the lunch break?
B: ＿＿＿＿＿＿＿＿

369 question：～を尋問する　370 genetically：遺伝子学的に
371 fill in：～を記入する　wear out：すり切れる

374 □ (1) 10代の若者全員が踊るのが好きなわけではありません。得意な人もいるし，そうでない人もいます。

□ (2) A：警察は容疑者を見つけたのですか。今朝はその建物を捜索していましたね。

B：そこでは彼を見つけられなかったので，ほかの建物を調べることにしたのです。

375 □ (1) A：あなたは養蜂を始めたそうですね。本当ですか。

B：はい。難しいですが，楽しんでいます。もしあなたが蜂蜜をお好きでしたら，いくらかお持ちしますよ。

□ (2) この動物園は，日本でもっとも古くもっとも大きなものの1つです。ここには何種類かの珍しい動物がいます。

□ (3) A：ケイト，この手紙をお姉さんに渡していただけませんか。

B：いいですよ。私にも何か手紙はありますか。

376 □ (1) A：ナオミ，何を探しているの？

B：ペーパークリップが必要なの。持ってる？

□ (2) A：絶対に確かですか。

B：はい。彼が選挙に負ける可能性は少しもありません。

□ (3) この問題は，とても単純で簡単です。このクラスのどの生徒でも，それに答えることができるでしょう。

377 □ (1) A：もしかして，あなたは北海道出身ですか。

B：いいえ。私は東京生まれです。でも両親は2人とも北海道で育ちました。

□ (2) A：お母さんが入院中だそうですね。

B：はい。彼女は自動車事故に巻き込まれ，両脚を骨折しました。

378 □ (1) 今週の金曜日に保護者面談があります。あなたのご両親のどちらでも，それに出席することができます。

□ (2) 私はもう十分いただきました。ですからどちらのケーキもあなたが取っていいですよ。

374

374 □ (1) Not all the teenagers like dancing. ________________

□ (2) A: Did the police find the suspect? They were searching the building this morning.
B: ________________

375 □ (1) A: I heard that you've started beekeeping*. Is that true?
B: Yes. It's difficult, but I'm enjoying it.
____

□ (2) This zoo is one of the oldest and biggest in Japan.
____

□ (3) A: Kate, would you pass the letters to your sister?
B: Okay. ________________

376 □ (1) A: What are you looking for, Naomi?
B: ________________

□ (2) A: Are you absolutely sure?
B: Yes. ________________

□ (3) This question is very simple and easy.
____

377 □ (1) A: Are you from Hokkaido, by any chance*?
B: No. I was born in Tokyo, ________________.

□ (2) A: I hear your mother is staying at the hospital.
B: Yes. ________________

378 □ (1) We have a parent teacher conference this Friday.
____

□ (2) I already had enough, ________________.

375 beekeeping：養蜂　377 by any chance：もしかして

379 □ (1) 私たちの車はガソリンがなくなるところです。ガソリンスタンドを2か所通り過ぎたのですが，どちらも開いていませんでした。一番近いガソリンスタンドがどこにあるか教えてくれませんか。

□ (2) 私はすぐ近くの書店に行きました。でも私が探していた本は，どちらも見つかりませんでした。

380 □ (1) A：彼が提案した計画について，あなたはどう思いますか。
B：むだだと思います。メンバーは全員，それに反対しています。

□ (2) 開講前に，新入生は全員，クラス分けテスト*を受けなければなりません。

381 □ (1) あなたが考えを変えることを願います。私たちはだれもあなたの意見に同意しません。

□ (2) 先生がある質問をしましたが，このクラスの生徒はだれもそれに答えられませんでした。

382 □ (1) 私のおじは車を3台持っています。それらはどれもドライブレコーダーが付いています。

□ (2) A：この本にいくら払いましたか。
B：たったの300円です！ そのお店では，どの本も100円で販売されていました。

383 □ (1) 私がここに到着した時，玄関にだれかがいるのを見ました。私は「こんにちは」と言いましたが，彼は私に何も言いませんでした。

□ (2) あなたは学園祭のために準備をしてきましたよね。準備は万全ですか。

380 クラス分けテスト：a placement test

379

379 □ (1) Our car is about to run out of* gas. ________________
Will you tell me where the nearest gas station is?

□ (2) I went to a nearby* bookstore, ________________.

380 □ (1) A: How do you feel about the plan he suggested?
B: I think it is useless. ________________

□ (2) Before the beginning of the course,
________________.

381 □ (1) I hope you change your mind. ________________

□ (2) The teacher asked a question, ________________.

382 □ (1) My uncle has three cars, ________________.

□ (2) A: How much did you pay for the books?
B: Only three hundred yen! ________________

383 □ (1) When I arrived here, ________________. I said
"Hello," but he said nothing to me.

□ (2) You've been preparing for the school festival, haven't
you? ________________

379 run out of：～がなくなる　nearby：近くの

第21章 形容詞

384 □ A：それで，あなたはどちらのシャツを買ったのですか。
B：私はあまりお金がなかったので，安いのを買いました。

385 □ (1) A：あなたは自転車で通勤しているそうですね。本当ですか。
B：はい，そうすることが健康維持に役立っています。それに，満員電車で通うのは好きでありません。

□ (2) この近くに自動販売機はありますか。何か冷たいものが飲みたいです。のどが渇いているんです。

386 □ (1) 駐車場まで戻ると，私は自分の車の窓が開いていることに気づきました。

□ (2) 昨晩は暑くてむしむししていました。だから私は自分の部屋の窓を開けたままにしておきました。

387 □ A：黒い服を着ると，あなたは本当にすてきに見えるわよね。
B：ありがとう。黒はぼくが似合う*唯一の色なんだ。

388 □ A：あなたは確かに今朝7時にジュディーを見たんですよね。
B：はい，見ました。彼女は事務所に1人でいて，電話で話していました。

389 □ (1) A：マイクのお姉さんのことはどう思う？
B：彼女にはある種の魅力*があると思う。だれもが彼女を好きだよ。

□ (2) あなたが何と言おうと，これが正解だと私は確信しています。

390 □ (1) A：ワールドシリーズの最終戦は見ましたか。
B：はい，見ました。わくわくする試合でしたよね。

□ (2) スタジアムからの帰宅途中，私はたくさんの興奮したサポーターを見ました。彼らは歌ったり叫んだりしていました。

391 □ ひさしぶりですよね。あなたにまた会えてとてもうれしいです。

392 □ 私たちは，あなたに直接お会いして，私たちの製品についてお話ししたいです。明日10時に私たちにお会いいただくということで，ご都合はいかがでしょうか。

387 ～に似合う：suit　389 魅力：a charm

384

384 □ A: So, which shirt did you buy?
B: ________________

385 □ (1) A: I hear you bike* to work. Is it true?
B: Yes, it helps me keep fit. Besides, ________________.

□ (2) Is there a vending machine near here?
________________ I'm thirsty.

386 □ (1) When I got back to the parking lot, ________________.

□ (2) It was hot and humid last night, ________________.

387 □ A: You really look wonderful in black.
B: Thank you. ________________

388 □ A: You did see Judy at seven this morning, didn't you?
B: Yes, I did. ________________

389 □ (1) A: What do you think of Mike's sister?
B: ________________ Everybody likes her.

□ (2) No matter what you say, ________________.

390 □ (1) A: Did you watch the last game of the World Series?
B: Yes, I did. ________________

□ (2) On my way home from the stadium,
________________. They were singing and shouting.

391 □ It's been a long time, hasn't it? ________________

392 □ We'd like to meet you in person* and talk about our product*. ________________

---

385 bike：自転車に乗っていく

392 in person：（電話やメールではなく）直接会って　a product：製品

393 □ (1) A：彼のデザインは見ましたか。すごくいいですよ。
B：確かに。彼がコンテスト*で優勝するのは大いにありそうなことです。

□ (2) A：すみませんが，今日の会議に出席できません。
B：かまいませんよ。次の会議に来るのは可能ですか。

□ (3) あなたの息子さんは最近一生懸命勉強していますね。ですから彼はおそらく試験に合格するでしょう。

394 □ (1) A：私たちはその登山者との連絡を失いました。彼は無事でしょうか。

B：彼は経験もあり，山について熟知しています。彼はきっと戻ってきます。

□ (2) このメロディーと歌詞には何か郷愁を誘うものがあります。この歌はきっとヒットします。

395 □ (1) 昨日はあらしのためすべての便が欠航となりました。私はこのようなあらしを見たことがありません。

□ (2) A：この動物園は多くのマスコミの関心を集めていますよね。
B：はい。パンダやコアラのような珍しい動物を見ることができます。

396 □ (1) 私は古書店にもう読まない本を売りました。あなたはまだ家にたくさん本を持っていますか。

□ (2) 今年の梅雨はここ数年でもっとも雨の少ない梅雨です。この夏は，雨があまり降っていません。

397 □ (1) タクヤは韓国に2年間住んでいました。だから彼はそこにたくさんの友人がいます。

□ (2) A：ケイトは少し疲れているみたいですよね。
B：彼女は自分の誕生パーティーでたくさんワインを飲んだって言っていました。ただ二日酔いになっているだけですよ。

398 □ (1) A：助けは必要？
B：いいえ，大丈夫。このレポートを仕上げるのに，あと数日あるから。

393 コンテスト：a competition

393 □ (1) A: Have you seen his design? It's awesome*.
B: Indeed. ________________

□ (2) A: Sorry, but I can't attend today's meeting.
B: All right. ________________

□ (3) Your son has been studying hard lately,
________________.

394 □ (1) A: We lost contact with the climber. I wonder if he is all right.
B: He is experienced and knows a lot about the mountain. ________________

□ (2) There is something nostalgic about the melody and lyrics. ________________

395 □ (1) All the flights were canceled because of the storm yesterday. ________________

□ (2) A: This zoo attracts a lot of media attention, doesn't it?
B: Yes. ________________

396 □ (1) I sold books I don't read anymore to a used bookstore.
____

□ (2) This is the driest rainy season in years.
____

397 □ (1) Takuya lived in Korea for two years,
________________.

□ (2) A: Kate looks a little bit tired, doesn't she?
B: ________________ She just has a hangover*.

398 □ (1) A: Need some help?
B: No, thanks. ________________

393 awesome：すごくいい　**397** a hangover：二日酔い

□ (2) A：あなたのために私にできることは何かありますか。
B：このサラダドレッシングに少しこしょうを加えてください。

399 □ (1) 私たちが思っていたより大勢の人が会議に来ました。全員が座れるだけのいすがありません。

□ (2) ポットにいくらか水を入れてくれますか。それには十分な量の水が入っていません。

第22章 副詞

400 □ (1) A：パーティーはどうでしたか。
B：最高でしたよ。だれもが楽しそうに踊りました。彼ら全員が楽しんでいました。

□ (2) A：ジュディーがレースに勝ってうれしいです。彼女はとても才能がありますね。
B：ええ，そうなんです。それだけでなく，彼女はコーチの助言を真剣に受け止め，とても一生懸命練習しました。

401 □ (1) A：私の姉がどこにいるか知っていますか。
B：彼女はついさっき上の階へ行きましたよ。自分の部屋にいるはずです。

□ (2) A：駐車スペースはありますか。
B：あなたはここに車を停めていいですよ。

402 □ (1) A：あなたはすてきなセーターを着ていますね。
B：ありがとうございます。私はデパートでこれを買いました。大売出しが昨日始まったんです。

□ (2) A：今夜，私たちと一緒に夕飯を食べませんか。
B：ぜひそうしたいのですが，今夜は仕事をしなければならないのです。明日は大事なプレゼンがあるんです。

☐ (2) A: Is there anything I can do for you?
B: ________________

399 ☐ (1) More people came to the meeting than we expected.

____

☐ (2) Will you pour some water into the pot?

____

400 ☐ (1) A: How was the party?
B: It was great. ________________ They all enjoyed themselves.

☐ (2) A: I'm glad Judy won the race! She's so talented.

B: Yes, she is. And besides, ________________.

401 ☐ (1) A: Do you know where my sister is?
B: ________________ She must be in her room.

☐ (2) A: Do you have parking space?
B: ________________

402 ☐ (1) A: You are wearing a nice sweater.
B: Thank you. I bought this at a department store.

____

☐ (2) A: Would you like to have dinner with us tonight?
B: I'd love to, but I have to work tonight.

____

403 □ (1) A：あなたはどのように通学していますか。
B：私はいつもバスで通学しています。

□ (2) A：ダニーは今夜いつ帰宅しますか。
B：おそらく7時ごろです。彼は平日はたいてい6時まで会社にいます。

404 □ (1) A：あなたたちの研究はどんな進行具合ですか。何か新しい発見はありましたか。
B：とくにありません。私たちは先週ある実験をしました。でもその結果は驚くほどのものではありませんでした。

□ (2) A：あなたは私たちといっしょに映画を観にいくつもりですか。今晩あなたは宿題をしなくてはいけないと思っていました。
B：はい，そうなんです。でもそれはもうほとんど終わっています。

405 □ (1) A：あなたはその事故を目撃しましたか。
B：はい，しました。車が電柱に追突しました。明らかに，それはスピードの出し過ぎによるものでした。

□ (2) その犬はそこに横たわり，うめいたりうなったりしていました。明らかにけがをしていました。

406 □ (1) A：ここ数日，スティーブはとても忙しそうですね。
B：彼は新製品の大きなプロジェクトに関わっているんです。昨晩はとても遅く帰宅し，今朝はとても早く家を出ました。

□ (2) A：ピザをもう1切れいかがですか。
B：いいえ，結構です。あまり食べたくありません。私は最近，減量にはげんでいます。

407 □ (1) A：アリスは奨学金をもらうに値すると思う。
B：同感です。彼女がとてもよい生徒だと私たちは知っているからね。

□ (2) A：チェン教授が留学生の間でそれほど人気があるのはなぜでしょう。
B：彼女の授業がとてもおもしろいからだと思います。しかも，彼女はとてもゆっくり，はっきり話すので，留学生が簡単に理解できるのです。

403

403 □ (1) A: How do you go to school?
B: ＿＿＿＿＿＿＿＿

□ (2) A: When is Danny coming home tonight?
B: Probably around seven. ＿＿＿＿＿＿＿＿

404 □ (1) A: How is your research going? Were there any new findings?
B: Nothing in particular. We did an experiment last week, ＿＿＿＿＿＿＿＿.

□ (2) A: Are you coming with us to see the movie? I thought you had to do your homework tonight.
B: Yes, I do, ＿＿＿＿＿＿＿＿.

405 □ (1) A: Did you witness the accident?
B: Yes, I did. A car crashed into an electric pole.
＿＿＿＿＿＿＿＿

□ (2) The dog was lying there moaning and groaning.
＿＿＿＿＿＿＿＿

406 □ (1) A: Steve seems so busy these days.
B: He is part of a big project for a new product.
＿＿＿＿＿＿＿＿

□ (2) A: Would you like another slice of pizza?
B: No, thank you. I don't want to eat much.
＿＿＿＿＿＿＿＿

407 □ (1) A: I think Alice deserves* a scholarship*.
B: I agree. ＿＿＿＿＿＿＿＿

□ (2) A: I wonder why Prof. Chen is so popular among foreign students.
B: I think it's because her lectures are very interesting. Moreover, ＿＿＿＿＿＿＿＿.

407 deserve：～に値する　a scholarship：奨学金

408 □ (1) A：最近開店したあのインド料理屋には行ってみましたか。

B：いいえ，行っていません。このごろあまり外食をしません。

□ (2) A：私は料理をする時，あまり油を使いすぎないようにしています。

B：それは健康にいいですね。でも，あなたはイタリア料理が好きですね。オリーブ油はイタリア料理でとてもよく使われますよね。

409 □ (1) A：最近，トニーを見かけましたか。彼に何度も電話をしたり，携帯でメールを送ったりしましたが，反応がありませんでした。

B：本当ですか。3日前に彼を見かけましたよ。彼はスターバックスにいました。

□ (2) A：ジムはトニーを探していましたか。

B：はい，探していました。昨日，彼を見かけた時，私は彼に，トニーを3日前に見かけたと言いました。

□ (3) A：この歌は何ですか。前に聞いたことがあります。

B：その題名は覚えていませんが，アイルランドの伝統的なバラードです。

410 □ (1) A：洗濯物を手伝いましょうか。私はもう自分の部屋を掃除しました。

B：大丈夫です。私ももうすぐ終わります。

□ (2) A：お母さん，テレビを見てもいい？

B：だめよ，サリー。あなたはまだ宿題をやっていないでしょ。

□ (3) A：お昼ご飯を食べませんか。今，準備しているところです。

B：いいえ，結構です。まだ気分が悪いんです。

411 □ (1) A：私はロサンゼルス出身です。

B：本当ですか。私もそうですよ。私はバーバンク出身です。あなたはいかがですか。

□ (2) A：私は和食が好きですが，生魚を食べられません。

B：私も食べられません。でも，いつかお寿司に挑戦してみようと思います。

408 □ (1) A: Have you tried that Indian restaurant that newly opened?
B: No, I haven't. ____________________

□ (2) A: I try not to use too much oil in cooking.
B: It's good for your health. But you like Italian food.
____

409 □ (1) A: Have you seen Tony lately? I called and texted him many times, but he didn't respond.
B: Really? ____________________ He was in the Starbucks.

□ (2) A: Was Jim looking for Tony?
B: Yes, he was. When I saw him yesterday,
____________________.

□ (3) A: What is this song? ____________________
B: I don't remember its title, but it's a traditional Irish ballad.

410 □ (1) A: Do you want me to help you with the laundry*?
____
B: It's okay. I'm almost done with it.

□ (2) A: May I watch TV, mom?
B: No, Sally. ____________________

□ (3) A: Would you like to have lunch? I'm preparing it now.
B: No, thank you. ____________________

411 □ (1) A: I'm from Los Angeles.
B: Really? ____________________ I'm from Burbank. How about you?

□ (2) A: I like Japanese food, but I can't eat raw fish.
B: ____________________ But I'm thinking of trying sushi someday.

410 laundry：洗濯物

□ (3) A：もうこれ以上食べたくありません。

B：私もです。満腹です。コーヒーでもどうですか。

412 □ (1) 税関には長い列ができていました。私は並んで待つよう言われたので，そうしました。

□ (2) A：明日は晴れると思いますか。

B：そうだといいですね。もし晴れたら，海へ泳ぎに行きます。

413 □ (1) A：日曜日には何をしますか

B：私はよく図書館へ行きますし，私の姉もそうしています。

□ (2) A：私は毎日運動をして，健康によい食べ物を楽しんでいます。もう何年も風邪をひいていません。

B：ということは，あなたはとても健康的な生活を送っているのですね。私たちが手にしている最高の贈り物は健康だと言われますが，まさにそうですね。

414 □ (1) A：ショーは7時に開演ですよね。

B：ええ，でももう6時で，劇場に着くには最低でも30分はかかるでしょう。ですから急いでください。さもないと，よい席がとれないでしょう。

□ (2) A：もし3Dゲームをするなら，これは私たちがご提供できる最高の機器です。

B：このコンピュータがとてもすぐれているのは知っています。しかし，値段が高すぎます。

☐ (3) A: I don't feel like eating any more.
B: __________________ I'm full. Do you want to have some coffee?

412 ☐ (1) There was a long line at customs*. __________________

☐ (2) A: Do you think it will be sunny tomorrow?
B: __________________ If it is sunny, I'll go swimming in the sea.

413 ☐ (1) A: What do you do on Sundays?
B: __________________

☐ (2) A: I do exercise daily and enjoy healthy food. I haven't had a cold for many years.
B: So you live a very healthy life. __________________

414 ☐ (1) A: The show starts at seven, right?
B: Yes, but it's already six, and it'll take at least thirty minutes to get to the theater. So hurry up;
__________________.

☐ (2) A: If you play 3D games, this is the best machine we have for you.
B: I know this computer is very good.
____

412 customs：税関

第23章 前置詞

415 □ (1) 映画がまさに始まろうとしていたちょうどその時，マイクは劇場に到着しました。

□ (2) A：会議はいつ始まりますか。
B：会議はふつうは10時に始まります。

416 □ (1) 昨日，ボーイフレンドと私は映画を観にいきました。そして私はそこでたまたまシンディーに会いました。

□ (2) A：あなたが初めてドイツを訪れたのはいつですか。
B：私は1991年に初めてそこを訪れました。それはベルリンの壁が崩壊した2年後でした。

417 □ (1) さあ，部屋を掃除しましょう。まず，テーブルの上のあれらのおもちゃを取って来なさい。

□ (2) クリスマスの予定は何かありますか。もし何も予定がなければ，クリスマスイブに私といっしょに夕食をとりませんか。

418 □ (1) 駅の改札で，私は駅員に大阪からの電車が到着しているかどうか尋ねました。

□ (2) A：夏休みはいつ取りますか。
B：私は7月24日から休暇を取ります。

419 □ (1) A：明日どこにいくか，何か案はありますか。天気はよくなりそうです。
B：それなら，ビーチに行ってバーベキューをしましょう。

□ (2) 佐々木様，こちらがあなたの搭乗券です。そして，この名札をあなたのかばんにつけて*いただけますか。

420 □ (1) 今朝私は寝坊しました。私がドックに到着すると，フェリーはすでに島に向けて出発していました。

□ (2) A：あなたはここにどのくらい滞在しますか。
B：ここには数日間滞在する予定です。

419 名札：tag　～をつける：attach

415 □ (1) Just as the movie was about to start,
________________.

□ (2) A: When do the meetings begin?
B: ________________

416 □ (1) My boyfriend and I went to see the movie yesterday,
________________.

□ (2) A: When did you first visit Germany?
B: ________________, two years after the Berlin Wall collapsed*.

417 □ (1) Now let's clean up the room. ________________

□ (2) Do you have any plans for Christmas? If you don't have any plans, ________________?

418 □ (1) At the gate of the station, ________________.

□ (2) A: When will you take your summer vacation?
B: ________________

419 □ (1) A: Any idea where to go tomorrow? It will be a good day.
B: ________________

□ (2) Mr. Sasaki, this is your boarding pass*.
____

420 □ (1) I overslept this morning. When I arrived at the dock,
________________.

□ (2) A: How long will you stay here?
B: ________________

416 collapse：崩壊する　419 a boarding pass：搭乗券

421 □ (1) A：式典にはだれが出席しましたか。
B：部員全員がそれに出席しました。

□ (2) A：君のお昼ご飯はどうしたの？
B：1匹のサルが私からお弁当箱を奪ったのよ。

422 □ (1) あそこのソファに座っている男性はジェフです。それからジェーンのそばに立っているあの男性はスコットです。

□ (2) A：あの建物は何か知っていますか。変わった形をしていますね。

B：あれは美術館です。有名な建築家が設計したものです。

423 □ (1) A：今日，あなたはとても忙しそうですね。
B：はい。これはとても急ぎの仕事なのです。それで私はこれを正午までに終えなければなりません。

□ (2) 昨晩，父は何も言わずに自分の同僚たちと飲みにでかけました。母は夜中の12時まで彼の電話を待ちました。彼女は彼に激怒しています。

424 □ (1) あなたに話したいことがあります。私と一緒に来てください。

□ (2) このコンピュータはしばしば反応しなくなります。これはどこかがおかしいと思います。

425 □ A：彼らは何について話していましたか。
B：彼らは今朝起こった事故について話していました。

426 □ (1) A：スタン，あなたはテニスをする？
B：うん，するよ。君も？　放課後，一緒にテニスをしない？

□ (2) テレビドラマの最終話を観るため，私は昨日，8時前に帰宅しました。

427 □ (1) 川の両岸では桜の木が満開できれいでした。それで私たちはしばらく川沿いに歩きました。

□ (2) 対岸はさほど離れていないようでした。それでその男性は海峡*を泳いで渡ろうとしました。

427 海峡：a channel

421 □ (1) A: Who attended the ceremony?
B: ____________________

□ (2) A: What happened to your lunch?
B: ____________________

422 □ (1) The man sitting on the sofa over there is Jeff.
____

□ (2) A: Do you know what that building is? It has a strange shape.
B: It's a museum. ____________________

423 □ (1) A: You seem to be very busy today.
B: Yes. This is a very urgent job, ____________________.

□ (2) Last night, my father went to drink with his colleagues* without saying anything. ____________________ She's furious* at him.

424 □ (1) I have something to tell you. ____________________

□ (2) This computer often stops responding.
____

425 □ A: What were they talking about?
B: ____________________

426 □ (1) A: Do you play tennis, Stan?
B: Yes, I do. You too? ____________________

□ (2) In order to watch the final episode of the TV drama,
____________________.

427 □ (1) The cherry trees were beautiful in full bloom on both sides of the river, ____________________.

□ (2) The other side didn't seem far away,
____________________.

423 a colleague：同僚　furious：激怒した

□ (3) 長い海岸線に沿って走った後，電車はトンネルを通り抜けました。

□ (4) A：私たちはどこに座ればいいですか。
B：その大きなテーブルのまわりに座ってください。

428 □ (1) あなたの車を今すぐに移動させてください。このビルの前は駐車禁止です。

□ (2) A：すみません。郵便局はどこにありますか。
B：郵便局はあのビルの裏にあります。

□ (3) A：銀行がどこにあるか教えていただけますか。
B：銀行はあのビルの向かいにあります。

429 □ (1) A：お招きいただき，ありがとうございます。
B：いえいえ！　わが家へようこそ。どうぞリビングルームにお入りください。

□ (2) どこに隠れているか知ってるぞ。今すぐ台所から出てきなさい！

□ (3) うちのネコを眺めているのは楽しいです。昨日，彼女はテレビセットに飛び乗ろうとして失敗しました。

430 □ (1) もうすぐ雨が降りそうです。私たちの頭上に雨雲があります。

□ (2) 私は自分のカギを1時間以上探していました。ようやく，私はそれを机の下で見つけました。

□ (3) 最近ぐっすり眠れていません。私たちの上の階の人たちがとても騒がしいのです。

□ (4) それは私が見た中でもっとも美しい夕焼けでした。私はただそれを眺めていました。するととうとう太陽が地平線の下に沈みました。

431 □ (1) A：あなたは教室ではどこに座っていますか。
B：私はいつも最前列に座っています。アリソンとジェーンのあいだです。

□ (2) その男は警察官を見ると，逃げだして，群衆の人々の中に消えました。

432 □ (1) 私はメアリーについてあるうわさを聞きました。ジョージによると，彼女はスティーブからラブレターをもらったそうです。

428

☐ (3) After running along a long coastline,

______________.

☐ (4) A: Where should we sit?

B: ______________

428 ☐ (1) Please move your car right now. ______________

☐ (2) A: Excuse me. Where is the post office?

B: ______________

☐ (3) A: Could you tell me where the bank is?

B: ______________

429 ☐ (1) A: Thank you for inviting me.

B: Sure! Welcome to our house. ______________

☐ (2) I know where you're hiding. ______________

☐ (3) It is fun watching my cat. Yesterday,

______________.

430 ☐ (1) It looks like it's going to rain soon. ______________

☐ (2) I was looking for my key for over an hour. At last,

______________.

☐ (3) I haven't been able to get a good night's sleep these days. ______________

☐ (4) It was the most beautiful sunset I had ever seen. I was just watching it, and finally, ______________.

431 ☐ (1) A: Where do you sit in the classroom?

B: ______________

☐ (2) When the man saw a police officer,

______________.

432 ☐ (1) I heard a rumor about Mary. ______________

□ (2) 今日は残念なニュースがあります。マイクは腕の骨折のせいでチームに加わることができませんでした。

第24章 接続詞

433 □ (1) 私たちは会議室でゲイリーを待っていました。彼は時間どおりにやってきて，私たちは会議を始めました。

□ (2) A：昼食に何を買いましたか。
B：私はチーズバーガーとフライドポテトを買いました。

434 □ 彼の話し方はとても堂々としたものでした。最初に彼の話を聞いた時，私はそれを真実だと思いましたが，実際はそうではありませんでした。

435 □ A：あなたはよく買い物をするために海外に行きますか。
B：はい，行きます。今年の夏は，香港かシンガポールに行きたいです。

436 □ 私たちは日本に20年間住んでいます。ですから息子のスティーブは日本語を話すことも書くこともできます。

437 □ (1) A：あの上品な女性はだれだと思いますか。
B：彼女は社長か重役*のどちらかだと思います。

□ (2) 私たちは，どうすべきか途方にくれています。その男の子は自分がうそをついたことを認めてもいませんし，否定もしていません。

438 □ (1) A：お父さん，明日の朝サーフィンに行っていい？
B：朝早く起きなさい。そうすれば朝食の前にサーフィンに行く時間があるよ。

□ (2) あなたはいつも車のスピードを出し過ぎです。もっとゆっくり運転しなさい。そうしないと事故を起こしますよ。

437 重役：a director

□ (2) Today, we have bad news. ＿＿＿＿＿＿＿＿

433 □ (1) We were waiting for Gary in the meeting room.
＿＿＿＿＿＿＿＿

□ (2) A: What did you buy for lunch?
B: ＿＿＿＿＿＿＿＿

434 □ His way of talking was so impressive*. When I first heard his story, ＿＿＿＿＿＿＿＿.

435 □ A: Do you often go abroad for shopping?
B: Yes, I do. ＿＿＿＿＿＿＿＿

436 □ We've lived in Japan for twenty years,
＿＿＿＿＿＿＿＿.

437 □ (1) A: Who do you think that elegant lady is?
B: ＿＿＿＿＿＿＿＿

□ (2) We're at a loss what we should do. ＿＿＿＿＿＿＿＿

438 □ (1) A: Dad, can I go surfing tomorrow morning?
B: ＿＿＿＿＿＿＿＿

□ (2) You always drive too fast. ＿＿＿＿＿＿＿＿

434 impressive：堂々とした

439 □ (1) 私の弟はゲームのプログラミングが得意です。彼は1台ではなく2台のコンピュータを持っています。

□ (2) 私の父は貿易会社で働いています。彼は英語だけでなくスペイン語も話します。

440 □ (1) 私は有名人になど少しもなりたくありません。私が必要としているのは名声でもなければ，お金でもありません。

□ (2) 私は自分の家に爬(は)虫類といっしょに住むなんて想像できません。とにかく，ヘビは見たくないし，触りたくもありません。

441 □ (1) A：お巡りさん，私は自分のフライトに間に合うようとても急いでいたんです。

B：そのような言い訳は認められません。あなたは速度制限を破ったので，罰金を支払わなければならないでしょう。

□ (2) A：今朝は何時に起きましたか。

B：私は5時に起きました。というのも，日の出を見たかったからです。

442 □ (1) 信じがたいかもしれません。でもビルが入学試験に合格したのは本当です。

□ (2) あなたはまた同じ間違いをしたね。問題は，あなたが自分の間違いから決して学ばないことです。

□ (3) 私のおじは平凡な事務員のように見えます。彼が有名なアーティストだなんて，信じられません。

443 □ (1) A：トーマスは発明の才能があると思います。

B：同感です。彼はきっと自分の事業で成功するでしょう。

444 □ (1) 科学者たちは火星に水の痕跡を確認しました。しかしその惑星に生物がいるかどうかわかりません。

□ (2) A：私はその女性候補者が選挙に勝つことを本当に願っています。

B：私もです。問題は，有権者*が彼女を選ぶかどうかです。

444 有権者：a voter

439

439 □ (1) My brother is good at programming games.

____

□ (2) My father works at a trading company.

____

440 □ (1) I don't want to become a celebrity* at all.

____

□ (2) I can't imagine living with a reptile* in my house. Above all, _______________.

441 □ (1) A: Officer, I was in a big hurry to catch my flight.

B: Such an excuse cannot be accepted.

____

□ (2) A: What time did you get up this morning?
B: _______________

442 □ (1) It might be hard to believe, _______________.

□ (2) You made the same mistake again! _______________

□ (3) My uncle looks like an ordinary* office worker.

____

443 □ A: I think Thomas has a talent for inventing.
B: I share the same view. _______________

444 □ (1) Scientists have identified* traces* of water on Mars,

_______________.

□ (2) A: I do hope the female candidate* will win the election.
B: Me too. _______________

トレーニング Step 2

440 a celebrity：有名人　a reptile：爬(は)虫類　442 ordinary：平凡な
444 identify：～を確認する　a trace：痕跡　a candidate：候補者

□ (3) A：あの女性はだれかしら。彼女はあなたに何と言いましたか。
B：彼女は私たちに何か飲むものがほしいかと尋ねました。彼女はボランティアです。

445 □ (1) この写真は，私に幼少期を思い出させます。私は子どものころ，その川へよく泳ぎに行きました。

□ (2) この近くに交番はありますか。公園でジョギングしているあいだに，サイフを見つけました。

446 □ (1) A：インド旅行のために何か準備する必要はありますか。
B：はい。入国前にビザを取得する必要があります。

□ (2) 私の兄は今，ドイツのベルリンで働いています。彼はそこへ引っ越してからドイツ語を学び始めました。

447 □ (1) 私のおじはハワイに住んで和食レストランを経営しています。彼は20歳の時からそこに住んでいます。

□ (2) A：お時間はありますか。私たちは話し合う必要があります。
B：そうですね，でも私はこれから郵便局へ行く必要があります。私が戻るまで待ってくれますか。

448 □ (1) 彼女の犬のラリーは，いつも玄関で彼女の帰宅を待っています。彼女の足音が聞こえるとすぐに，彼は尻尾を振り*始めます。

□ (2) A：私は車を買う予定です。
B：いい考えですね。いったん車を手に入れたら，どこでも行きたい場所に行けますよ。

449 □ (1) 私はブラウンさんにうそをつくべきではありませんでした。私が本当のことを言わなかったので，彼はとても怒っていました。

□ (2) A：そのパーティーに行きたいんだ。行ってもいい？
B：あなたは熱があるから，今夜は家にいたほうがいいわ。

450 □ (1) あなたがその講義に出席しなかったのは正解です。それはとても退屈だったので，生徒の半分が眠ってしまいました。

448 （犬などが尾）を振る：wag

□ (3) A: I wonder who that woman is. What did she say to you?
B: ____________ She's a volunteer worker.

445 □ (1) This photo reminds me of my childhood.
____

□ (2) Is there a police box near here? ____________

446 □ (1) A: Do I need to prepare anything for my trip to India?
B: Yes. ____________

□ (2) My brother is now working in Berlin, Germany.
____

447 □ (1) My uncle lives in Hawaii running a Japanese restaurant. ____________

□ (2) A: Do you have time? We need to talk.
B: OK, but now I need to go to the post office.
____

448 □ (1) Her dog, Rally, always waits for her to come home at the front door. ____________

□ (2) A: I'm planning to buy a car.
B: Good idea. ____________

449 □ (1) I shouldn't have told a lie to Mr. Brown.
____

□ (2) A: I want to go to the party. May I?
B: ____________

450 □ (1) You are right not to have attended the lecture.
____

□ (2) A：映画はどうでしたか。おもしろかったですか。

B：とんでもない。とても退屈な映画だったので，10分以内に眠ってしまいました。

451 □ A：だれもいないところで話せますか。

B：もちろん。だれも入れないように，ドアにカギをかけましょうか。

452 □ (1) A：ほかに何かあなたのために私にできることはありますか。

B：時間があれば，私のレポートを読んでいただけますか。

□ (2) A：もしかしてジョンが何時に到着するかご存知ですか。

B：飛行機が遅れないかぎり，彼はここへ6時に来るでしょう。

453 □ ミキの両親は中国出身ですが，彼女は日本で生まれました。彼女は中国語を話すことはできますが，書くことはできません。

454 □ 失敗は成功の母だということを心に留めておきなさい。たとえ間違いをしても，あきらめてはいけません。

455 □ (1) A：夕飯後にテレビを見ていい？　大好きなアニメを見たいんだ。

B：そうね，宿題を先にするなら，テレビを見てもいいわよ。

□ (2) ミッシェルは盗みを働いたとして不当に訴えられています。私が知る限りでは，彼は罪を犯して*いません。

456 □ (1) A：あなたは時間までに来ることができますか。

B：たぶん。でも私が遅れたら，私ぬきで始めてください。

□ (2) A：天気予報によると，今日は降水確率20％だそうです。

B：それなら，雨が降るといけないからかさを持ってくよ。

457 □ 食べる物にそんなに好き嫌いがあってはいけません。好きであろうとなかろうと，そのニンジンを食べなくてはいけません！

455 罪を犯した：guilty

☐ (2) A: How was the movie? Was it interesting?
B: No way! ____________________

451 ☐ A: Can we talk in private?
B: Sure. ____________________

452 ☐ (1) A: What else can I do for you?
B: ____________________

☐ (2) A: Do you happen to know what time John is arriving?
B: ____________________

453 ☐ Miki's parents are from China, but she was born in Japan.
____

454 ☐ Keep in mind that failure is the mother of success.
____

455 ☐ (1) A: Can I watch TV after dinner? I want to watch my favorite anime.
B: Well, ____________________ .

☐ (2) Michel is accused* unfairly of theft. ____________________

456 ☐ (1) A: Are you able to arrive in time?
B: Probably. ____________________

☐ (2) A: The weather forecast says there is a 20 percent chance of rain today.
B: ____________________

457 ☐ Don't be so picky* about what you eat. ____________________

455 accuse：～を訴える　457 picky：（食べ物に）好き嫌いのある

Step 1
日本語訳

Step 1のTARGET例文の日本語訳を掲載しています。

音声の聞き方

QRコードを「いいずなボイス」で読み取ると音声を聞くことができます。この音声はStep 1のトレーニング④で使用します。音声は,「日本語」→ポーズ→「英語」の順で流れます。ポーズの部分で英語を発話し,そのあとの英語で確認しましょう。

「Step 1 日本語訳」の音声を通しで聞きたい場合

「Step 1 日本語訳」の音声を,章ごとに通しで聞きたい場合は,下記QRコードを読み取ってください。

第1章 第2章 第3章 第4章 第5章 第6章

第7章 第8章 第9章 第10章 第11章 第12章

第13章 第14章 第15章 第16章 第17章 第18章

第19章 第20章 第21章 第22章 第23章 第24章

001
日本語音声

第1章 文の種類

001 □ (1) a. 私の姉は大学生です。
b. 私の姉は会社員ではありません。

□ (2) a. 私たちは土曜日も学校に行きます。
b. 私たちは日曜日は学校に行きません。

□ (3) a. 私の兄はとても速く泳ぐことができます。
b. 私の姉はそれほど速く泳ぐことができません。

002 □ (1)「おなかはすいていますか。」「はい，すいています。」

□ (2)「彼女の名前を知っていますか。」「はい，知っています。」

□ (3)「ピアノをひくことができますか。」「いいえ，できません。」

003 □ (1)「だれがこの絵を描いたのですか。」「私の父です。」

□ (2)「何をしてるの？」「マイクを待っているんだ。」

□ (3)「いつその事故のことを聞いたの？」「今朝よ。」

□ (4)「いつ彼は帰ってくるんだい？」「わからないな。」

004 □ (1) 気をつけて！

□ (2) 待ってよ。

□ (3) そんなにうるさくするな！

□ (4) 心配しないで。

005 □ (1) あなたはなんて親切なんでしょう！

□ (2) これはなんて美しい石なんでしょう！

006 □ (1)「ここには自転車で来ましたか，歩いて来ましたか。」「自転車で来ました。」

□ (2)「イヌとネコとどちらが好きですか。」「ネコのほうが好きです。」

007 □ (1) ドアを開けてください。

□ (2) 塩をとってくれませんか。

□ (3) 少し休みましょう。

第2章 動詞と文型

008 □ (1) 彼は動かなかった。

□ (2) 彼はその机を動かさなかった。

009 □ (1) 昨日は頭痛がしました。

□ (2) 私の兄はサーフィンが好きです。

010 □ 彼はほほえんだ。

011 □ その映画はおもしろかった。

012 □ 私たちは教室をそうじした。

013 □ 父は私に腕時計を買ってくれた。

014 □ 彼らは私を怒らせた。

015 □ (1) おじは自分の腕時計を私にくれた。

□ (2) おじがMP3プレーヤーを私に買ってくれた。

016 □ (1) テーブルの下にネコがいます。

□ (2) 公園には子どもが3人います。

017 □ (1) 彼は私のところに走って来た。

□ (2) 彼は喫茶店を経営している。

018 □ (1) リンダは高校のときの同級生と結婚した。

□ (2) 私たちは彼の計画について議論した。

019 □ あなたの言うことには同意しません。

020 □ (1) 娘への贈り物を探しています。

□ (2) その議論は何時間も続いた。

021 □ (1) 彼女は地震のあいだ，ずっと落ち着いていた。

□ (2) 私は試験の前には緊張します。

□ (3) 絹はなめらかなさわりごこちだ。

□ (4) 彼女は，初めのうちは内気に見えた。

022 □ (1) パーティーは楽しかった。

□ (2) マイクは野球の試合でけがをした。

023 □ (1) 私はジムに10ドル貸した。

□ (2) 彼は私においしい料理を作ってくれた。

024 □ (1) 彼女は机をきれいにしておく。

□ (2) 私たちは彼のことをテディと呼ぶ。

□ (3) あなたは彼のお兄さんをかっこいいと思うでしょう。

第3章 動詞と時制

025 □ 私はチョコレートアイスクリームが大好きです。

026 □ 私は朝食の時にはいつもコーヒーを飲む。

027 □ 地球は太陽の周りを回る。

028 □ (1) 彼女は今，ピアノをひいています。

□ (2) このごろ私は，野菜をたくさん食べています。

029 □ 先週，その店は若い人たちでいっぱいだった。

030 □ 私はたいてい自転車で通学した。

031 □ 私たちは昨夜，コンサートに行った。

032 □ (1) 正午ごろ，私はテレビを見ていた。

□ (2) 私は一晩中せきをしていた。

033 □ (1) 私の兄は来年20歳になります。

□ (2) 明日返事をします。

034 □ (1) 私はデジタルカメラを買うつもりです。

□ (2) 来年留学するつもりですか。

□ (3) 雨が降るだろう。

035 □ (1) 明日の今ごろは，私たちはテニスをしているだろう。

□ (2) 来週，彼を空港に迎えに行くことになっている。

036 □ (1) 冬が来ると，その鳥は南へ飛んでいくだろう。

□ (2) 明日晴れたら，泳ぎに行こうよ。

037 □ (1) 動物園の年老いたクマは死にかけている。

□ (2) その飛行機は，5番ゲートに停止しようとしていた。

□ (3) うちの赤ん坊は，日に日に大きくなってきている。

038 □ (1) トムはいつも他人のことを考えている。

□ (2) メグはいつもお菓子を食べてばかりいる。

039 □ 私たちが乗る飛行機は11時45分に出発する。

040 □ (1) 私は明日の朝，パリへ向けて出発します。

□ (2) 君は6時に家に帰ってくると思っていたよ。

041 □ (1) サッカーの試合が始まろうとしている。

□ (2) 私たちはその試合を今にもあきらめようとしていた。

□ (3) 大統領は今夜，テレビで演説することになっている。

第4章 完了形

042 □ (1) 子どものころからポールとは知り合いだ。

□ (2) 彼は昨夜からここにいない。

□ (3) あなたは昨夜からここにいるのですか。

043 □ (1) もうお金を全部使ってしまったんです。

□ (2) ヘンリーはちょうど宿題をやり終えたところです。

044 □ (1) 私は2度，ロンドンを訪れたことがある。

□ (2) 今までに富士山に登ったことがありますか。

045 □ (1) 私たちは1992年からこの家に住んでいます。

□ (2) グレッグと私は，知り合ってから20年になる。

046 □ (1) 私は30分間，このパズルをやり続けている。

□ (2) ここでどのくらい待っているのですか。

047 □ (1) 彼は昨夜ここに着いた。

□ (2) 最近彼に会っていない。

048 □ 警察が駆けつけた時には，すでにその男は逃げてしまっていた。

049 □ 私たちが競技場に着いた時，すでに試合は始まっていた。

050 □ 大学に入るまで，私は1度も外国人と話したことがなかった。

051 □ 彼らが結婚した時，知り合ってから10年になっていた。

052 □ ガソリンスタンドを見つけた時，私は2時間ずっと運転していた。

053 □ 彼の車の中にかさを置き忘れたことに気づいた。

054 □ 来月にはこれらの葉は赤く色づいているだろう。

055 □ 3時までには，コンサートは終わってしまっているだろう。

056 □ もう1回見たら，私はそのミュージカルを3回見たことになる。

057 □ 来月で私たちは結婚して20年になります。

058 □ (1) イタリア語のレッスンを終了したら，ローマに行くつもりです。

□ (2) 今日の午後までに雨がやんでいれば，買い物に行きます。

□ (3) 十分な睡眠をとっていない時に，車の運転をしてはいけない。

第5章 助動詞

059 □ (1) デイビッドは日本語を話すことはできるが，書くことはできない。

□ (2) 明日の午前中ならお会いすることができます。

□ (3) あなたはすぐに泳げるようになるでしょう。

060 □ (1) 彼女は5歳でバイオリンが弾けた。

□ (2) 私は昨日，200メートル泳ぐことができた。

061 □ (1) チケットがあれば，入場できます。

□ (2) ここに駐車してはいけません。

□ (3) ラジオをつけてもいいですか。

062 □ (1) 窓を開けてくれませんか。

□ (2) その本を貸していただけませんか。

063 □ (1) トイレをお借りしてもよろしいですか。

□ (2) この部屋に入ってはいけません。

064 □ (1) あなたはその会合に出席しなければならない。

□ (2) 私の夏休みについてのレポートを書かなければならなかった。

065 □ (1) 授業中に携帯電話を使ってはいけない。

□ (2) ここでくつを脱ぐ必要はありません。

066 □ (1) あなたは毎日運動すべきです。

□ (2) エネルギーを節約すべきだ。

067 □ その事故のことを警察に通報しなさい。

068 □ (1) だれにだって間違いはありうる。

□ (2) 空のあの光は飛行機かもしれない。

□ (3) 彼の話が真実だなんて，ありうるだろうか。

069 □ (1) 明日はいくらか雨が降るかもしれません。

□ (2) 彼は奥さんといっしょにパーティーに来るかもしれません。

070 □ (1) 電話が鳴っている。たぶん私の父だろう。

□ (2) それが一番よい解決策でありそうだ。

071 □ (1) 彼女はボビーのお姉さんに違いない。

□ (2) カレンが今，家にいるはずはない。

072 □ (1) 両親は今ごろはボストンにいるはずだ。

□ (2) お客様は数分後にお越しになるはずです。

073 □ (1) 新しい仕事に全力を尽くすつもりです。

□ (2) 彼は私たちの助言を聞こうとしない。

□ (3) 私の弟は，少年のころ，どうしてもニンジンを食べなかった。

074 □ (1) 祖父は日曜日になるとよく釣りに出かける。

□ (2) 祖父は週末に私をよく動物園に連れていってくれたものでした。

075 □ (1) 窓を閉めてくれませんか。

□ (2) 少しのあいだ静かにしていていただけませんか。

076 □ (1) お茶をいれましょうか。

□ (2) これらの古い雑誌は捨てましょうよ。

077 □ 私のことは心配しなくてもいい。

078 □ 以前は仕事のあとにジムに行ったものだが，今は行かない。

079 □ 以前，この角に郵便局があった（が今はない）。

080 □ (1) この冗談は前に聞いたことがあるかもしれませんね。

□ (2) カギはあなたのポケットから落ちたのかもしれないですね。

081 □ 彼はその店にカサを忘れたのかもしれない。

082 □ 彼は私にうそを言ったに違いない。

083 □ 正午にはその試合は始まっていたはずだ。

084 □ (1) 彼があなたの計画を受け入れたはずがない。

□ (2) 彼女がその違いに気がついたはずがない。

085 □ あなたは7時に起きるべきだったのに。

086 □ そんなにたくさんの肉を買う必要はなかったのに。

087 □ (1) あなたたちのチームに入りたいのですが。

□ (2) 私は家にいたいのです。

088 □ 彼女はたぶん旅行の後で疲れているのだろう。

089 □ (1) 君はあの問題を解くことは決してできないよ。あきらめたほうがいいよ。

□ (2) あんなものを買うなんて，お金を捨てるようなものだよ。

090 □ (1) 彼があなたを好きなのは当然だ。

□ (2) あなたがこの国を離れなければならないなんて残念だ。

091 □ (1) あなたにはこの薬を飲むことが必要だ。

□ (2) 医師の助言に従うことは必要不可欠だ。

092 □ (1) そのホテルに泊まることをお勧めします。

□ (2) 彼は私がその会議に出ることを要求した。

第6章 態

093 □ (1) この車は私の兄によって修理された。

□ (2) この寺は約500年前に建てられた。

094 □ その本は図書館から借りることができる。

095 □ その競技場は，現在建設中です。

096 □ この歌はたくさんの歌手によって歌われてきた。

097 □ (1) 彼の名前はそのリストにのっていなかった。

□ (2) 下品なことばは教室で使ってはいけません。

098 □ このかばんはイタリア製ですか。

099 □ (1) だれがそのパーティーに招待されましたか。

□ (2) この橋はいつ造られたのですか。

100 □ (1) ジムはメアリーからクリスマスカードを送られた。

□ (2) クリスマスカードが，メアリーによってジムに送られた。

101 □ その赤ちゃんは祖父によってカールと名づけられた。

102 □ そのネコは私の姉に世話をされた。

103 □ (1) 彼のお母さんは女優だそうです。

□ (2) 彼のお母さんは女優だと言われています。

104 □ (1) 街灯は日没時に点灯された。

☐ (2) 街灯は点灯されていた。

105 ☐ サッカーをしていた時に，私のメガネが壊れた。

106 ☐ (1) その山の頂上は雪で覆われている。

☐ (2) そのドライバーはその事故で亡くなった。

107 ☐ 彼女はその知らせにショックを受けた。

第7章 不定詞

108 ☐ (1) 私たちの計画は，明日その山に登ることです。

☐ (2) 運転免許を持っていると便利だ。

109 ☐ (1) 私の息子は歯医者さんに診てもらう必要がある。

☐ (2) サムは友人をつくることは簡単だと思っている。

110 ☐ (1) 私は，私の仕事を手伝ってくれる人を探しています。

☐ (2) やらなければならない宿題がたっぷりある。

☐ (3) 何か書くものを持っていますか。

111 ☐ 私たちは，女優になるという彼女の決心に驚いた。

112 ☐ 彼女は車を買うために一生懸命働いている。

113 ☐ 彼らが帰宅してみると，窓が割れていることがわかった。

114 ☐ あなたにお会いできてとてもうれしいです。

115 ☐ (1) その理論を理解しているとは，彼は天才に違いない。

☐ (2) そんな間違いをするなんて，君は不注意だったね。

☐ (3) 手伝ってくださるなんて，どうもご親切に。

116 ☐ (1) 君にはもっと慎重になってもらいたい。

☐ (2) 母は私にもっと野菜を食べるようにと言った。

☐ (3) 父は私が留学することを許してくれた。

117 ☐ (1) 彼女は友だちを出迎えるために空港に行った。

□ (2) よい仕事を見つけるのは難しい。

□ (3) 彼の夢は，映画スターになることだ。

118 □ 君は，医者に診てもらうことが必要だ。

119 □ 彼は二度と遅刻しないと約束した。

120 □ (1) 母は私をその店の外で待たせた。

□ (2) 私の計画を説明させてください。

□ (3) 彼はその医者に脚を診てもらった。

121 □ 私はその男の子が転ぶのを見た。

122 □ (1) ぼくの犬は，英語を理解しているようだ。

□ (2) 子どもたちはうれしそうだった。

123 □ (1) ローマ人がこの城を建てたらしい。

□ (2) その男の子は事故でけがをしたようだった。

124 □ (1) 船が沈みかけているみたいだぞ！

□ (2) 私をひとりにしておいてほしい。

125 □ (1) 私は本屋で偶然ジムに会った。

□ (2) 彼の話は本当だとわかった。

126 □ 私はその小さな町が好きになった。

127 □ (1) 次の会合は香港で開催されることになっている。

□ (2) 入口で学生証を見せなければなりません。

□ (3) 物音ひとつ聞こえなかった。

128 □ (1) 詩は翻訳するのが難しい。

□ (2) 私たちの先生は話しやすい。

129 □ このカレーは私が食べるには辛すぎる。

130 □ 彼女は親切にも私の荷物を運んでくれた。

131 □ 彼女は私の荷物を運んでくれるほど親切だった。

132 □ (1) 渋滞を避けるために，私は早く出発した。

□ (2) その電車に乗り遅れないように，私は急いだ。

133 □ あなたは自分の子どもたちに泳ぎ方を教えるべきです。

134 □ (1) 本当のことを言えば，あのジャケットは君には似合わないよ。

□ (2) 不思議な話なんだが，その行方不明の飛行機はついに見つからなかったんだ。

135 □「映画を見に行かない?」「ぜひ行きたいわ。」

第8章 動名詞

136 □ (1) 私の趣味は，写真を撮ることです。

□ (2) 人の名前を覚えることは難しい。

137 □ 私の祖父はゴルフをするのが好きだ。

138 □ 彼女はクッキーを焼くのが上手です。

139 □ (1) 私の兄はコンピュータ・ゲームをするのが好きではない。

□ (2) 見ることは信じること。[百聞は一見にしかず]

□ (3) 彼の趣味は，切手を集めることだ。

140 □ (1) 兄は，私がコンピュータ・ゲームをするのが好きではない。

□ (2) 私たちのチームがその試合で勝つことを，私は確信している。

141 □「ありがとう」と言わないのは失礼だ。

142 □ 私は子ども扱いされるのは好きではない。

143 □ 彼女はオリンピックでメダルを獲得したことを誇りに思っている。

144 □ (1) その男の子は，自分で朝食を作ることに慣れている。

□ (2) またお会いするのを楽しみにしています。

145 □ (1) 将来何が起こるかはわからない。

□ (2) 過去のことをくよくよしてもむだだよ。

□ (3) もう一度言っていただけませんか。

146 □ (1) 寝る直前に食べるのは避けるべきだ。

□ (2) 私はそのネコを探すのをあきらめた。

147 □ (1) マサコは留学することを決めた。

□ (2) 私は来年イタリアに行きたいと思う。

148 □ (1) 彼女に会ったことは決して忘れません。

□ (2) 彼女に会うのを忘れないでね。

149 □ (1) ドアのカギをかけたことを覚えていますか。

□ (2) ドアのカギをかけるのを覚えておいてね。

150 □ (1) 私はあなたの申し出を断ったことを後悔しています。

□ (2) 残念ながら，あなたの申し出をお断りしなければなりません。

151 □ (1) 彼はその岩を持ち上げてみて，そんなに重くないことがわかった。

□ (2) 彼はその岩を持ち上げてみようとしたが，できなかった。

152 □ (1) スーは，その知らせを聞いた時，泣きだした。

□ (2) トレーシーは昔のフォークソングを歌うのが大好きだ。

153 □ (1) 彼は写真を撮るのをやめた。

□ (2) 彼は写真を撮るために立ち止まった［立ち止まって写真を撮った］。

154 □ (1) 私はひとりで旅行をすることを不安に思っている。

□ (2) 私はひとりで旅行に行きたいのです。

第9章 分詞

155 □ (1) あそこで絵を描いている少女はだれですか。

□ (2) 小さな少女によって描かれた絵が，コンテストで優勝した。

156 □ (1) だれかがあの燃えている家の中にいるぞ！

□ (2) 警察は，その車の中で盗まれたお金を見つけた。

157 □ (1) それはわくわくする試合だった。

□ (2) 私はたくさんの興奮したサポーターを見かけた。

158 □ (1) 彼は私のことを愛していると言い続けた。

□ (2) 彼の目は閉じられたままだ。

159 □ (1) 彼らは笑いながらその部屋に入っていった。

□ (2) その先生は生徒たちに囲まれて座っていた。

160 □ (1) 彼は私を40分間待たせた。

□ (2) 私たちは，いつもその窓のカギはかけておく。

161 □ (1) そのコメディアンは人々を笑わせた。

□ (2) 彼はその機械を動かした。

162 □ (1) 私は有名な美容室で髪を切ってもらった。

□ (2) 私は電車のドアに指をはさまれた。

□ (3) 作文を明日までに書き上げてしまいなさい！

163 □ (1) 私たちは鳥が巣を作っているのを見た。

□ (2) 私は，小さな女の子が母親にしかられるのを見た。

164 □ (1) 母は歌を歌いながら，台所のそうじをしている。

□ (2) 飛行機から見ると，その島は船のように見える。

165 □ 数人の女の子が，話をしながら道を歩いている。

166 □ 浜辺を歩いている時，私はきれいな貝殻を見つけた。

167 □ かばんからカギを取り出して，彼はその箱を開けた。

168 □ 簡単な英語で書かれているので，この本は理解しやすい。

169 □ 何を言えばよいのかわからず，彼は黙っていた。

170 □ 原作を読んでいたので，私はすでにその映画の結末を知っていた。

171 □ 北海道でスキーをしている時に，彼は足首をねんざした。

172 □ 月曜日だったので，その理髪店は閉まっていた。

173 □ (1) 率直に言って，この仕事は退屈だと思う。

□ (2) 子どもと言えば，娘さんは今いくつですか。

174 □ (1) その犬は，舌をだらっとたらしてそこに座っていた。

□ (2) 彼は，腕を組んで私たちの正面に立っていた。

175 □ (1) 車が来るよ。

□ (2) 私たちは銀座に買い物に行った。

□ (3) 私たちはパーティーの準備でとても忙しい。

第10章 比較

176 □ (1) 私の弟は，私の父と同じくらいの身長です。

□ (2) 私は，私の兄と同じくらい速く走ることができます。

177 □ 私は妹ほど歌がうまくない。

178 □ 私はあなたと同じくらいの数の本を持っています。

179 □ (1) この部屋はあの部屋の2倍の大きさだ。

□ (2) あの部屋はこの部屋の半分の大きさだ。

180 □ (1) できるだけ早く医者を呼んでくれ！

□ (2) 医者はできるだけ急いでやってきた。

181 □ (1) この石はあの石よりも重い。

□ (2) 彼女は私よりも英語を話すのがうまい。

□ (3) 私の姉は私よりたくさんのCDを持っている。

182 □ 彼は私の父より若いということはない。

183 □ (1) この家は私の家よりもずっと大きい。

□ (2) スーはティムより3歳年下だ。

184 □ この車はあの車ほど値段は高くない。

185 □ 彼は実際の年齢よりずっと若く見える。

186 □ (1) 彼はこの学校でもっとも速い短距離走者です。

□ (2) 彼は私たちの中でもっとも速く泳ぐ。

187 □ 彼女はこの国で抜群に歌のうまい歌手だ。

188 □ これがこの店でもっとも高くないコンピュータです。

189 □ ここは，このホテルでもっともよい部屋の1つです。

190 □ ヘンリーはこのクラスで2番目に背の高い学生です。

191 □ アラスカほど大きな州は合衆国にない。

192 □ アラスカより大きな州は合衆国にない。

193 □ アラスカは合衆国のほかのどの州よりも大きい。

194 □ そのドラマは悲劇というよりは，むしろ喜劇でした。

195 □ (1) 彼女はあいかわらず元気そうだ。

□ (2) 彼はきわめて偉大な俳優です。

□ (3) 彼はきわめて正直な男です。

196 □ 5万羽もの鳥がここで冬を越す。

197 □ 私たちは2匹の子犬のうち，小さいほうを選んだ。

198 □ (1) その木はますます高くのびている。

□ (2) 英語がわかるということが，ますます重要になっている。

□ (3) 最近，ますます多くの人が海外旅行に出かけている。

199 □ (1) 学べば学ぶほど，それだけ知識が増える。

□ (2) 私の犬は年をとればとるほど，ますます太っていく。

200 □ (1) 彼は正直なので，私たちはよりいっそう彼のことを尊敬しています。

□ (2) 彼女には子どもがいるので，それだけいっそう一生懸命働くのです。

201 □ 彼の行為は無礼というよりはむしろ愚かだった。

202 □ 彼は簡単な報告書も書けないのだから，ましてや小説などとうてい書けるはずがない。

203 □ (1) 人間は知能の点でゴリラよりも優れている。

□ (2) スポーツは見るよりもするほうが好きだ。

204 □ 若い世代の人たちはコンピュータをいやがらない。

205 □ (1) 私たちの推測は，ほぼ正しかった。

□ (2) 遅かれ早かれ，よい解決策が見つかるよ。

□ (3) 私は救命胴衣も着けずにヨットに乗るような愚か者ではないよ。

206 □ そのビデオカメラは私の手と同じくらいの大きさしかない。

207 □ (1) 寝過ぎは，食べ過ぎと同じように，健康によくない。

□ (2) リラックスすることは，仕事をするのと同じように大切なことだ。

208 □ (1) 彼はその仕事に対して，私に3,000円しか払ってくれなかった。

□ (2) その劇場には，せいぜい20人しか人がいなかった。

209 □ (1) 彼女はその仕事に対して，私に30,000円も払ってくれた。

□ (2) その費用は，少なくとも20,000円になるでしょう。

210 □ (1) 私は友人たちと一緒にいる時がもっとも幸せだ。

□ (2) この湖は，ここが一番深い。

211 □ どんなに勇敢な人でも，時にはおそれを感じる。

212 □ (1) そこに着くまで，せいぜい10分しかかからないだろう。

□ (2) そこに着くまで，少なくとも3時間はかかるだろう。

213 □ (1) 人々は，プレッシャーの下にあるとき，もっとも力を発揮する。

□ (2) その小さな工場は，最高でも1カ月に30台の車しか生産できない。

第11章 関係詞

214 □ (1) 私にはボストンに住んでいる友人がいます。

□ (2) 彼らは丘の上に立っている家に住んでいます。

215 □ (1) 私が通りで出会った男性は，銀行で働いている。

□ (2) 私は，図書館から借りた本を読んでいる。

216 □ (1) 彼には，奥さんが歌手の友人がいる。

□ (2) 私は，ジャズがテーマの本を探しています。

217 □ (1) 私は，ポケットの中にあったお金を彼に貸した。

□ (2) 私が昨日買ったCDはどこにあるの？

218 □ (1) 彼は，アンがファンレターを送った俳優だ。

□ (2) これは，私が生まれた町だ。

219 □ (1) 私を不安にさせるのは，試験の成績のことだ。

□ (2) 彼らは自分たちが見たものを信じられなかった。

□ (3) この腕時計はまさに私がほしかったものだ！

220 □ (1) 彼は病院で出会った女性と結婚した。

□ (2) 彼は私の姉と結婚したが，彼女とは病院で出会ったんだ。

221 □ (1) 彼は私にチョコレートをいくつかくれ，私はそれらをすぐに食べてしまった。

□ (2) 彼女は私に本を何冊か貸してくれたが，それほどおもしろくなかった。

□ (3) 私はロッドに電話した。というのも彼が私の外出中に電話をくれたからだ。

222 □ (1) 彼は茶色のスーツを着ていたが，それはイタリアで作られたものだった。

□ (2) 彼は幽霊は怖くないと言っていたが，それは本当ではなかった。

□ (3) 昨日は1日中雨だったが，それは思ったとおりだった。

223 □ これが私のおばが働いている病院です。

224 □ 地球上に恐竜が生きていた時代がありました。

225 □ (1) 今日，そんなにうれしそうな顔をしている理由を教えてよ。

□ (2) 私は本当に甘いものが好きです。そういうわけで歯が悪いのです。

226 □ そのようにして，彼はビジネスに成功したのです。

227 □ (1) 彼女はニューヨークへ引っ越し，そこで音楽の勉強をした。

□ (2) 7時に私がシャワーを浴びていると，その時明かりが消えたんだ！

228 □ (1) そのクラブは入会金を払う人ならだれでも入会を認めている。

□ (2) どれでもほしいものを自由に取って食べてね。

□ (3) 好きなものを何でも注文していいよ。

229 □ (1) 休日には，いつでも好きな時に起きることができる。

□ (2) 大阪に行く時はいつも，おじのところを訪れる。

□ (3) そのテーブルを君の好きな場所に置きなさい。

230 □ (1) だれが電話をかけてこようと，私は電話に出たくない。

□ (2) どれを持っていっても，明日返してね。

□ (3) 何が起ころうとも，あなたのことをいつも愛しています。

231 □ (1) どんなに疲れていても，彼女は笑顔を絶やさない。

□ (2) 君がいつ来ようと，歓迎するよ。

□ (3) たとえ君がどこへ行っても，ぼくは君のことを考えているよ。

232 □ (1) これはその映画でその俳優が着ていたのと同じジャケットだ。

□ (2) みんなが知っているように，油と水は混ざらない。

233 □ 君は私が期待した以上の仕事をした。

234 □ 私が彼女の姉だと思ったその女性は，実は彼女の母親だった。

235 □ 赤い屋根が見える家が，私たちの家です。

236 □ (1) 私が去年の夏滞在したホテルはすばらしかった。

□ (2) 私は彼女の伝言が理解できなかった。その大半がフランス語で書かれていたのだ。

237 □ (1) この音楽がいわゆる「ラップ」です。

□ (2) 彼の父が，彼を今日(こんにち)の彼にした。

□ (3) 彼はピアノを弾き，そのうえとても上手に歌う。

□ (4) 仕事やら家事やらで，私は大変忙しい。

□ (5) 読書と知性の関係は，運動と身体の関係と同じだ。

238 □ 私は，できる限りの援助を彼に与えた。

239 □ その男たちはキルトをはいていたが，その服はとてもおもしろいと思った。

第12章 仮定法

240 □ (1) 明日雨が降ったら，ピクニックは中止にします。

□ (2) たくさんお金があったら，島を買うんだけどな。

241 □ (1) 彼の準備ができていれば，出かけるのになあ。

□ (2) もし十分な時間とお金があれば，世界中を旅行するのになあ。

242 □ (1) もし10分早く出発していたら，列車に乗り遅れることはなかっただろうに。

□ (2) もしその登山者が彼女を見つけていなかったら，彼女は死んでいただろう。

243 □ もしあの時あの薬を飲んでいたら，私は今元気になっているかもしれないのに。

244 □ (1) 彼女の電話番号を知っていればなあ。

□ (2) あんな高いバッグを買わなければよかったなあ。

245 □ (1) 彼はまるで経済学の専門家であるかのように話す。

□ (2) 君はまるで幽霊でも見たかのような顔色だよ！

246 □ もし宝くじに当たるようなことがあったら，どうしますか。

247 □ もし彼が考えを変えるようなことがあれば，私に電話してくるだろう。

248 □ (1) もしぼくが君なら，彼女をデートに誘うけどな。

□ (2) もし君が入院していると知っていたら，私たちはお見舞いに行ったのに。

□ (3) もし地震が起こるようなことがあれば，この本棚は前に倒れるだろう。

249 □ (1) 夢がなければ，人生には意味がなくなるだろう。

□ (2) 君のゴールがなかったら，試合に負けていただろう。

250 □ (1) 時間があれば，この計画はうまくいくのだが。

□ (2) 君の忠告があったら，彼は事業に失敗せずにすんだだろうに。

251 □ (1) 彼が潔白だと私にはわかっている。そうでなければ彼を救おうとはしないだろう。

□ (2) 私たちはしゃべるのをやめた。そうでなければ先生は私たちをしかっただろう。

252 □ 彼が話しているのを聞くと，その秘密について何でも知っていると思うことだろう。

253 □ (1) スパイだったら，本当の名前を言うことはないだろう。

□ (2) 2年前だったら，あなたのプロポーズに応じていたことでしょう。

254 □ (1) もし音楽がなかったら，人生は退屈だろう。

□ (2) もしシートベルトをしていなかったら，私は死んでいたところだ。

255 □ もう新しい自転車を買ってもいい時期だよ。

256 □ (1) 彼女がここにいさえすればなあ！

□ (2) 彼女の助言を受け入れてさえいたらなあ！

257 □ (1) 私の荷物を運ぶのを手伝っていただけると助かるのですが。

□ (2) ここに座ってもよろしいでしょうか。

□ (3) 窓を開けてもよろしいでしょうか。

258 □ (1) お手伝いいただけないでしょうか。

□ (2) 電話をお借りしてもよろしいでしょうか。

第13章 疑問詞と疑問文

259 □ (1)「あそこにいる女の子はだれ？」「リンダだよ。」

□ (2)「あそこにある，あの建物は何？」「市役所だよ。」

260 □「どちらがあなたのコート？　これ？　それともあちら？」「これです。」

261 □ (1)「だれを招待するつもりなの？」「アンとナンシーだよ。」

□ (2)「朝食には何を食べますか。」「たいてい，トーストです。」

262 □「テーブルの上にカギがあるよ。だれの？」「デイビッドのだよ。」

263 □ (1)「これはだれの靴？」「ぼくのだよ。」

□ (2)「どんなスポーツが好き？」「バスケットボールが好きだね。」

□ (3)「どんな映画が好き？」「アクション映画が好きよ。」

264 □「どのバスに乗ればいいの?」「5番のバスだよ。」

265 □ (1)「コンサートはいつ始まりますか。」「7時です。」

□ (2)「車はどこにとめればよいのですか。」「この通りにとめていいですよ。」

266 □ (1)「なぜ郵便局に行ったのですか。」「切手を買うためです。」

□ (2)「どうやって通学していますか。」「バスを使っています。」

267 □ (1)「食事はどうでしたか。」「とてもおいしかったです。」

□ (2)「あなたの家は，駅からどのくらいの距離がありますか。」「約2キロです。」

268 □「彼はだれといっしょにパーティーに来ましたか。」「キャシーとです。」

269 □ (1) 私は彼が何をしたいのかわかりません。

□ (2) その映画がいつ始まるのか教えてくれませんか。

270 □ (1)「泳げないの?」「うん，泳げないんだ。」

□ (2)「すてきな日じゃない?」「うん，すてきな日だね。」

271 □「窓を開けてもいいかな。」「どうぞ。」

272 □「自転車を使ってもいいかな。」「もちろん。どうぞ。」

273 □ (1)「あの光は何だと思いますか。」「釣り船だと思うわ。」

□ (2)「あの光が何か知っていますか。」「いいえ，知りません。」

274 □ (1)「今日はとっても暑いよね。」「うん，暑いね。」

□ (2)「彼女はコーヒーが好きじゃないよね。」「うん，好きじゃないね。」

275 □ (1)「ビリーはまだ来てないんだろ?」「ええ，来てないわ。」

□ (2)「冷蔵庫にはまだジュースがあるよね?」「うん，あるよ。」

□ (3)「彼女ってまったく人の話を聞かないよね。」「ああ，まったくだ。」

276 □ (1) だれにわかるだろうか。→だれにもわからないよ。

□ (2) これ以上簡単なものが何かあるかい。→これが一番簡単だよ。

277 □ 彼にあなたの電話番号を教えました?

278 □ (1)「お父さんごめん。壊しちゃったんだ。お父さんの…」「私の何を壊しただって?」

□ (2)「彼に本当のことを言ったの。」「何を言ったって?」

279 □ (1)「イチローが昨日ホームランを打ったんだ。」「へえ，そうなの。」

□ (2)「テレビゲームには興味がないんだ。」「そうなんだ。」

280 □ なぜ警察はここに来たのですか。

281 □ スペインの料理ってどのようなものですか。

282 □ どうして妹さんを連れてこなかったの?

第14章 否定

283 □ (1) 私たちは電車で学校に通っていない。

□ (2) 先生は，私にイヤリングをしないようにと言った。

284 □ もう二度とジェットコースターには乗らないよ。

285 □ (1) 公園には子どもが1人もいなかった。

□ (2) 家を建てるということは，決して簡単なことではない。

286 □ (1) 彼にそれほど才能があるとは思いません。

□ (2) 明日雨が降らなければいいんだが。

287 □「ジャッキーはまた遅刻するのかなあ?」「そうじゃないといいんだけど。」

288 □ (1) 私は彼の言っていることをほとんど理解できなかった。

□ (2) けがをしたその子どもは，ほとんど歩けなかった。

289 □ (1) 私はめったにクラシック音楽を聴きません。

□ (2) イングランドがワールドカップで優勝することはめったになかった。

290 □ (1) 宿題を提出した生徒はほとんどいなかった。

□ (2) 彼女へのプレゼントを買う時間はほとんどなかった。

291 □ (1) 会員の全員が会議に出席した。

□ (2) 会員の全員が会議に出席したというわけではなかった。

□ (3) 会員はだれも会議に出席しなかった。

292 □ (1) 彼女がいつも私に同意するとは限らない。

□ (2) 君の理論は完全に間違っているというわけではない。

293 □ (1) 彼が私たちのところに訪ねて来る時には，必ずおみやげを持ってきてくれる。

□ (2) 夫婦が口げんかをするのは珍しいことではない。

294 □ (1) その歌を聴くと，私は泣かずにはいられない。

□ (2) 海で泳ぐ時はいくら注意してもしすぎることはない。

295 □ (1) 彼はまもなくスマートフォンを使い始めた。

□ (2) 私は25歳になってやっと大学を卒業した。

□ (3) 試合が始まるとすぐに雨が降り出した。

296 □ (1) 赤ん坊というものは泣いてばかりいるものだ。

□ (2) 彼はもはや強いレスラーではない。

297 □ (1) 彼はあまりに眠かったので，宿題ができなかった。

□ (2) 彼は決してうそはつかない人でしょう。

□ (3) 目覚まし時計がならなかった。

298 □ (1) 彼の話は決して退屈ではなかった。

□ (2) Tシャツ1枚に20,000円だなんて，とても安いとは言えないよ！

□ (3) 何の危険もなしに生きていける動物などいない。

第15章 話法

299 □ (1) 私は「私はゴスペルに興味をもっています」と言った。

□ (2) 私は，自分がゴスペルに興味をもっていると言った。

300 □ (1) 彼はいつも「私は故郷の町が好きではない」と言う。

□ (2) 彼はいつも，自分の故郷の町が好きではないと言う。

301 □ (1) 彼は私に「私は君に試合に参加してほしい」と言った。

□ (2) 彼は私に，試合に参加してほしいと言った。

302 □ (1) 彼は私たちに「今日はここで野球をやってはいけません」と言った。

□ (2) 彼は私たちに，その日はそこで野球をやってはいけないと言った。

303 □ (1) 彼は私に「あなたの両親はどこに住んでいるの？」と言った。

□ (2) 彼は私に，私の両親がどこに住んでいるのか尋ねた。

304 □ (1) ブラウンさんは私に「君はおなかがすいているかい？」と言った。

□ (2) ブラウンさんは私に，おなかがすいているかどうか尋ねた。

305 □ (1) 母は私に「部屋を掃除しなさい」と言った。

□ (2) 母は私に，部屋を掃除するように言った。

306 □ (1) 彼は私に「この辞書を買うべきだよ」と言った。

□ (2) 彼は私に，その辞書を買うように助言した。

307 □ (1) 彼女は私に「あなたのバイクったらなんてうるさいの！」と言った。

□ (2) 彼女は，私のバイクはなんてうるさいのかと文句を言った。

308 □ (1) ビルは「ケイトがいつここに着くのかわからない」と言った。

□ (2) ビルは，ケイトがいつそこに着くのかわからないと言った。

309 □ (1) その男は「私は昨日ここに着いて，3日間滞在するつもりだ」と言った。

□ (2) その男は，その前日にそこに着いて，3日間滞在するつもりだと言った。

310 □ (1) 彼は私に「顔色が悪いよ。どこか悪いの？」と言った。

□ (2) 彼は私に，顔色が悪いと言い，どこか悪いのか尋ねた。

第16章 名詞構文・無生物主語

311 □ 私たちは彼の仕事での成功の知らせに喜んでいます。

312 □ その科学者は，彼が新しいウイルスを発見したことを報告した。

313 □ 私がクラブのミーティングに出ていなかったことにだれも気づかなかった。

314 □ (1) 私の父は安全運転をする。

☐ (2) 私たちはその喫茶店でおしゃべりした。

315 ☐ (1) 悪天候のために，ぼくらは試合を中止した。

☐ (2) アルバイトのおかげで，私はお金をたくさんためることができる。

316 ☐ (1) ヘルメットをかぶっていれば，頭を傷つけずにすむ。

☐ (2) 交通渋滞のせいで，私たちは時間どおりに到着できなかった。

317 ☐ このメーターは，温度を華氏（ファーレンハイト）で示します。

318 ☐ (1) この道を行けば，駅に着きます。

☐ (2) この新しい皿洗い機を使えば，たくさんの水を節約できるでしょう。

第17章 強調・倒置・挿入・省略・同格

319 ☐ (1) 本当に遠慮なく，いつでも電話してくださいね。

☐ (2) これこそまさに私がずっと探していた本だ！

☐ (3) 君のドレスは本当にすてきだよ！

320 ☐ (1) いったい全体だれがこんな時間に電話をしてくるんだ。

☐ (2) 私は彼の話なんか少しも信じていない。

321 ☐ 彼は同じジョークを何度も何度も言う。

322 ☐ 昨日この池でカメをつかまえたのは，ジムだった。

323 ☐ (1) 私が好きなのは，彼女の声なんです。

☐ (2) ここで待っていさえすればいいんだよ。

324 ☐ (1) 私はこんなに美しい虹を一度も見たことがない。

☐ (2) 彼はめったに冗談を言わない。

325 ☐ (1) 下に落ちたのはリンゴだった。

☐ (2) 私のポケットの中にあったのは彼の名刺だった。

☐ (3) ほら，電車が来るよ。

326 ☐ 一言も彼女は口に出さなかった。

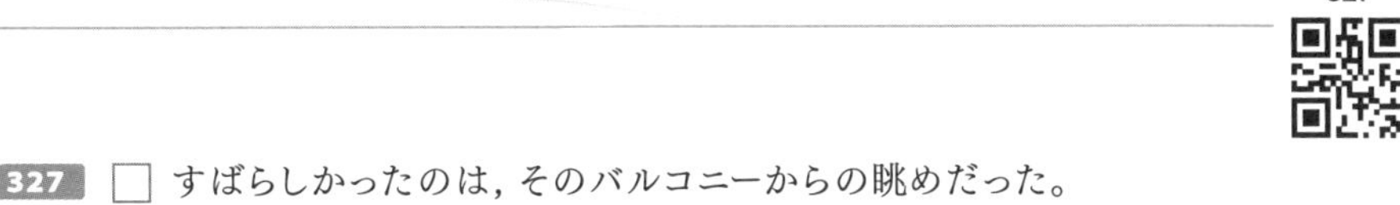

327 □ すばらしかったのは，そのバルコニーからの眺めだった。

328 □ (1) 彼の息子は，幸運にも，炎上する家から救出された。

□ (2) この店の服は，私の意見では，値段が高すぎる。

329 □ (1) この川で釣りをすることは，私の知る限り，禁止されています。

□ (2) 運動のしすぎは，私は思うのですが，健康によくないです。

330 □ (1) 女の子たちは勇敢だったが，男の子たちはそうではなかった。

□ (2) どこでも好きなところに座っていいよ。

331 □ 彼はカナダでスキーをしている時に左足を骨折した。

332 □ 彼女の親友のリサは看護師だ。

333 □ 彼女はシアトル市で生まれ育った。

334 □ 彼が今インドに住んでいるといううわさを私は聞いた。

第18章 名詞

335 □ (1) 私はテーブル1つと，いす4脚を買った。

□ (2) 私は紅茶よりコーヒーが好きです。

336 □ (1) コアラはオーストラリアに生息している。

□ (2) 1週間は7日間です。

337 □ (1) この村にはおよそ100世帯の家族がいる。

□ (2) 私の家族はみんなサッカーファンだ。

□ (3) 警察はその強盗犯を探している。

338 □ (1) この像は石でできている。

□ (2) 母はワインを1本買った。

339 □ (1) 必要は発明の母。

□ (2) 彼は私に役に立つ忠告を1つしてくれた。

340 □ (1) ジョーンズ博士はアフリカで野生動物を観察した。

□ (2) 私は昨年の8月に大英博物館に行った。

341 □ (1) 私の姉は英字新聞を読みます。

□ (2) いろいろ親切にしてくださってありがとう。

□ (3) 私はいつの日かポルシェを買いたい。

342 □ テーブルにお皿を並べてくれる?

343 □ 食後は歯をみがきなさい。

344 □ (1) 父は何かを読むとき，メガネをかける。

□ (2) 彼らはお互いに握手した。

345 □ (1) ピアノをひいている男の人はジムの兄さんだよ。

□ (2) 後で職員室に来なさい。

346 □ (1) 教会の屋根が見えますか。

□ (2) 駅で兄の友人に会った。

第19章 冠詞

347 □ (1) ボウルの中にトマトが1つある。

□ (2) ボウルの中にトマトがいくつかある。

348 □ (1) 私は昨夜流れ星を見た。

□ (2) 昨夜私が見かけた流れ星は非常に明るかった。

349 □ (1) あなたの研究の本質は何なのですか。

□ (2) 自然を完全に制御することはできない。

350 □ (1) 私の部屋に置くベッドを買いたい。

□ (2) 何時に寝ますか。

351 □ (1) 私の部屋にハエがいる。

□ (2) 私は車を買いたい。

□ (3) ヒントをください。

□ (4) ローマは1日にして成らず。

352 □ このロープは1メートル200円です。

353 □ (1) あなた，私の写真を撮ったでしょ。あの写真を見せてよ。

□ (2) 忘れずにドアに鍵をかけてきた?

□ (3) 彼は私が信用できる唯一の人だ。

□ (4) 地球が太陽の周りを回っていることはだれでも知っている。

354 □ (1) イングランドでは，バターはポンド単位で買います。

□ (2) ジムは娘の手を引いて，部屋から出ていった。

355 □ (1) 砂漠で水を見つけるのは難しい。

□ (2) 日曜日には学校に行かなくてもよい。

□ (3) 彼らは結婚式に車でやって来た。

356 □ (1) これはなんておもしろい絵なんでしょう!

□ (2) あまりにも奇妙な話だったので，それを信じる人はほとんどいなかった。

□ (3) このクラブの部員は全員，会議に出なければならない。

第20章 代名詞

357 □ (1) 彼女はカナダ出身です。

□ (2) 彼のシャツには彼のイニシャルがついている。

□ (3) その劇場への行き方を教えてください。

358 □ (1) 18歳になるまでは，運転免許をとることはできません。

□ (2) 彼女は来月結婚するらしい。

□ (3) 先月は雨がほとんど降らなかった。

359 □ (1) これはだれのえんぴつ?　君の?

□ (2) 私は駅で友人に会いました。

360 □ 私は階段から落ちて，けがをした。

361 □ それは自分でやるべきだよ。

362 □ (1) 彼女は私の机の上に伝言を置いていったが，それが何を言っているのかわからなかった。

□ (2) そこまで直行便の飛行機で行きたかったのだが，それは不可能だった。

□ (3) 彼は甘いものが好きなのに，本人はそれをどうしても認めようとしない。

363 □ (1) 今日は何曜日？

□ (2) ここはとてもむしむししますね。

□ (3) ここからその町までは2キロほどあります。

364 □ 調子はどう？

365 □ (1) 初めての人と会うのは楽しい。

□ (2) 規則に従うことは大切だ。

366 □ (1) その問題を解決するのは可能だと思った。

□ (2) 彼女が彼の名前を知らないのには驚いた。

367 □ (1) 空港に着くまでに2時間かかります。

□ (2) そのコンピュータを修理するのに30ドルかかった。

368 □ (1) これは私が注文したデザートじゃないよ！

□ (2) テーブルの上からあの雑誌を持ってきて。

369 □ (1) 彼はパーティーで彼女に会ったと言ったが，それはうそだった。

□ (2) 私たちは，自分の意見を自由に表明する権利を持っている。これは言論の自由と呼ばれている。

370 □ (1) 人間の脳はチンパンジーの脳よりも発達している。

□ (2) アフリカ象の耳はインド象の耳よりも大きい。

371 □ (1) お持ちでしたら，ペンをお借りしたいのですが。

□ (2) 昨日かさをなくしてしまった。新しいのを買わなければ。

□ (3) このブーツははき古してしまった。新しいのを買わなければ。

372 □ (1) このシャツは好きじゃないなあ。ほかのを見せてください。

□ (2) パイをもう1切れいかがですか。

373 □ (1) 私の姉の1人は会社員で，もう1人は大学生です。

□ (2) メンバーのうち2人は時間どおりに来たのだが，それ以外の者は遅れた。

□ (3) トムは教室にいたが，ほかの生徒たちは外で遊んでいた。

374 □ (1) 踊るのが好きな人もいるし，そうでない人もいる。

□ (2) 彼はそこでそのCDを見つけられなかったので，ほかの店を見てみることにした。

375 □ (1) イタリアワインがお好みなら，持ってきてあげよう。

□ (2) このジャングルには，何種類かの珍しい動物がいます。

□ (3) 私にも何か伝言がありますか。

376 □ (1) ペーパークリップが必要なんです。お持ちですか。

□ (2) 彼が失敗する可能性は少しもありません。

□ (3) このクラスのどの生徒でも，その質問に答えることができる。

377 □ (1) 私の両親は2人とも北海道育ちです。

□ (2) 彼女はその事故で両足を骨折した。

378 □ (1) あなたの両親のどちらでも，PTAの会合に出ることができます。

□ (2) どちらのケーキをとってもいいですよ。

379 □ (1) ガソリンスタンドを2カ所通過したが，どちらも開いていなかった。

□ (2) 探していた本は，どちらも見つからなかった。

380 □ (1) メンバーは全員，その提案に反対だった。

□ (2) 生徒は全員，そのテストを受けなければならない。

381 □ (1) 私たちはだれも君の意見には同意しない。

□ (2) クラスのだれもその質問に答えられなかった。

382 □ (1) これらのコンピュータはどれもアメリカ製です。

□ (2) その店では，どの本も100円で売り出されていた。

383 □ (1) ドアのところにだれかいるよ。

☐ (2) 学園祭に向けて，準備は万全だ。

第21章 形容詞

384 ☐ あまりお金がなかったので，私は安いシャツを買った。

385 ☐ (1) 私は満員電車に乗るのが好きではない。

☐ (2) 何か冷たいものが飲みたい。

386 ☐ (1) すべての窓が開いていた。

☐ (2) 私は窓を開けたままにしておいた。

387 ☐ 黒は私に似合う唯一の色だ。

388 ☐ 今朝7時，ジュディーは事務所に1人でいた。

389 ☐ (1) 彼の妹にはある種の魅力がある。

☐ (2) これが正解だと私は確信している。

390 ☐ (1) それはわくわくする試合だった。

☐ (2) 私はたくさんの興奮したサポーターを見た。

391 ☐ あなたにまた会えてうれしいです。

392 ☐ 10時に私たちと会うということで，ご都合はいかがですか。

393 ☐ (1) 彼女はそのレースに勝ちそうだ。

☐ (2) 君が次の会議に出席するのは可能ですか。

☐ (3) 彼はおそらくその試験に合格するだろう。

394 ☐ (1) 彼はきっと戻ってくる。

☐ (2) この歌はきっとヒットする。

395 ☐ (1) 私はこんなあらしは見たことがない。

☐ (2) この動物園では，パンダやコアラのような，珍しい動物が見られます。

396 ☐ (1) あなたは歴史に関する本をたくさん持っていますか。

☐ (2) この夏は雨があまり降っていない。

397 □ (1) 彼は韓国にたくさんの友人がいる。

□ (2) ケイトは，誕生パーティーでたくさんワインを飲んだ。

398 □ (1) このレポートを仕上げるのに，あと数日ある。

□ (2) このサラダドレッシングに，少しこしょうを加えてください。

399 □ (1) 全員が座れるだけのいすがありません。

□ (2) そのポットには十分な量の水が入っていない。

第22章 副詞

400 □ (1) 彼らは楽しそうに踊った。

□ (2) 彼女は私の助言を本気で聞き入れてくれた。

401 □ (1) 私の姉は2階に行きました。

□ (2) ここに車をとめてもいいですよ。

402 □ (1) そのセールは昨日始まった。

□ (2) 明日は数学のテストがあります。

403 □ (1) 私はいつもバスで学校に行く。

□ (2) 彼は平日はたいてい6時まで会社にいます。

404 □ (1) 実験の結果は驚くほどのものではなかった。

□ (2) 宿題はもうほとんど終わっています。

405 □ (1) 明らかに，その事故はスピードの出し過ぎによるものだった。

□ (2) その犬は明らかにけがをしていた。

406 □ (1) 父は昨夜，大変遅く家に帰ってきた。

□ (2) 彼は最近，減量にはげんでいる。

407 □ (1) 彼女はとても勤勉な生徒です。

□ (2) 彼女はとてもゆっくり話す。

408 □ (1) 私はあまり外食をしません。

□ (2) オリーブオイルはイタリア料理でとてもよく使われる。

409 □ (1) 私はあなたのお母さんを3日前に見かけた。

□ (2) 私は彼に，3日前に彼の母親を見かけたと言った。

□ (3) 私はあの歌を前に聞いたことがある。

410 □ (1) 私はすでに自分の部屋のそうじをしました。

□ (2) 彼女はまだ宿題をやっていない。

□ (3) 私はまだ気分が悪い。

411 □ (1) 「私はアリゾナの出身です。」「本当？　私もそうですよ。」

□ (2) 「私は生の魚を食べられません。」「私もだめですよ。」

□ (3) 「もうこれ以上食べたくありません。」「ぼくもだよ。」

412 □ (1) 彼は私に並んで待つように言ったので，私はそうした。

□ (2) 「明日は晴れると思うかい？」「そうだといいね。」

413 □ (1) 私はよく図書館に行きますし，姉もそうです。

□ (2) 最高の贈り物は健康であるといわれるが，実際そのとおりである。

414 □ (1) 急ごう。さもないとよい席がとれないよ。

□ (2) このコンピュータはとてもよい。しかし，値段が高すぎる。

第23章 前置詞

415 □ (1) マイクは劇場に着いた。

□ (2) 会議はふつうは10時に始まる。

416 □ (1) 劇場の中でたまたまシンディーに会った。

□ (2) 私は1991年に初めてドイツを訪れた。

417 □ (1) テーブルの上のおもちゃを取って来なさい。

□ (2) クリスマスイブに食事をしないかい？

418 □ (1) 大阪からの列車は到着しましたか。

☐ (2) 私は7月24日から休暇をとります。

419 ☐ (1) 公園に行ってアヒルにえさをやろう。

☐ (2) かばんに名札をつけてくださいね。

420 ☐ (1) その列車はすでに博多へ向けて出発した。

☐ (2) ここには数日間滞在する予定です。

421 ☐ (1) 部員全員が，その式典に出席した。

☐ (2) 1匹のサルが私から弁当箱を奪い取った。

422 ☐ (1) ジェーンの隣に立っているあの男がスコットだ。

☐ (2) あの風変わりな建物は，私のおじの設計です。

423 ☐ (1) 君はこの仕事を正午までに終えなければならない。

☐ (2) 私は夜中の12時まで彼からの電話を待った。

424 ☐ (1) 一緒に来てください。

☐ (2) このコンピュータはどこかがおかしい。

425 ☐ 彼らは事故のことについて話していました。

426 ☐ (1) 放課後，テニスをしよう。

☐ (2) 彼は5時前に帰宅した。

427 ☐ (1) 私たちは川沿いに歩いた。

☐ (2) その男は海峡を泳いで渡ろうとした。

☐ (3) 列車はトンネルを通り抜けた。

☐ (4) その大きなテーブルのまわりに座ってください。

428 ☐ (1) このビルの前に車をとめないでください。

☐ (2) 郵便局はあのビルの裏にあります。

☐ (3) 銀行はあのビルの向かいにあります。

429 ☐ (1) どうぞリビングルームにお入りください。

☐ (2) すぐに台所から出てきなさい！

□ (3) そのネコはテレビの上に飛び乗った。

430 □ (1) 雨雲が私たちの頭上にあった。

□ (2) 私はカギを机の下で見つけた。

□ (3) 私たちの上の階の人たちはとても騒がしい。

□ (4) 太陽は地平線の下に沈んだ。

431 □ (1) ピーターはアリソンとジェーンのあいだに座った。

□ (2) 彼は群衆の中に消えた。

432 □ (1) ジョージによれば，メアリーはスティーブからラブレターをもらったそうだ。

□ (2) マイクは腕の骨折のせいで，チームに加わることができなかった。

第24章 接続詞

433 □ (1) ゲーリーが到着して，私たちはゲームを始めた。

□ (2) 私はチーズバーガーとフライドポテトを買った。

434 □ その話は真実だと思っていたが，そうではなかった。

435 □ 私はこの夏，香港かシンガポールに行きたい。

436 □ スティーブは日本語を話すことも書くこともできる。

437 □ (1) 彼女は社長か重役のどちらかだと思います。

□ (2) その少年はうそをついたことを認めてもいないし，否定もしていない。

438 □ (1) 明日の朝早く起きなさい。そうすれば朝ご飯を食べる時間があるよ。

□ (2) もっとゆっくり運転しなさい。そうしないと事故を起こしますよ。

439 □ (1) 彼は1台ではなく2台のコンピュータを所有している。

□ (2) 彼は英語だけでなくスペイン語も話す。

440 □ (1) 私が必要としているのは名声でもなければ，お金でもありません。

□ (2) 私はヘビを見たくないし，触りたくもない。

441 □ (1) スピード違反をしたので，罰金を払わなければならないでしょう。

☐ (2) 私は5時に起きた。というのも，日の出を見たかったからだ。

442 ☐ (1) ビルが入試に合格したのは本当です。

☐ (2) 問題は，君が間違いから決して学ばないことだ。

☐ (3) 彼が芸術家だなんて，信じられません。

443 ☐ 彼はきっと事業に成功するだろう。

444 ☐ (1) その惑星に生物がいるかどうかわからない。

☐ (2) 問題は，有権者が彼女を選出するかどうかだ。

☐ (3) 彼女は私たちに何か飲むものがほしいかと尋ねた。

445 ☐ (1) 子どものころ，その川へよく泳ぎに行きました。

☐ (2) 公園をジョギングしているあいだに，サイフを見つけた。

446 ☐ (1) その国に入る前にビザを取ることが必要だ。

☐ (2) 私はベルリンに引っ越してからドイツ語を習得した。

447 ☐ (1) 私は5歳の時からここに住んでいます。

☐ (2) 私が戻るまで，ここで待っていなさい。

448 ☐ (1) 私の犬は私の声を聞くとすぐにほえ始めた。

☐ (2) いったん車を手に入れたら，どこにでも行きたい所に行けますよ。

449 ☐ (1) ブラウン先生は私が本当のことを言わなかったので，とても怒っていた。

☐ (2) 熱があるのだから，今夜は家にいたほうがいいよ。

450 ☐ (1) その講義はとても退屈だったので，生徒の半分が寝てしまった。

☐ (2) それはとても退屈な講義だったので，生徒の半分が寝てしまった。

451 ☐ だれも入れないように，ドアにカギをかけよう。

452 ☐ (1) 時間があれば，私のレポートを読んでください。

☐ (2) 飛行機が遅れない限り，彼は6時にここに来るでしょう。

453 ☐ 彼女は中国語を話すことはできるが，書くことはできない。

454 ☐ たとえ間違いをしても，あきらめてはいけない。

455

455 □ (1) 宿題を先にするなら，テレビを見てもいいよ。

□ (2) 私の知る限りでは，彼に罪はない。

456 □ (1) 私が遅れたら，私ぬきで始めてください。

□ (2) 雨が降るといけないからかさを持っていこう。

457 □ 好きであろうとなかろうと，そのニンジンを食べなさい！

Step 2
スクリプト

Step 2のスクリプト（台本），空所部分を埋めた会話や文を掲載しています。付属の赤シートを使うと，赤字部分が見えなくなります。会話の流れで覚えた例文を使うことができるかどうか確認しましょう。

● 音声の聞き方

QRコードを「いいずなボイス」で読み取ると，音声を聞くことができます。音声を聞きながら，発音やアクセント，イントネーションを確認し，発話の練習をしましょう。

＊音声は「Step 2 TARGET例文を使って発信力身につける」の右頁のQRコードで聞くことのできる音声と同じ内容です。

●「Step 2 スクリプト」の音声を通しで聞きたい場合

「Step 2 スクリプト」の音声を，章ごとに通しで聞きたい場合は，下記QRコードを読み取ってください。

第1章　第2章　第3章　第4章　第5章　第6章

第7章　第8章　第9章　第10章　第11章　第12章

第13章　第14章　第15章　第16章　第17章　第18章

第19章　第20章　第21章　第22章　第23章　第24章

001

英語音声

第1章 文の種類

001
□ (1) A : Your sister is a secretary, isn't she?
B : No, she isn't. **She is a college student.**
□ (2) A : Do you go to school on Saturdays?
B : Yes, we do. **We go to school even on Saturdays.**
□ (3) A : Can you swim?
B : Yes, I can. **But I can't swim very fast.**

002
□ (1) A : Oh, it's already past noon. **Are you hungry?**
B : Yes, I am. I haven't had lunch yet.
□ (2) A : Can you see that girl over there? **Do you know her name?**
B : Yes, I do. Her name is Mika.
□ (3) A : Do you want to join our band? **Can you play the piano?**
B : No, I can't. But I can play the guitar.

003
□ (1) A : I like this picture. **Who painted it?**
B : My father did. He's a very good painter.
□ (2) A : Hi, Akira. **What are you doing here?**
B : I'm waiting for Mike. Have you seen him?
□ (3) A : I heard about the accident just now. **When did you hear about it?**
B : Sarah told me about it this morning.
□ (4) A : Is Takeshi out? **When will he come home?**
B : I don't know. He said nothing to me.

004
□ (1) This slope seems to be slippery. **Be careful!**
□ (2) I'm not ready to go out yet. **Please wait for me.**
□ (3) Hey guys. This is a library. **Don't be so noisy!**
□ (4) A : Did you have a good sleep? Did you have breakfast? Did you ...
B : **Oh, don't worry about me.**

005
□ (1) A : Please have my seat.
B : Thank you very much. **How kind you are!**
□ (2) A : Look at this. I found this on the beach.
B : Wow. **What a beautiful stone this is!**

006
□ (1) A : You're late, Akira! **Did you come to school by bicycle or on foot?**

B : I came here by bicycle.

☐ (2) A : These kittens are really cute. **Which do you like better, dogs or cats?**

B : I like cats. Actually, I have two cats.

007 ☐ (1) A : Do you want me to carry your bag?

B : No, it's okay. **Just open the door, please.**

☐ (2) A : I didn't put any salt or pepper in this soup.

B : Really? **Then pass me the salt, will you?**

☐ (3) We've been working for two hours. **So, let's take a break.**

第 2 章 動詞と文型

008 ☐ (1) The fire alarm was ringing, **but he didn't move at all.**

☐ (2) He moved all the chairs, **but he didn't move the desk.**

009 ☐ (1) A : Why didn't you come to school yesterday?

B : Well, **I had a terrible headache.**

☐ (2) A : Is this your surfboard?

B : No, it's my brother's. **He likes surfing.** I just like swimming.

010 ☐ A : What did he say to you?

☐ B : Nothing. **He just smiled.**

011 ☐ A : Did you see the movie?

☐ B : Yes, I did. **It was funny.** The music was good, too.

012 ☐ A : What did you do after class yesterday?

☐ B : **We cleaned the classroom** and picked up the trash in the yard.

013 ☐ A : What did you do yesterday?

B : I went shopping with my father. **He bought me a watch.**

014 ☐ I'm not a short-tempered person, **but they made me angry.**

015 ☐ (1) A : What do you think? **My uncle gave his watch to me.**

B : It's very nice. Is it gold?

☐ (2) When I got my first job, **my uncle bought a wallet for me.**

016 ☐ (1) Be careful when you go in the kitchen. **There's a cockroach somewhere.**

☐ (2) The show starts in fifteen minutes, **but there are only**

three people here.

017 □ (1) When I opened the door, **my dog ran to me.**

□ (2) A : What does your uncle do?

B : **He runs a coffee shop.**

018 □ (1) A : Did you hear that Linda got married?

B : Yes, **she married her boyfriend from high school.**

□ (2) A : What happened in the meeting yesterday?

B : The same as usual. Jim proposed a new plan to save money, **and we discussed it.**

019 □ A : We need to hire more nurses.

B : **I'm afraid I don't agree with you.**

020 □ (1) A : May I help you?

B : Yes, **I'm looking for a gift for my daughter.**

□ (2) We all got tired. **The discussion went on for hours**, and we didn't reach a conclusion.

021 □ (1) Although many people got into a panic during the storm, **she kept calm.**

□ (2) A : Are you all right? Your hands are shaking.

B : Yes, **I get nervous before exams.**

□ (3) My aunt always wears silk blouses. **She says silk feels smooth.**

□ (4) I met Meg at a party a month ago. **She seemed shy at first.**

022 □ (1) Thanks for inviting us. **We enjoyed ourselves at the party.**

□ (2) A : Have you seen Mike?

B : He can't come today. **He hurt himself during baseball practice.**

023 □ (1) Jim left his wallet at home, **so I lent him ten dollars.**

□ (2) Jim invited me for dinner. **He cooked me a nice meal.**

024 □ (1) She likes everything neat and tidy. **She always keeps her desk clean.**

□ (2) A : Is he an English teacher?

B : Yes, he is. His name is Edward, **but we call him Teddy.**

□ (3) A : I'm going to meet his family next Sunday.

B : Oh, really! **You'll find his brother interesting.**

第3章 動詞と時制

025 □ A: Do you like ice cream?
B: Yes, **I love chocolate ice cream.**

026 □ A: I don't drink coffee. I prefer green tea.
B: Really? **I always drink coffee at breakfast.**

027 □ People believed the sun went around the earth. **Now we know the earth goes around the sun.**

028 □ (1) A: Do you know where Keiko is?
B: She's in the music room. **She's playing the piano now.**

□ (2) A: You look great. Have you lost weight?
B: Yes, I have. **These days, I'm eating a lot of vegetables.**

029 □ **The store had a sale, so it was full of young people last week.**

030 □ A: How did you go to school when you were in junior high?
B: **I usually rode my bicycle to school.**

031 □ A: Where did you go last night?
B: **We went to a concert.** It was great.

032 □ (1) A: What were you doing around noon?
B: Around noon? **I was at home and watching TV.**

□ (2) I couldn't sleep at all. **I was coughing all night long.**

033 □ (1) I have a brother and a sister. **My brother will be twenty next year.**

□ (2) A: Have you made up your mind to accept my offer?
B: Not yet. **I'll give you my answer tomorrow.**

034 □ (1) A: What will you do with the money?
B: **I'm going to buy a new camera.**

□ (2) Did you take the TOEFL? **Are you going to study abroad next year?**

□ (3) The sky is getting darker. **It's going to rain.**

035 □ (1) A: So you're going to Okinawa tonight.
B: Yes. **We will be swimming in the sea at this time tomorrow.**

□ (2) A: Is your father coming back from London tomorrow?
B: Yes, **I will be meeting him at the airport at six.**

036 □ (1) There are a lot of swallows in this park. **They will fly south when winter comes.**

□ (2) It's a bit cold today. **If it's fine tomorrow, let's go swimming.**

037 □ (1) A : What's in the newspaper today?
B : Let's see. **The old elephant in the zoo is dying.** Did you know about that?

□ (2) When she texted me, **the plane was stopping at Gate 5.**

□ (3) A : You seem tired but happy.
B : Yes. **Our baby is getting bigger every day.**

038 □ (1) A : Tom really is a nice guy.
B : Yes, **he's always thinking of other people.**

□ (2) A : Meg has put on weight.
B : I know. **She's constantly eating snacks.**

039 □ The train arrives at the airport at 9:30, **and our flight leaves at 11:45.**

040 □ (1) A : Are you packing? Are you going abroad?
B : Yes, **I'm leaving for Paris tomorrow morning.**

□ (2) A : Mom, I'm back!
B : It's half past ten, Takashi. **I thought you were coming home at six.**

041 □ (1) Can I change the channel? **The movie is about to start.**

□ (2) When they scored their third goal, **we were on the point of giving up.**

□ (3) A : Some terrorists put a bomb somewhere in Washington D.C.
B : I know. **The President is to make a speech on TV tonight.**

第 4 章 完了形

042 □ (1) A : How long have you known Paul?
B : **I've known him since we were children.**

□ (2) A : Do you know where Paul is?
B : I have no idea. **He hasn't been here since last night.**

□ (3) What are you doing in the office, Paul? **Have you been**

here since last night?

043 □ (1) A : Let's go on the roller coaster again.
B : I can't. **I've already spent all my money.**

□ (2) A : Hello, this is Jane. Is Henry at home?
B : Yes, he is. **He has just finished his homework.** I'll get him for you.

044 □ (1) A : Have you been to England?
B : Yes, I have. **I have visited London twice.**

□ (2) Where have you been in Japan? **Have you ever climbed Mt. Fuji?**

045 □ (1) We moved to this town in 1992, **and we have lived in this house since then.**

□ (2) A : Have you known Greg for long?
B : Yes, **I've known him for 20 years.**

046 □ (1) Can you help me? **I've been doing this puzzle for 30 minutes**, but I can't solve it.

□ (2) Hasn't Takashi come? **How long have you been waiting here?** You'd better call him.

047 □ (1) A : Is my husband staying at this hotel?
B : **Yes, he arrived here last night.**

□ (2) A : Do you know where Mike is?
B : **No, I haven't seen him lately.**

048 □ A : Did you see the man break into the house?
B : Yes, I did. **But he had run away when the police arrived.**

049 □ A : Did you get to the stadium in time?
B : Actually, no. **The game had already begun when we arrived there.**

050 □ I'm not used to speaking to foreigners. **I had never spoken to a foreigner before I entered college.**

051 □ My parents first met in high school. **They had known each other for ten years when they got married.**

052 □ I got lost on my first day there. **I had been driving for two hours when I found the hotel.**

053 □ When I got home from work, **I realized that I had left my**

umbrella in his car.

054 □ A：This area is famous for its autumn scenery, isn't it?
B：Yes, it is. **These leaves will have turned red by next month.**

055 □ A：When are you coming home, Makiko?
B：About five, I guess. **The concert will have finished by three.**

056 □ A：You really like this musical, don't you?
B：Yes, I do. **I will have seen it eleven times if I see it again.**

057 □ A：How long have you been married?
B：**Next month we will have been married for twenty years.**

058 □ (1) A：Are you going abroad this summer?
B：Yes, **I'm going to Rome when I have finished my Italian lessons.**

□ (2) A：Do you have any plans this afternoon?
B：**I'll go shopping if it has stopped raining by lunchtime.**

□ (3) Are you all right? You look tired. **Don't drive when you haven't had enough sleep.**

第5章 助動詞

059 □ (1) David won a prize in the Japanese speech contest. **He can speak Japanese very well, but he can't write it.**

□ (2) A：Do you have time this evening?
B：I'm afraid I don't. **But I can see you tomorrow morning.**

□ (3) Keep practicing, Riley. **You will be able to swim soon.**

060 □ (1) A：My goodness. She's really talented.
B：I know. **She could play this sonata at age five!**

□ (2) A：Did you have a swimming lesson yesterday?
B：Yes, I did. **I was able to swim 200 meters.**

061 □ (1) A：Is the exhibition free?

B : No, it isn't. **You can only enter if you have a ticket.**

□ (2) Hey! **You can't park your car here.** You're blocking my driveway.

□ (3) It's almost eight! **Can I turn on the TV?** I want to watch that documentary on sharks.

062 □ (1) It's stuffy in this room. **Can you open the window?**

□ (2) Oh. You're reading his latest novel. **Could you lend it to me when you've finished?**

063 □ (1) A : Excuse me, **but may I use your bathroom?**

B : Of course, you can. It's upstairs.

□ (2) You can photograph the sculptures, **but you may not touch them.**

064 □ (1) A : Do I have to come to the office tomorrow?

B : Yes. **You must attend the meeting.** People want to hear your opinions.

□ (2) A : You look exhausted.

B : I didn't get much sleep. **I had to write a report for my boss.**

065 □ (1) You can bring your phone to school, **but you must not use it in class.**

□ (2) Come in. **You don't have to take off your shoes here.**

066 □ (1) A : I need to lose weight before the summer vacation.

B : **Then you should stop eating so much and exercise more!**

□ (2) In order to protect the environment, **we ought to save energy in our daily lives.**

067 □ A : What should I do?

B : **You'd better report the accident to the police.**

068 □ (1) Don't worry about it, Ken. **Anybody can make a mistake.**

□ (2) A : What's that light in the sky?

B : Well, it can't be a star because it's moving. **It could be a plane.**

□ (3) Did you hear his story about seeing a ghost? **Can it be true?**

069 □ (1) It will be sunny this afternoon, **but we may have some**

rain tomorrow.

☐ (2) A : Did you invite John to the party?
B : Yes, I did. **He might come with his wife.**

070 ☐ (1) The phone is ringing. **That will be my father.** Excuse me for a minute.

☐ (2) A : What do you think about closing our Osaka office?
B : **I think that would be the best solution to our problem.**

071 ☐ (1) A : Do you know who that is?
B : The girl with Bobby? **She must be his sister.** She looks just like him.

☐ (2) A : I wonder if Karen is in the cafeteria.
B : **She can't be there now.** I saw her in the library two minutes ago.

072 ☐ (1) My parents are traveling up the east coast. **They should be in Boston by now.**

☐ (2) Is everything ready? **Our guests ought to be here in a few minutes.**

073 ☐ (1) I'm now the manager of our Osaka branch. **I will do my best.**

☐ (2) A : Did you try to persuade your father to stop smoking?
B : **I did, but he won't listen to our advice.**

☐ (3) My brother doesn't like vegetables. **He wouldn't eat carrots when he was a boy.**

074 ☐ (1) My grandfather loves the sea. **He will often go fishing on Sundays.**

☐ (2) A : Do you have any memories of your grandfather?
B : **Yes, he would often take me to the zoo on weekends.**

075 ☐ (1) It's noisy outside. **Will you close the window?**

☐ (2) I'm trying to concentrate on my essay. **Would you be quiet for a minute?**

076 ☐ (1) A : How about having a short break?
B : Good idea. **Shall I make some tea?**

☐ (2) First, we need to tidy up her bedroom. **Shall we throw**

away these old magazines?

077 ☐ I'm feeling much better now. **You needn't worry about me.**

078 ☐ A: Do you exercise regularly?
B: No. **I used to go to a gym after work, but now I don't.**

079 ☐ This area has changed a lot. **There used to be a post office on this corner.**

080 ☐ (1) I know a great story about him. **You may have heard it before, though.**
☐ (2) A: Oh, no! I can't find my keys.
B: You ran up the stairs, remember. **They might have fallen out of your pocket.**

081 ☐ I've lost my umbrella. **I could've left it in the post office.**

082 ☐ There's no treasure in this cave. **That man must have told me a lie.**

083 ☐ A: Why isn't the game over yet? **It should have finished by now.**
B: The other team arrived late.

084 ☐ (1) A: The client is going to take my advice.
B: I don't believe you. **He cannot have accepted your proposal.**
☐ (2) He didn't mention my new hairstyle. **He couldn't have noticed the difference.**

085 ☐ Didn't you hear your alarm? You should've got up at seven.

086 ☐ We have enough food for a barbecue. **You needn't have bought so much meat.**

087 ☐ (1) A: Are you interested in basketball?
B: Yes, I am. **I'd like to join the school basketball team.**
☐ (2) A: How about eating out tonight?
B: **I'd rather stay home.** Why don't we order a pizza?

088 ☐ A: Amy didn't say much at dinner. Is she in a bad mood?
B: I don't think so. **She may just be tired after her trip.**

089 ☐ (1) You'll never solve that problem. **You might as well give up.**
☐ (2) You ordered a massage chair? **You might as well throw**

your money away as buy such a thing.

090 □ (1) A : I can't believe he wants to go out with me.
B : You're smart and funny. **It's natural that he should like you.**

□ (2) A : Thank you for dinner. The food was wonderful!
B : I'm glad you enjoyed it. **It's a pity that you should have to leave so soon.**

091 □ (1) I know this medicine is bitter, **but it's necessary that you should take it.**

□ (2) If you want to get better, **it's essential that you should follow the doctor's advice.**

092 □ (1) That hotel is next to a nightclub. **I don't suggest that you should stay there.**

□ (2) A : Who told you to come here?
B : Mr. Taylor. **He insisted that I should attend the meeting.**

第6章 態

093 □ (1) A : Is this car yours? It's very old, isn't it?
B : Yes, it is. **It was repaired and restored by my brother.**

□ (2) A : Do you know how old this temple is?
B : I'm not sure. **I think it was built about 500 years ago.**

094 □ The book is out of print, **but it can be borrowed from the library.**

095 □ A : Was the opening match held in the new stadium?
B : No, it was in the old one. **The new stadium is still being built!**

096 □ This song was first released in 1987, **and it has been sung by a lot of singers.**

097 □ (1) A : Why wasn't he arrested at the airport?
B : I don't know. **Perhaps his name wasn't shown on the list of suspects.**

□ (2) Some boys were swearing in class yesterday. **Remember,**

bad words must not be used in the classroom.

098 □ Wow, you have so many handbags. Were these made in Italy?

099 □ (1) If you don't mind my asking, who will be invited to their wedding?

□ (2) Your head office is very impressive. When was your company established?

100 □ (1) Did you hear? Jim was sent a Christmas card by Mary.

□ (2) A : Why are the police here?

B : A threatening letter was sent to the governor by an antisocial group.

101 □ Their baby was born in this remote village, and he was named Carl by his grandfather.

102 □ A : What happened to the children in the end?

B : The girl was taken care of by my sister. The boy was adopted by a family in Boston.

103 □ (1) A : Akira's mother is so elegant.

B : I agree. They say that she used to be a model.

□ (2) Akira's father is a politician, and it is said that his mother comes from a rich family.

104 □ (1) The shoppers started clapping when I got there. The Christmas lights were switched on.

□ (2) In order to save energy, unnecessary lights are switched off during lunchtime.

105 □ I have to get new glasses. My old ones got broken while they were in my suitcase.

106 □ (1) A : Mt. Fuji is beautiful, isn't it?

B : Yes, it is. It looks more beautiful when the top of it is covered with snow.

□ (2) The car accident was terrible. Two pedestrians were killed, and the driver was badly injured.

107 □ A : What did Mary say when you told her you had lost your job?

B : She was shocked at the news. She didn't say anything.

第7章 不定詞

108 □ (1) Tonight we are staying in a small hut. **Our plan is to climb the mountain tomorrow.**

□ (2) A : Do you have a driver's license? You don't have a car, do you?

B : That's true, **but it's useful to have a driver's license.** You can use it as an ID.

109 □ (1) My son has a toothache. **He needs to see a dentist.**

□ (2) Sam is active and outgoing. **He finds it easy to make friends.**

110 □ (1) A : How can I help you?

B : **I'm looking for someone to help me with my printer.** It's urgent.

□ (2) A : Why don't we go to Disneyland tomorrow?

B : I'm afraid I can't. **I have a lot of homework to do.**

□ (3) I'll draw a map for you. **Do you have anything to write with?**

111 □ Meg is quiet and shy, **so we were surprised at her decision to participate in the school play.**

112 □ A : Sue seems to be busy these days.

B : Yes, I heard she has two part-time jobs. **She's saving up to buy a car.**

113 □ It was a terrible day for them. **They came home to find that someone had stolen their car.**

114 □ A : Hi, I'm Eric Barnes, the personnel manager. **I'm very pleased to meet you.**

B : How do you do? I'm Saki Tanizaki.

115 □ (1) Your son understands relativity? **He must be a genius to understand the theory.**

□ (2) A : Maybe I should have double-checked.

B : Yes. **You were careless to make the same mistake again.**

□ (3) A : Give me your bag. I'll carry it for you.

B : Thank you. **It's kind of you to help me.**

116 □ (1) You're driving too fast. **I want you to be more careful.**

☐ (2) My mother is worried about my health. **She called me last night and told me to eat more vegetables.**

☐ (3) A : What's your plan for next year, Erika?
B : I'm going to the States. **My father allowed me to study abroad.**

117 ☐ (1) A : Where's Mika?
B : **She went to the airport to pick up her friends.**

☐ (2) A : How's the job hunting going, Marcus? Any good news?
B : Not yet. **It's difficult to find a good job in this town.**

☐ (3) A : Your brother seems very ambitious.
B : Yes. **His dream is to become a movie star.**

118 ☐ You have a fever and a sore throat. **It is necessary for you to see a doctor.**

119 ☐ A : What time did he get to the meeting?
B : Half past nine. **However, he promised not to be late again.**

120 ☐ (1) I was eating soft ice cream, **so my mother made me wait outside the store.**

☐ (2) Thank you for making time for me today. **First, let me explain my plan.**

☐ (3) A : Sam was walking badly after the race yesterday.
B : I know. **He went to the hospital and had the doctor look at his leg.**

121 ☐ He heard a gunshot. **And then he saw the man fall down.**

122 ☐ (1) A : Your dog is watching the weather forecast!
B : Yes, he is. **He seems to understand what the presenter is saying.**

☐ (2) All the children in the home got a Christmas present. **They appeared to be happy.**

123 ☐ (1) A : Annie looks pale today.
B : Yes. **She seems to have caught a cold.**

☐ (2) The boy was holding his head. **He appeared to have been hurt in the accident.**

124 ☐ (1) Help that woman in the river! **She seems to be drowning, and I can't swim!**

☐ (2) Could you stay with me for a while, please? **I don't want to be left alone.**

125 ☐ (1) A : Did you see Jim? Is he in Tokyo?
B : Yes, **I happened to see him in a bookstore.**

☐ (2) His story seemed unbelievable to me, **but it turned out to be true.**

126 ☐ I found Littleton boring at first, **but after a few years I came to like the town.**

127 ☐ (1) The leaders have all gone home. **The next meeting is to take place in Hong Kong.**

☐ (2) The lecture is for members only. **You are to show your club card at the entrance.**

☐ (3) There was nobody in the hall, **and not a sound was to be heard.**

128 ☐ (1) A : What are you working on at the moment?
B : An English version of a Japanese novel. **Fiction is especially hard to translate.**

☐ (2) Our teacher is very friendly. **He is easy to talk with.**

129 ☐ A : Don't you like Indian food?
B : Usually I do, **but this curry is too spicy for me to eat.**

130 ☐ A : Did something good happen, grandma?
B : Yes. **On the train, a young man was kind enough to give me his seat.**

131 ☐ A : Can I help you, madam?
B : Yes. **Would you be so kind as to carry my baggage to my room?**

132 ☐ (1) A : Wow, you're early today!
B : **I left early so as to avoid the rush hour.**

☐ (2) I overslept this morning, **so I had to hurry in order not to miss the train.**

133 ☐ Since you have a pool, you should teach **your children how to** swim.

134 ☐ (1) A : How do I look? I bought this jacket on the internet.
B : **To tell you the truth, I don't think it suits you.**

☐ (2) Two years ago, a plane crashed into the sea near here.

Strange to say, the passengers and crew were never found.

135 □ A：Would you like to go to the movies?
B：**I'd love to.** What film do you have in mind?

第8章 動名詞

136 □ (1) A：You have a nice camera. Do you always carry it?
B：Yes, I do. **My hobby is taking pictures.**

□ (2) A：Do you know the name of the student with pink hair?
B：I don't, sorry. **Remembering everyone's name is really difficult.**

137 □ My grandmother hates golf. **My grandfather enjoys playing it, though.**

138 □ A：These cookies are delicious.
B：My mom made them. **She's good at baking cookies.**

139 □ (1) Unlike his classmates, **my brother doesn't like playing computer games.**

□ (2) When you go to Paris, you will agree that it is the world's most beautiful city. **As the proverb goes, seeing is believing.**

□ (3) A：Why do you always buy stamps when you visit foreign countries?
B：They're for my brother. **His hobby is collecting stamps.**

140 □ (1) My sister told me to go outside. **She doesn't like me watching TV when she's studying.**

□ (2) We have some of the best players in the country. **I'm sure of our team winning the game.**

141 □ Saying "thank you" is polite. **Not saying "thank you" is rude.**

142 □ I'm sixteen now. **I don't like being treated like a child.**

143 □ My mother used to be an athlete. **She is proud of having won a medal at the Olympics.**

144 □ (1) My parents leave home early every day, so **I'm used to making my own breakfast.**

☐ (2) I'll be at your house around two p.m. **I'm looking forward to seeing you again!**

145 ☐ (1) You can't be too careful. **There's no knowing what will happen in the future.**

☐ (2) A : I didn't study hard enough in high school.
B : That may be true, **but it's no use worrying about the past.**

☐ (3) Sorry, I didn't catch what you said. **Would you mind repeating that?**

146 ☐ (1) To lose weight, **you should avoid eating just before you go to bed.**

☐ (2) My cat disappeared three months ago. **I've finally given up looking for it.**

147 ☐ (1) Masako wants to work for the U.N. in the future. **She has recently decided to study abroad.**

☐ (2) A : Have you ever been overseas?
B : Not yet, **but I hope to go to Italy next year.** I really want to see Venice.

148 ☐ (1) A : That holiday in Egypt was wonderful, wasn't it?
B : Yes, it was. **I'll never forget seeing the Pyramids for the first time.**

☐ (2) We need milk and eggs. **Don't forget to call in at the supermarket on the way home.**

149 ☐ (1) A : Are you sure we don't need to go back to the house?
B : Don't worry. **I clearly remember locking the door.**

☐ (2) A : I'll need to work overtime this evening to finish this job.
B : All right. **Please remember to lock the door when you leave the office.**

150 ☐ (1) A : Is Elizabeth still angry with you?
B : Yes. **I really regret saying those things to her.**

☐ (2) We considered your application carefully, **but I regret to say that we cannot offer you a job.**

151 ☐ (1) There was a rock in the middle of the road. **He tried lifting it, and found it was not very heavy.**

☐ (2) There was a rock in the middle of the road. **He tried to**

move it, but it was too heavy.

152 □ (1) Sue's husband was involved in an accident. **She started crying when she heard the news.**

□ (2) Tracy has a beautiful voice. **She loves singing old folk songs.**

153 □ (1) Some men in front of the mosque shouted at him. **He stopped taking pictures.**

□ (2) He saw a beautiful sunset while he was driving home. **He stopped to take pictures.**

154 □ (1) I have to go to Syria next month. **I'm anxious about traveling there alone.**

□ (2) One of our headlights is broken. **I'm anxious to get to the hotel before it goes dark.**

第9章 分詞

155 □ (1) Who is the boy in the corner, **and who is the girl painting a picture next to him?**

□ (2) We were all surprised. **The picture painted by a little girl won the contest.**

156 □ (1) Call 911! **Someone is in that burning house!**

□ (2) The police arrested the robber, **and they found the stolen money in his car.**

157 □ (1) A : Did the Giants beat the Swallows last night?
B : Yes, they did. **It was a really exciting game.**

□ (2) A : The band arrived from London this morning.
B : I know. **There were a lot of excited fans at the airport.**

158 □ (1) It was very confusing. Although he cancelled the wedding, **he kept saying that he loved me.**

□ (2) The workers are still on strike, **and the factory remains closed.**

159 □ (1) The girls were in a good mood. **They walked laughing into the room.**

□ (2) A : So Mr. Tanaka was in this room at that time?

B : Yes. **He sat surrounded by his students.** He was talking about the weather.

160 ☐ (1) A : Did your boyfriend meet you at the station?

B : Yes, but he was late. **He kept me waiting for forty minutes.**

☐ (2) It's strange that this door is open. **We usually keep it locked.**

161 ☐ (1) Jeff was so funny last night. **He had everyone at the party laughing.**

☐ (2) **After several attempts, he finally got the washing machine working again.**

162 ☐ (1) A : What do you think? **I had my hair cut at that new salon.**

B : I think you should have gone to a different salon.

☐ (2) A : I heard you had an embarrassing accident this morning.

B : Yes, I did. **I got my scarf caught in the train doors,** and I started screaming.

☐ (3) A : Can you give me some more time?

B : No. I can't extend the deadline. **Have your essay finished by tomorrow!**

163 ☐ (1) We have a camera in the bird box now. **Yesterday, we saw a swallow building a nest in there!**

☐ (2) I was coming out of the station, **and I saw a little girl hit by a car.** Fortunately, she wasn't hurt.

164 ☐ (1) When I came home from school, **my mother was cleaning the kitchen singing *My Way*.**

☐ (2) Molokini is an unusual shape. **Seen from the air, the island looks like a croissant.**

165 ☐ I heard a noise and looked out of the window. **Some girls were walking down the road talking to each other.**

166 ☐ I went out to get some fresh air. **Walking along the beach, I found an old bottle.** It seemed to have a message in it.

167 ☐ He hesitated for a moment. **Then, taking a key from his pocket, he opened the door.**

168 ☐ The advertisement says, "**Written in simple English, this**

book is easy to understand."

169 □ His fiancée pressed him for an answer. **But not knowing what to say, he kept silent.**

170 □ Annie felt bored. **Having read the novel, she already knew how the movie would end.**

171 □ He'll be on crutches for the next six weeks. **While skiing in Hokkaido, he twisted his ankle.**

172 □ I wanted to have my hair cut before an interview. **It being Monday, however, the barber shop was closed.**

173 □ (1) A : How's your new job? Are you enjoying it?
B : Hmm ... **Frankly speaking, I'm already planning to quit.**

□ (2) A : Simon and Margot came to visit us recently.
B : Oh, really? **Speaking of children, did you hear John's daughter got into Harvard?**

174 □ (1) The dog was exhausted. **He sat there with his tongue hanging out.**

□ (2) The police officer looked angry. **He stood in front of us with his arms folded.**

175 □ (1) Don't play in the street, boys. **Look! There's a car coming.**

□ (2) Yesterday was a national holiday. **We went shopping in Ginza.**

□ (3) A : Do you fancy a game of tennis this afternoon?
B : That's a nice idea, but I can't. **I'm busy preparing for the party.**

第10章 比較

176 □ (1) My little brother is only fourteen years old, **but he's as tall as my father.**

□ (2) A : Your brother is a good runner, isn't he?
B : Yes, he is. **He can run as fast as his coach.**

177 □ A : Your sister sings really well. Are you in the choir, too?
B : Yes, **but I don't sing as well as her.**

178 □ I have a big collection. **I think I have as many comic books**

as you do.

179 □ (1) A : Is this room larger than the one we saw yesterday?
B : Yes, it is. **This room is twice as large as that one.**

□ (2) The room we saw was quite small. **It was about half as large as this one.**

180 □ (1) Your brake light is broken. **You need to fix it as soon as possible.**

□ (2) I asked the doctor to examine the baby. **He came as quickly as he could.**

181 □ (1) A : Which stone is heavier?
B : Let me see ... **This stone is heavier than that one.**

□ (2) My sister is a member of the English Club. **She can speak English better than me.**

□ (3) A : Wow, you have a lot of CDs.
B : Yes, I do. **But my sister has more CDs than me.**

182 □ A : I imagine Mrs. Taylor is in her late 40s.
B : I doubt it. **She's not younger than my father**, and he's 52.

183 □ (1) A : What do you think of my new sofa?
B : It's very comfortable, **and it's much larger than mine.** Where did you get it?

□ (2) A : Is Sue the same age as your brother?
B : No, **she's three years younger than him.**

184 □ How about this car, Mr. Suzuki? **This car is more fuel-efficient and less expensive than that one.**

185 □ A : I can't believe the man in this photo is your father.
B : I know. **He looks much younger than he really is.**

186 □ (1) A : Who won the 100-meter final?
B : Mike Evans. **He's the fastest sprinter in the school.**

□ (2) Ken always wins. **He swims fastest of us all.**

187 □ A : That was an impressive performance.
B : Wasn't it? **She's by far the best skater in this country.**

188 □ A : This model only has 2GB of memory.
B : That's true, **but it's the least expensive laptop in the store.**

189 □ The view from the balcony is really nice. **This is one of the**

nicest rooms in the hotel.

190 ☐ Henry is over 189 cm tall. **He's the second tallest student on the team.**

191 ☐ A：Texas is huge! Is it the largest state?
B：Actually, Alaska is. **No other state in the United States is as large as Alaska.**

192 ☐ A：What is the largest state in the United State?
B：Alaska. **No other state in the United States is larger than Alaska.**

193 ☐ The state of Alaska is located in the northwestern part of North America. **It is larger than any other state in the United States.**

194 ☐ A：Are Jay and Alexis a couple? They were holding hands yesterday.
B：**They're not so much a couple as close friends.** They've known each other for years.

195 ☐ (1) A：Look at Jessica. She hasn't changed at all.
B：I know. **She looks as cheerful as ever, doesn't she?**

☐ (2) A：Annie's very helpful, isn't she?
B：Yes. **She's as kind a person as you could ever meet.**

☐ (3) You can trust what Tim says. **He is as honest as any man I know.**

196 ☐ A：My goodness. That's a lot of flamingoes.
B：It's amazing, isn't it? **As many as fifty thousand birds spend the winter here.**

197 ☐ The breeder asked me to choose one, **and we chose the smaller of the two puppies.**

198 ☐ (1) My father planted the tree when I was born, **and it is growing taller and taller.**

☐ (2) We have a lot of foreign customers now, **and it's becoming more and more important to have employees who speak English.**

☐ (3) Thanks to the strong economy, **more and more people are traveling abroad these days.**

199 ☐ (1) A：Why do you study so hard?

B : Well, **the more I study, the more I know.** This gives me confidence.

☐ (2) A : Your dog is starting to look like you!
B : I know. **The older we get, the fatter we get.**

200 ☐ (1) We look up to Robert because he works hard. **We respect him all the more for his honesty.**

☐ (2) Emily has two jobs now. **She works all the harder because she has a child.**

201 ☐ A : I didn't know he was such a rude person.
B : Me neither. **His behavior was more foolish than rude, though.**

202 ☐ A : Donald said he's writing a novel. Do you think it's true?
B : No. **He can't write a simple report, much less a novel.**

203 ☐ (1) Humans and gorillas are about 98 percent identical on a genetic level. **But humans are superior to gorillas in intelligence.**

☐ (2) A : Why didn't you watch Wimbledon? You like tennis, don't you?
B : Yes, I do. **But I prefer playing sports to watching them.**

204 ☐ Kids learn to code in elementary school now. **The younger generation is not afraid of computers at all.**

205 ☐ (1) A : Any comment about the result of the election?
B : As you can see, **my prediction was more or less correct.**

☐ (2) A : I have no idea how I can handle this situation.
B : Don't worry about it. **Sooner or later you will find a good solution.**

☐ (3) A : Make sure you wear a life jacket, all right?
B : Come on! I'm not an amateur. **I know better than to go sailing without a life jacket.**

206 ☐ Wow! Technology is advancing so quickly. **This video camera is no bigger than my hand!**

207 ☐ (1) We all need sleep, **but sleeping too much is no more healthy than eating too much.**

☐ (2) You've been working too hard lately. Remember, **relaxing is no less important than working.**

208 ☐ (1) A : Did you really buy such an old car?
B : Yes, I did. **I paid no more than ¥100,000 for it.**

☐ (2) Sorry, you can't get in. **This elevator can carry not more than ten people.**

209 ☐ (1) A : Which is the most expensive golf club in this area?
B : Saint David's. **You have to pay no less than a million yen a year to be a member.**

☐ (2) A : How much will you charge me to fix the damage?
B : **I'm afraid the cost of the repairs will be not less than 200,000 yen.**

210 ☐ (1) A : When do you feel happy, Jessica?
B : I feel happy with my cat, **and I feel happiest when I'm with my friends.**

☐ (2) We're going to do some research. **This lake is deepest here.** Put the device into the water now.

211 ☐ A : I was surprised. Charlie looked nervous before he went on stage.
B : Well, **even the bravest people sometimes feel afraid.**

212 ☐ (1) Look, the sign says it's three kilometers to the city center. It **will take at most twenty minutes to get there.**

☐ (2) A : Is the hotel near the airport?
B : I'm afraid not. **It will take at least three hours to get there after we land.**

213 ☐ (1) Some people panic, **but other people are at their best when they are under pressure.**

☐ (2) A : How long do people have to wait after ordering one of your cars?
B : About a year. We're a small company, **so we can produce 30 cars a month at best.**

第11章 関係詞

214 □ (1) A : Do you know anyone in the United States?
B : Yes, **I have a friend who lives in Boston.** We used to work together.

□ (2) A : Do the Johnsons have a lot of children?
B : I guess so. **They've just bought a house which has six bedrooms!**

215 □ (1) What a coincidence! **The man whom I just met on the street went to school with my father.**

□ (2) A : Are you busy?
B : No. **I'm reading a book which I borrowed from the library.** It's about bees.

216 □ (1) A : We need a singer for the show next Friday. Do you know anyone?
B : Why don't you ask Max? **He has a friend whose wife is a singer.**

□ (2) A : Can I help you?
B : Yes, **I'm looking for a book whose title is *Evergreen*.** Do you have it?

217 □ (1) A little boy was at a loss at the station. He told me that he had lost his money. I felt sorry for him, **so I gave him the money that was in my pocket.**

□ (2) A : What's the matter?
B : **I can't find the lottery ticket that I bought yesterday.** Have you seen it?

218 □ (1) A : Why are all those girls waiting in front of the hotel?
B : They're hoping to see Simon Landis. **He's the actor who Ann sent a fan letter to.**

□ (2) Boston, Massachusetts. **This is the city which I was born in.** I left after I graduated high school.

219 □ (1) A : Do you worry about global warming?
B : No. **What worries me is the rising cost of gasoline!**

□ (2) All of a sudden, the monkey started dancing. **They couldn't believe what they saw.**

□ (3) A diver's watch! **Thank you. This is just what I wanted.**

220 □ (1) My brother worked at that hospital for three months. **He married a woman who he met there.**

□ (2) My brother-in-law is a doctor. **He married my sister, who he met at the hospital.**

221 □ (1) A: What did your boyfriend give you for your birthday?

B: **He gave me some chocolates, which I shared with my classmates.**

□ (2) My friend Susie is an experienced gardener. **She lent me some books, which were really useful.**

□ (3) When I came back to the office, **I telephoned Rod, who had called while I was out.**

222 □ (1) Our boss is very careful about his image. **Yesterday, he wore a dark blue suit, which was made in Italy.**

□ (2) My boyfriend and I walked home through the old cemetery. **He said he wasn't afraid of ghosts, which wasn't true.**

□ (3) The weather forecast said it would be cloudy. **However, it rained all day yesterday, which I expected.**

223 □ Can you see the white building over there? **That's the hospital where my aunt works.**

224 □ A: This Brontosaurus skeleton is huge!

B: I know. **It's hard to believe there was a time when these creatures lived on the earth.**

225 □ (1) Just a minute, Edward. Before you sit down, **tell me the reason why you are late for class.**

□ (2) A: Your son has another cavity, Mrs. Denton.

B: I'm not surprised. He eats too much chocolate. **That's why his teeth are bad.**

226 □ He had some good ideas and worked very hard. **That's how he succeeded in business.**

227 □ (1) Soon after my sister graduated high school, **she moved to New York, where she studied music.**

□ (2) We had a blackout last night. **I was taking a shower at seven, when the lights went out!**

228 □ (1) A: Is it difficult to become a member?

B: Not at all. **The club admits whoever pays the entry**

fee.

☐ (2) We have red wine and white wine. **Help yourself to whichever you want.**

☐ (3) It's my treat tonight. **You can order whatever you like.**

229 ☐ (1) I love Sundays. **We can get up whenever we want to.**

☐ (2) My uncle runs an Italian restaurant in Osaka. **I visit him whenever I go there.**

☐ (3) A : Where do you want us to put the sofa?
B : Right here, please. **And put the table wherever you like.**

230 ☐ (1) I'm not feeling well today. **Whoever calls, please say that I'm out.** I don't want to talk.

☐ (2) A : Can I borrow one of these DVDs?
B : Yes, of course, **but whichever you take, please return it tomorrow.**

☐ (3) Good luck in court tomorrow. And remember, **whatever happens, I will always love you.**

231 ☐ (1) Everybody in this office respects her. **However tired she is, she's always polite.**

☐ (2) We enjoyed having you, Hiroshi. **You can stay here whenever you come back to England.**

☐ (3) I just wanted to let you know that I love you. **I'm always thinking of you wherever you are.**

232 ☐ (1) What did you buy at the sale? Can I look at it? ... **Oh, my, this is the same jacket as I bought yesterday.**

☐ (2) Boris and I are like oil and water. **We do not mix, as we all know.**

233 ☐ I really appreciate your help. **You did more work than I'd expected.**

234 ☐ It was really embarrassing. **The woman who I thought was her sister was actually her mother.**

235 ☐ We're now in Beverly Hills. **The house of which you can see the red door belonged to a famous actor in the 1960s.**

236 ☐ (1) **Every summer they went to Hawaii, and the hotel at which they stayed was in the center of Waikiki.**

□ (2) Marie texted me yesterday. Unfortunately, **I couldn't really understand her message, most of which was in French.**

237 □ (1) A : What on earth are you eating?
B : **This dish is what is called "chawanmushi."** It's custard but it's not sweet.

□ (2) A : You're famous now. How did you get so good at making wine?
B : **My father made me what I am today.** He taught me everything I know.

□ (3) A : Are you a fan of Fiona Apple?
B : Yes, I think she's a genius. **She writes all her own songs, and what is more, she plays the piano brilliantly.**

□ (4) A : Are you going to Jen's party on Friday?
B : I can't. **What with working and housekeeping, I don't have time to go out these days.**

□ (5) A : My father always tells me to read books. I just can't understand why.
B : When **you're older, you will see that reading is to the mind what exercising is to the body.**

238 □ I was shocked. **I gave him what money I had, but he wasn't grateful at all.**

239 □ At the castle, there were some Scottish soldiers playing the bagpipes. **They wore kilts, which clothing I found very impressive.**

第12章 仮定法

240 □ (1) A : The weather forecast for Saturday is not good.
B : It doesn't matter. **If it rains tomorrow, we'll cancel the picnic and go to the movies instead.**

□ (2) I'm tired of living in this small apartment. **If I had a lot of money, I would buy a big house near the sea.**

241 □ (1) You look exhausted. **If I were you, I'd go shopping for a change.**

☐ (2) A : What's your dream vacation?
B : **If I had enough time and money, I would travel around the world.**

242 ☐ (1) The train has just left. **If we had arrived thirty seconds earlier, we wouldn't have missed it.**

☐ (2) A : That climber was lucky. She was missing for three days.
B : I know. **She would have died if the rescue team hadn't found her.**

243 ☐ A : There's a lot of traffic on this road. What time will we get to the airport?
B : No idea. **But if we had taken the expressway, we might be there now.**

244 ☐ (1) A : I'm sure Janice knows what the entry code is.
B : **Oh, I wish I knew her telephone number.**

☐ (2) This skirt is too tight. **I wish I hadn't eaten all those cakes last week.**

245 ☐ (1) A : Taro seems to know a lot about European history.
B : Well, **he talks as if he were an expert on the subject,** but he's just a student.

☐ (2) What's the matter with you? **You look as if you had been crying all night.**

246 ☐ Look at that. The first prize is ten million dollars. **If you were to win the lottery, what would you do with the money?**

247 ☐ A : We're going to walk to your place from the station.
B : All right. **If you should change your mind, call me.** I'll come and pick you up.

248 ☐ (1) You won't have time to practice after you finish college. **Were I you, I would learn to drive now.**

☐ (2) I'm so sorry that I didn't come. **Had I known that you were in the hospital, I would have visited you.**

☐ (3) This bookshelf is unsteady. **Should there be an earthquake, it would fall over.**

249 ☐ (1) Billy always makes me laugh. **But for friends like him, my life would be very dull.**

☐ (2) He's a great coach. **Without his advice, we would have**

lost the game.

250 □ (1) A : Is the piano a hard instrument to master?
B : No. **With enough practice, you could become a good pianist.**

□ (2) This article says that our company's profits are falling! **With this information, I would not have taken a job here.**

251 □ (1) A : Most people think he murdered his wife.
B : I believe he is innocent; **otherwise I wouldn't try to save him.**

□ (2) When Mr. Smith entered the classroom, we stopped talking; **otherwise he would have scolded us.**

252 □ A : Did Jamie study psychology at university?
B : No, **but to hear him talk, you would think he knew all about the subject.**

253 □ (1) He must be a fraud, not a police officer. **A police officer would never ask you to withdraw money.**

□ (2) House prices have gone up recently. **Six months ago, I would have accepted your proposal, but not now.**

254 □ (1) I listen to the pop channel when I'm driving to work. **If it were not for music, commuting would be boring.**

□ (2) A : You skidded on some ice?
B : And then I crashed into a tree. **If it had not been for my seat belt, I would have been badly injured.**

255 □ A : My front tire is flat again.
B : That's the third time this month. **It's time you bought a new bicycle.**

256 □ (1) Jenny knows how to change the ink cartridge. **If only she were here!**

□ (2) Sandy told me to get travel insurance, but I didn't. **If only I had taken her advice!**

257 □ (1) A : Here's your key, madam. Your room is on the fifth floor.
B : Thank you. **It would be nice if someone could help me with my luggage.**

□ (2) Excuse me, but is this seat taken? **Would it be all right if I sat here?**

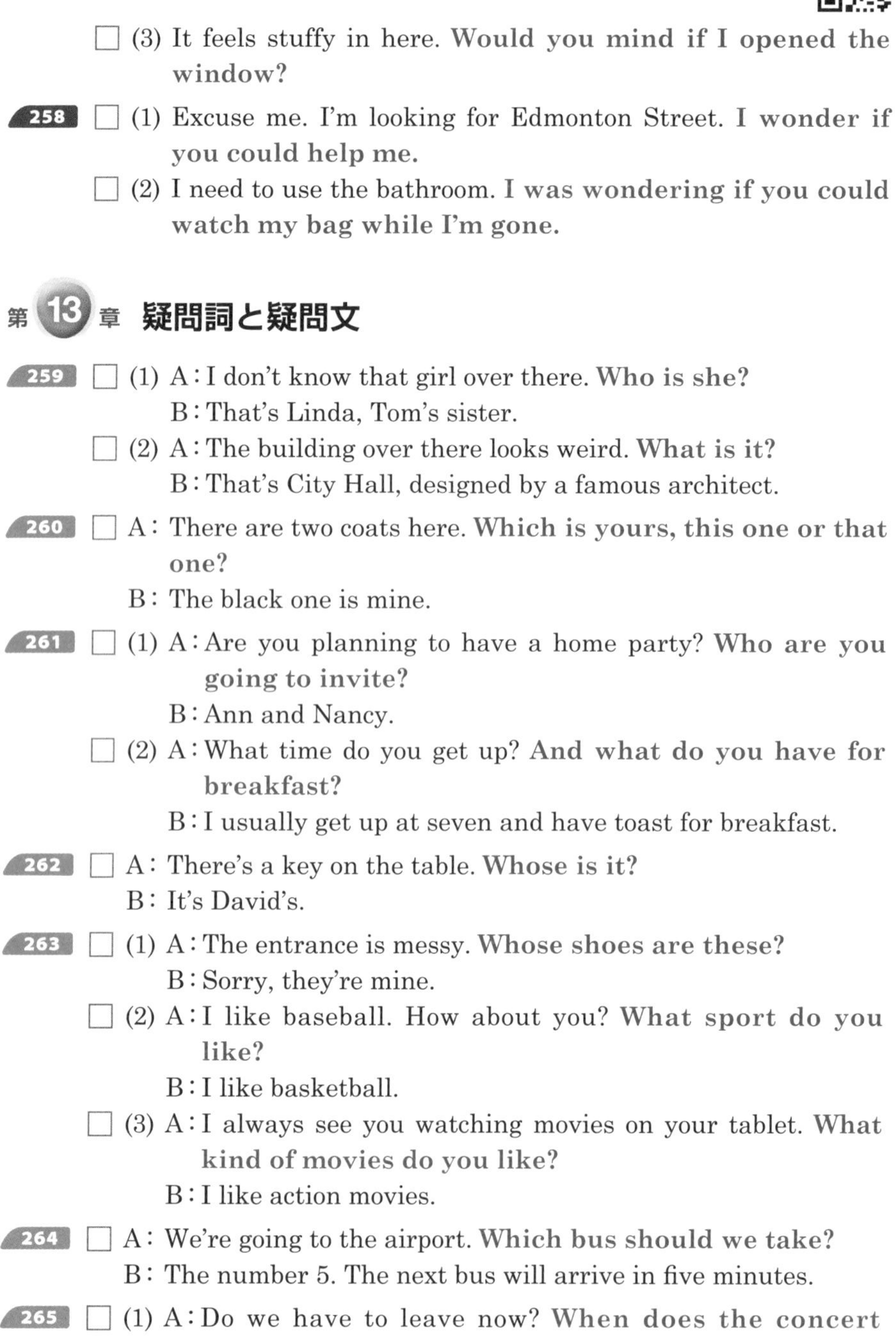

☐ (3) It feels stuffy in here. **Would you mind if I opened the window?**

258 ☐ (1) Excuse me. I'm looking for Edmonton Street. **I wonder if you could help me.**

☐ (2) I need to use the bathroom. **I was wondering if you could watch my bag while I'm gone.**

第13章 疑問詞と疑問文

259 ☐ (1) A：I don't know that girl over there. **Who is she?**
B：That's Linda, Tom's sister.

☐ (2) A：The building over there looks weird. **What is it?**
B：That's City Hall, designed by a famous architect.

260 ☐ A：There are two coats here. **Which is yours, this one or that one?**
B：The black one is mine.

261 ☐ (1) A：Are you planning to have a home party? **Who are you going to invite?**
B：Ann and Nancy.

☐ (2) A：What time do you get up? **And what do you have for breakfast?**
B：I usually get up at seven and have toast for breakfast.

262 ☐ A：There's a key on the table. **Whose is it?**
B：It's David's.

263 ☐ (1) A：The entrance is messy. **Whose shoes are these?**
B：Sorry, they're mine.

☐ (2) A：I like baseball. How about you? **What sport do you like?**
B：I like basketball.

☐ (3) A：I always see you watching movies on your tablet. **What kind of movies do you like?**
B：I like action movies.

264 ☐ A：We're going to the airport. **Which bus should we take?**
B：The number 5. The next bus will arrive in five minutes.

265 ☐ (1) A：Do we have to leave now? **When does the concert**

begin?

B : At seven. Are you ready to go?

☐ (2) A : I can't find a parking lot around here. **Where can I park my car?**

B : Oh, you can park on this street.

266 ☐ (1) A : You went to the post office? **Why did you go there?**

B : I was asked to buy some stamps.

☐ (2) A : You live in the next town, don't you? **How do you go to school?**

B : Usually by bus.

267 ☐ (1) A : Are you finished? **How was your meal?**

B : It was very good. Thank you.

☐ (2) A : Do you commute by train? **How far is your house from the station?**

B : About two kilometers. I go to the station by bike.

268 ☐ A : Was John there? **Who did he come to the party with?**

B : With Cathy, his girlfriend.

269 ☐ (1) Eric is my best friend, **but I don't know what he wants to do.**

☐ (2) I want to drop by my cousin's office before going to the movie. **Can you tell me when the movie starts?**

270 ☐ (1) A : I can't believe it! **Can't you swim at all?**

B : No, I can't. I can't swim a stroke.

☐ (2) A : Hi, Casey, how are you? **Isn't it a lovely day today?**

B : Yes, it is. Where shall we go?

271 ☐ A : I need some fresh air. Do you mind if I open the window?

B : **No, not at all.**

272 ☐ A : I have to go to the bank during the lunch break. Can I use your bike?

B : **Sure. Go ahead.**

273 ☐ (1) A : Look at the light over there. **What do you think it is?**

B : I think it's a fishing boat.

☐ (2) A : Can you see the light on the beach? **Do you know what it is?**

B : No, I don't. But maybe some young people are playing

with fireworks.

274 □ (1) A：How's it going, Mike? **It's very hot today, isn't it?**
B：Yes, it is. It'll be 35 degrees today.

□ (2) A：Beth always drinks tea. **She doesn't like coffee, does she?**
B：No, she doesn't.

275 □ (1) A：Paul and George have already arrived. **Billy hasn't arrived yet, has he?**
B：No, he hasn't.

□ (2) A：I'm thirsty. **There's some juice in the fridge, isn't there?**
B：Yes, there is.

□ (3) A：I asked Jennifer to change her mind, but she didn't. **She never listens, does she?**
B：No, she never does.

276 □ (1) A：Who will be the next President of the United States?
B：**Who knows?**

□ (2) A：Umm ... This instruction is a bit complicated for me.
B：Do you really think so? **What could be simpler than this?**

277 □ A：I have a problem. Jeff called me again and again.
B：**You gave him your telephone number?**

278 □ (1) A：I'm sorry, Dad. I broke your ...
B：**You broke my what?**

□ (2) A：I told him the truth.
B：**You told him what?**

279 □ (1) A：Yamada hit two home runs yesterday.
B：**Oh, did he?** He will probably hit over forty this season.

□ (2) A：I'm not interested in baseball.
B：**Aren't you?** Then, what sport are you interested in?

280 □ Do you know what happened? **What did the police come here for?**

281 □ A：I went to Madrid this summer. The food was great!
B：Really? **What is the food in Spain like?**

282 □ Hi, Kenta. You came here alone? **How come you didn't bring**

your sister? I wanted to see her.

第14章 否定

283 □ (1) A : Do you come to school on foot?
B : Yes, I do. It's only fifteen minutes' walk, so **I don't come to school by bicycle.**

□ (2) I'm interested in fashion and want to wear a ring and earrings. **But my teacher told me not to wear them in school.**

284 □ A : Did you enjoy yourself at the amusement park?
B : Yes, I did. **But I will never ride a roller coaster again.** It was so scary.

285 □ (1) Lightning hit a tree in the school yard yesterday. Fortunately, **there were no students there.**

□ (2) A : I hear you're building your house by yourself. When will it be finished?
B : I have no idea. You know, **building a house is no simple task.**

286 □ (1) A : Do you think he will be a good writer?
B : I'm not sure. **I don't think he is so talented.**

□ (2) A : Are you going to the beach tomorrow?
B : Yes, I'm preparing for it now. **I hope it won't rain tomorrow.**

287 □ A : Will Jackie be late again today?
B : **I hope not.** Should I call her?

288 □ (1) A : How did you like Professor Smith's lecture?
B : Honestly, **I could hardly understand what he was saying.**

□ (2) Some people were involved in the accident. Most of them seemed to be all right, **but the injured child could scarcely walk.**

289 □ (1) A : Did you know Tom's father is an orchestra conductor?
B : No, I didn't. **I rarely listen to classical music.**

□ (2) The football league in England is the oldest and world-

famous, **but England has seldom won the World Cup.**

290 □ (1) A: Why is Mr. Taylor in a bad mood?
B: Well, **few students in his class handed in the homework.**

□ (2) A: Tomorrow is Mother's Day. Did you get something for your mother?
B: I couldn't. **I had little time to buy a present for her.**

291 □ (1) A: How was the meeting yesterday?
B: **All of the members attended it**, and everything went well.

□ (2) Since the weather was bad, **not all of the members attended the meeting.**

□ (3) I think we should break up our group. **None of the members attended the meeting last week.**

292 □ (1) My wife and I have a similar sense of values, **but she does not always agree with me.**

□ (2) I found some problems with your theory, **but it is not completely wrong.** I recommend you review it.

293 □ (1) A: I like Uncle Tony very much.
B: Me too. **He never visits us without bringing a gift.**

□ (2) A: I had a quarrel with my boyfriend last night. What should I do?
B: Don't worry. **It's not unusual for couples to quarrel.**

294 □ (1) A: This song is so moving!
B: Indeed. **I cannot help crying when I hear it.**

□ (2) A: Mom, we're going to the beach tomorrow.
B: All right, but be careful, Toni. **You cannot be too careful when you swim in the sea, okay?**

295 □ (1) I told my grandfather how useful smartphones are. **It was not long before he bought one and started to use it.**

□ (2) I traveled around the world when I was a student. **I didn't graduate from university until I was twenty-five.**

□ (3) A: Did you enjoy the baseball game last night?
B: Actually, no. **The game had hardly started when it began to rain.**

296 □ (1) A: I wish the baby would stop crying.

B : Don't be so irritated. You know, **babies do nothing but cry**.

☐ (2) A : I was disappointed that he lost the championship belt last week.

B : So was I. **He is no longer a strong wrestler.**

297 ☐ (1) A : Why did you not do your homework?

B : I'm very sorry. **I was too sleepy to do it.**

☐ (2) A : Do you think he is telling the truth?

B : Yes, I believe so. **He would be the last person to tell a lie.**

☐ (3) I'm sorry I'm late. **I overslept because the alarm failed to ring.**

298 ☐ (1) A : Did you take Dr. Summer's class? They say his class is not so exciting.

B : I disagree. **His lecture was anything but boring.**

☐ (2) A : Look! This T-shirt is so rare, but it's only twenty thousand yen.

B : What?! **Twenty thousand yen for a T-shirt is far from cheap!**

☐ (3) A : Only the strongest survive. It's the law of the jungle, right?

B : Yes, **but no animal can live free from danger in the wild.**

第15章 話法

299 ☐ (1) When I introduced myself on the first day at school, **I said, "I am interested in cricket."** No one else was interested, though.

☐ (2) A : Did you say you were interested in baseball?

B : No, **I said I was interested in cricket.**

300 ☐ (1) My son lives in Tokyo and rarely comes home. **He always says, "I don't like my hometown."**

☐ (2) Mika enjoys urban life very much. **She comes from a rural area and always says she doesn't like her hometown.**

301 ☐ (1) A : Ken said something to you eagerly. What did he say?

B : **He said to me, "I want you to join our band."** And I said, "OK."

☐ (2) When I was talking to Jessica on the phone, **she told me that she wanted me to join her team.** Of course, I said, "I'd love to."

302 ☐ (1) As soon as we started to play baseball in the park, a park attendant came to us. **He said angrily, "You can't play baseball here today."**

☐ (2) A : Did you play baseball last Sunday?
B : No. We wanted to, **but the park attendant told us we couldn't play baseball there that day.**

303 ☐ (1) A : Who was that man? What did he say to you?
B : I don't know. **He said to me, "Where do you live?"** Of course, I just ignored him.

☐ (2) At the job interview, **the interviewer first asked me where I come from and what my major is.**

304 ☐ (1) We were invited to a barbecue at Mr. Brown's house. When we were there, **he said to us with a big smile, "Are you hungry, guys?"** and put some steak on our plate.

☐ (2) Mr. Brown invited us to his house. Right after we sat down in the guest room, **he asked me if we were thirsty.**

305 ☐ (1) Sorry, I'm late. Just when I was leaving home, **my mother said to me, "Clean your room before you leave!"** You know, she's so strict.

☐ (2) A : Does your mother really nag you so much?
B : Yes, she does. **She always tells me to clean my room, do my homework, go to bed early, and so on.**

306 ☐ (1) On the first day of French class, **the teacher said to us, "First, you should buy this dictionary."**

☐ (2) After the first French class, **the teacher advised me to buy that dictionary.**

307 ☐ (1) A : What did the old woman say to you?
B : **She said to me, "How noisy your motorcycle is!"** I think she was mad at me.

☐ (2) The woman next door is annoying. Yesterday, **she complained about how noisy my motorcycle was.**

308 □ (1) A : Did Bill say anything about Kate?
B : **He just said, "I don't know when Kate will arrive here."**

□ (2) I thought Bill knew about Kate's schedule, **but he said he didn't know when she would arrive there.**

309 □ (1) I met a man at the bar of the hotel. **The man said, "I arrived here yesterday, and I will stay for three days."** And then he continued talking about himself for the next 30 minutes.

□ (2) A : Who was the man you were talking with? Your friend?
B : No, we had just met. **He said he had arrived there the day before, and that he would stay for three days.**

310 □ (1) My best friend Ken visited me last Sunday. **He said to me, "You look pale. What's wrong?"** He's always worried about me.

□ (2) A : How have you been recently? Did you sleep well last night?
B : I did, but I think I have a cold. Last night, I met Ken, **and he told me I looked pale and asked what was wrong.**

第16章 名詞構文・無生物主語

311 □ Congratulations, Akira. **We are all pleased with the news of your success in the examination.**

312 □ I found an interesting article in the newspaper. **A Japanese scientist reported his discovery of a new virus.**

313 □ I've just joined the school dance club. There are so many members, so **nobody noticed my absence from the club meeting yesterday.**

314 □ (1) A : I was surprised that your father had a traffic accident.
B : So was I. **I know he is a safe driver.**

□ (2) A : Have you seen Pat lately?
B : Yes, I have. I ran into her in front of the station yesterday, **and we had a chat in the coffee shop.**

315 □ (1) We all wanted to continue playing, **but the bad weather made us cancel the game.**

□ (2) I have a part-time job at a supermarket. **It allows me to save a lot of money.** With the money, I'm going to travel around Europe this summer.

316 □ (1) While you are exploring in the cave, you have to wear this helmet. **It will keep you from hurting your head.**

□ (2) I didn't know it was rush hour. **The traffic jam prevented us from arriving on time.**

317 □ This is a digital thermometer. **This meter tells you the temperature in both Celsius and Fahrenheit.**

318 □ (1) A：Can you tell me how to get to the station?

B：Oh, it's easy. **This road takes you to the station.** Just go straight. It takes about ten minutes.

□ (2) Why don't you buy a new dishwasher? **This new model will save you a lot of water.**

第17章 強調・倒置・挿入・省略・同格

319 □ (1) If you have any questions, **please do feel free to call me any time.**

□ (2) A：You can have the book if you want it.

B：Thank you. **This is the very book I've been looking for!**

□ (3) A：What do you think about this dress?

B：**Your dress is just beautiful!**

320 □ (1) It's 1:00 a.m. in the morning. **Who on earth is calling at this hour?**

□ (2) A：He said he had seen a ghost.

B：Did you believe him? **I don't believe his story at all.**

321 □ I don't think his jokes are funny, **because he tells the same jokes again and again.**

322 □ A：Is it true that Peter caught a catfish in this pond?

B：No, it isn't. **It was Jim that caught a big one here yesterday.**

323 □ (1) A：I like her acting very much.
B：I agree, **but what I like more is her voice.**
□ (2) I'll be back in ten minutes. **All you have to do is wait here.** Understand?

324 □ (1) A：Look! There is a rainbow over there.
B：Wow! **Never have I seen such a beautiful rainbow.**
□ (2) He is a little too serious. **Rarely does he tell a joke.**

325 □ (1) I shook the tree hard, **and down fell an apple.**
□ (2) I felt something in my pocket, so I reached in and pulled it out. **In my pocket was his business card.**
□ (3) We'd better hurry. **Here comes the train.**

326 □ My careless remark made her angry. **Not a word did she say during dinner.**

327 □ The old church was beautiful. **Even more beautiful was the view from the top of it.**

328 □ (1) A：I hear Bob's house caught on fire yesterday. Is Bob all right?
B：Bob was away on business. **And his son, fortunately, was rescued from the burning house.**
□ (2) I don't think I can afford any of these. **The clothes in this store, in my opinion, are too expensive.**

329 □ (1) A：I'd like to try fishing in this river. There seems to be a lot of fish.
B：I'm sorry, you can't. **Fishing in this river, as far as I know, is prohibited.**
□ (2) A：I've decided to go jogging every day.
B：Really? **Too much exercise, I think, is bad for your health.**

330 □ (1) The students tried rafting for the first time. Surprisingly, **the girls were brave, but the boys were not.**
□ (2) A：Where should I sit?
B：**You may sit wherever you want to.**

331 □ A： Why has he been absent for so long?
B： **I hear he broke his left leg while skiing in Canada**, and he's in the hospital.

332 □ A: Is Erika all right? She seems to be sick.
B: We don't have to worry. **Her best friend Lisa is a nurse.**

333 □ A: Do you know where Ann was born?
B: **She was born and raised in the city of Seattle.**

334 □ A: I have no idea where Tony is living now. Have you heard anything about him?
B: **I heard a rumor that he's living in India now.**

第18章 名詞

335 □ (1) A: What furniture did you buy?
B: **I bought a table and four chairs.**

□ (2) A: I like tea best.
B: **I prefer coffee to tea.**

336 □ (1) Koalas live in trees, and they are not active during the day. **They live only in eastern Australia.**

□ (2) My son is always asking me questions. **Last night he asked why there are seven days in a week.** Are you able to explain it?

337 □ (1) A: How many families live in the village?
B: **There are about 100 families.** But the population is getting smaller.

□ (2) A: You really like soccer, don't you?
B: Yes, I do. **And my family are all soccer fans.**

□ (3) There was a bank robbery last night, **and the police are looking for the robber.**

338 □ (1) A: What is the statue made of?
B: **This statue is made of stone.** It's very old.

□ (2) Today is my parents' 18th wedding anniversary, **so my mother bought a bottle of wine to celebrate it.**

339 □ (1) I think his behavior realizes the proverb: **necessity is the mother of invention.**

□ (2) I'm really grateful to him. **He gave me a useful piece of advice.**

340 □ (1) It took a long time to study the behavior of wild animals. **Dr.**

341

Jones observed wild animals for five years in Africa.

□ (2) A：Have you ever been to any museums in London?
B：**I went to the British Museum last August.** It was great.

341 □ (1) My sister can read English rather fast, **probably because she reads an English paper every day.**

□ (2) Thank you for your support and cooperation. **And I appreciate the many kindnesses you have shown me.**

□ (3) A：What kind of car do you want?
B：**I want to buy a BMW someday.**

342 □ A：Can I help you, mom?
B：**Will you set the dishes on the table?**

343 □ A：How can I prevent tooth decay?
B：**Brush your teeth after meals.**

344 □ (1) Probably because of his age, **these days my father wears glasses when he reads.**

□ (2) The two men walked together until they came to a crossroads, **and then they shook hands with each other and parted.**

345 □ (1) Can you hear the sound of the piano? **The person playing the piano is Jim's brother.** He is so talented.

□ (2) Ken, you haven't handed in your assignment yet. **Come to the teachers' room later.**

346 □ (1) A：Where are the birds singing?
B：**Can you see the roof of the church?** They are on it.

□ (2) A：Why did you come home later than usual?
B：**I met a friend of my mine at the station and talked with him for some time.**

第19章 冠詞

347 □ (1) Besides the greens in the refrigerator, **there is a tomato in the bowl.** I can make salad.

□ (2) A：How about pasta for lunch?
B：Good idea. **There are tomatoes in the bowl.** We can

Step 2 スクリプト

use them to make pasta sauce.

348 □ (1) I like watching stars at night. **Last night, I saw a shooting star.**

□ (2) Living in the city, I rarely see stars, **but the shooting star I saw last night was very bright.**

349 □ (1) A : What did your boss ask you?
B : **He asked me what the nature of the problem is.**

□ (2) No matter how much technology advances, **we can't completely control nature.**

350 □ (1) Recently, I've moved to a new apartment, **and I want to buy a bed for my room.**

□ (2) You always look sleepy. **What time do you usually go to bed?**

351 □ (1) Dad, come over here! **There's a spider in my room!** Will you get rid of it?

□ (2) A : What do you want most right now?
B : **I want a car.** I want to go for a drive.

□ (3) I can't solve this riddle. **Can you give me a hint?**

□ (4) A : I think it will take a long time to achieve great things.
B : I agree with you. **As the proverb says, "Rome was not built in a day."**

352 □ A : How much is this?
B : **This rope is 200 yen a meter.**

353 □ (1) Did you take a photo of that cat? **Show the photo to me.**

□ (2) You were the last to leave the house. **Did you remember to lock the door?**

□ (3) I've never heard him telling a lie. **He is the only person I can trust.**

□ (4) About 400 years ago, most people believed the earth was at the center of the universe, but today, **everyone knows that the earth goes around the sun.**

354 □ (1) I use a lot of butter for baking, **and I still buy butter by the pound.**

□ (2) A : Do you know where Jim is?
B : I saw him an hour ago. **He took his daughter by the**

hand and left the room.

355 □ (1) If you get lost in the desert, you are not likely to survive, **since it's difficult to find water there.**

□ (2) In some countries, Sunday is not a holiday. **So, you should not take it for granted that we don't have to go to school on Sundays.**

□ (3) A : Would you like some beer?
B : Thank you, but I can't drink. **I came here by car.**

356 □ (1) A : Please look at the picture I bought.
B : You really bought this? **What an interesting picture this is!**

□ (2) I believed what he told us, **but it was so strange a story that few people believed it.**

□ (3) A : Should I attend the meeting?
B : Of course you should. **All the members of this club must attend it.**

第20章 代名詞

357 □ (1) A : Do you know where our new English teacher comes from?
B : Canada. **I hear she comes from Toronto.**

□ (2) A : Do you know Bob has all his shirts custom-made?
B : I know. **Each of his shirts has his initials on it.**

□ (3) Excuse me. Do you know where the Globe Theater is? **Could you tell me the way there?**

358 □ (1) When visiting the United States as an international student, **you can get a driver's license if you have reached 18.**

□ (2) A : Nancy looks very happy these days.
B : **They say she's getting married next month.**

□ (3) We'll probably suffer from a water shortage this summer. **We had little rain last month.**

359 □ (1) There's a pencil on my desk. This is not mine. **Is it yours?**

□ (2) A : What did you do yesterday?
B : **I went shopping with a friend of mine.** I had a good time.

360 □ I'm afraid I won't be in time for the meeting. **I fell down the**

stairs this morning and hurt myself.

361 □ A：Can you help me with my math homework?
B：No. **You should do it yourself.**

362 □ (1) A：Where did your mother go out to do the shopping?
B：**She left a message on my desk, but I couldn't understand it.**

□ (2) A：How long did it take you to fly to Florence?
B：Fifteen hours! **We wanted to fly there directly, but it was impossible.**

□ (3) I saw my little brother leaving my room. **He must have used my computer, but he won't admit it.**

363 □ (1) A：You don't have to go to work today, do you?
B：**What day is it today?**

□ (2) I like living in Japan, but I can't stand this heat! **It's very humid, isn't it?**

□ (3) You can walk to the city center from here. **It's about one kilometer.**

364 □ Hello, Lucy. I haven't seen you lately. **How's it going?**

365 □ (1) I like going out to parties. **It is fun to meet new people.**

□ (2) A：If anyone breaks the rules, that person will be punished accordingly.
B：Exactly. **It is important that you follow the rules.**

366 □ (1) We tried and failed so many times. **We thought it impossible to solve the problem**, but finally we could.

□ (2) I thought Julia knew Bob well, **but I found it surprising that she didn't know even his name.**

367 □ (1) Tomorrow morning, we have to leave home at 6:30. Our flight leaves at 10:30, **but it takes two hours to get to the airport.**

□ (2) My computer suddenly stopped working, **and it cost thirty dollars to fix it.**

368 □ (1) A：This is your dessert and coffee. Is everything all right?
B：Actually, no. **This is not the dessert I ordered.** I ordered crème brulee, not panna cotta.

□ (2) A：What did you say to me? I was on the phone.

B: **I just asked if you still need those magazines on the table.**

369 □ (1) When he was questioned by the police, **the suspect said he hadn't met her before, but that was a lie.**

□ (2) Don't you know the First Amendment to the United States Constitution? **We have the right to express our opinions freely. This is called "freedom of speech."**

370 □ (1) Humans are genetically similar to chimpanzees. However, **the human brain is more advanced than that of the chimpanzee.**

□ (2) Do you know the difference between an African elephant and an Indian elephant? **The ears of an African elephant are bigger than those of an Indian elephant.**

371 □ (1) Do I have to fill in my name and address on this form? **Can I borrow a pen if you have one?**

□ (2) I bought a plastic umbrella yesterday, but it was broken by the strong wind. **I need to buy a new one.**

□ (3) These boots are my favorite, but they have worn out. **I need to buy some new ones.**

372 □ (1) A: How about this blue shirt? Would you like to try this on?
B: Hmm ... I don't like the color. **Could you show me another?**

□ (2) A: Are you enjoying the dinner?
B: Yes, thank you. **Can I have another piece of pie, please?**

373 □ (1) I have two older sisters. **One is an office worker, and the other is a college student.**

□ (2) The meeting couldn't start on time. **Two of the members came on time, but the others were late.**

□ (3) A: Where were the students during the lunch break?
B: **Tom was in the classroom, but the other students were playing outside.**

374 □ (1) Not all the teenagers like dancing. **Some are good at it, and others aren't.**

□ (2) A: Did the police find the suspect? They were searching the building this morning.

B : **They couldn't find him there, so they decided to check other buildings.**

375 □ (1) A : I heard that you've started beekeeping. Is that true?
B : Yes. It's difficult, but I'm enjoying it. **If you like honey, I'll bring you some.**

□ (2) This zoo is one of the oldest and biggest in Japan. **There are some rare animals here.**

□ (3) A : Kate, would you pass the letters to your sister?
B : Okay. **Are there some letters for me, too?**

376 □ (1) A : What are you looking for, Naomi?
B : **I need some paper clips. Do you have any?**

□ (2) A : Are you absolutely sure?
B : Yes. **There isn't any possibility of his losing the election.**

□ (3) This question is very simple and easy. **Any student in this class will be able to answer it.**

377 □ (1) A : Are you from Hokkaido, by any chance?
B : No. I was born in Tokyo, **but both of my parents were brought up in Hokkaido.**

□ (2) A : I hear your mother is staying at the hospital.
B : Yes. **She got involved in a car accident and broke both legs.**

378 □ (1) We have a parent teacher conference this Friday. **Either of your parents can attend it.**

□ (2) I already had enough, **so you can take either cake.**

379 □ (1) Our car is about to run out of gas. **We passed two gas stations, but neither of them was open.** Will you tell me where the nearest gas station is?

□ (2) I went to a nearby bookstore, **but I could find neither book I was looking for.**

380 □ (1) A : How do you feel about the plan he suggested?
B : I think it is useless. **All of the members are against it.**

□ (2) Before the beginning of the course, **all new students have to take the placement test.**

381 □ (1) I hope you change your mind. **None of us agrees with you.**

□ (2) The teacher asked a question, **but no student in this class could answer it.**

382 □ (1) My uncle has three cars, **each of which has a drive recorder.**

□ (2) A: How much did you pay for the books?
B: Only three hundred yen! **Each book in the store was on sale for 100 yen.**

383 □ (1) When I arrived here, **I saw someone at the front door.** I said "Hello," but he said nothing to me.

□ (2) You've been preparing for the school festival, haven't you? **Is everything ready?**

第21章 形容詞

384 □ A: So, which shirt did you buy?
B: **I bought the cheap one because I didn't have much money.**

385 □ (1) A: I hear you bike to work. Is it true?
B: Yes, it helps me keep fit. Besides, **I don't like traveling in trains full of people.**

□ (2) Is there a vending machine near here? **I want to drink something cold.** I'm thirsty.

386 □ (1) When I got back to the parking lot, **I found the windows of my car were open.**

□ (2) It was hot and humid last night, **so I left the window of my room open.**

387 □ A: You really look wonderful in black.
B: Thank you. **Black is the only color that suits me.**

388 □ A: You did see Judy at seven this morning, didn't you?
B: Yes, I did. **She was alone in the office, talking on the phone.**

389 □ (1) A: What do you think of Mike's sister?
B: **I think she has a certain charm.** Everybody likes her.

□ (2) No matter what you say, **I'm certain this is the correct answer.**

390 ☐ (1) A : Did you watch the last game of the World Series?
B : Yes, I did. **It was an exciting game, wasn't it?**

☐ (2) On my way home from the stadium, **I saw a lot of excited supporters.** They were singing and shouting.

391 ☐ It's been a long time, hasn't it? **I'm very happy to see you again.**

392 ☐ We'd like to meet you in person and talk about our product. **Would it be convenient for you to meet us at ten tomorrow?**

393 ☐ (1) A : Have you seen his design? It's awesome.
B : Indeed. **It is highly likely that he will win the competition.**

☐ (2) A : Sorry, but I can't attend today's meeting.
B : All right. **Is it possible that you will come to the next meeting?**

☐ (3) Your son has been studying hard lately, so **it is probable that he will pass the exam.**

394 ☐ (1) A : We lost contact with the climber. I wonder if he is all right.
B : He is experienced and knows a lot about the mountain. **He is sure to come back.**

☐ (2) There is something nostalgic about the melody and lyrics. **This song is certain to be a hit.**

395 ☐ (1) All the flights were canceled because of the storm yesterday. **I have never seen such a storm before.**

☐ (2) A : This zoo attracts a lot of media attention, doesn't it?
B : Yes. **You can see such rare animals as the panda and the koala.**

396 ☐ (1) I sold books I don't read anymore to a used bookstore. **Do you still have many books at home?**

☐ (2) This is the driest rainy season in years. **We haven't had much rain this summer.**

397 ☐ (1) Takuya lived in Korea for two years, so **he has a lot of friends there.**

☐ (2) A : Kate looks a little bit tired, doesn't she?

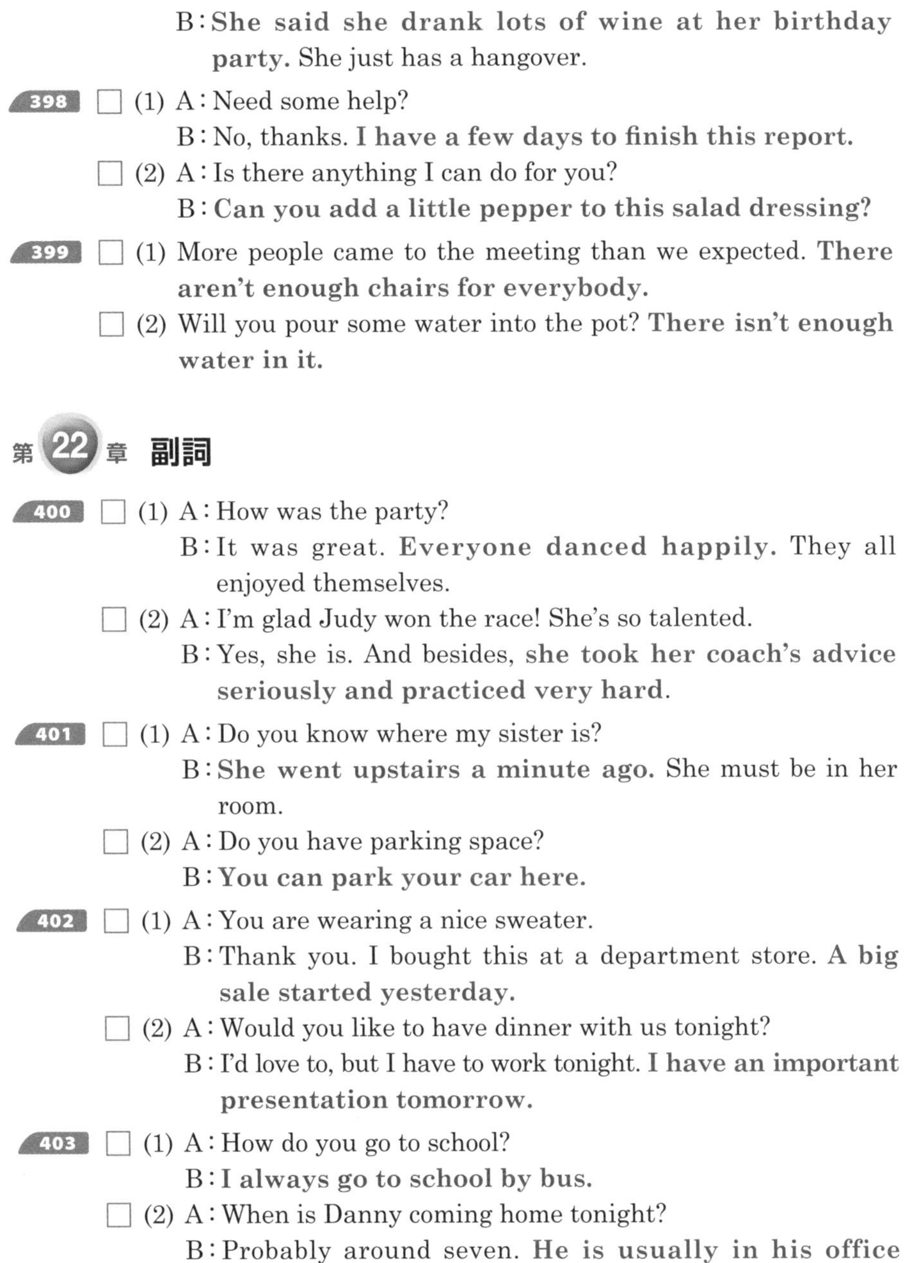

B : **She said she drank lots of wine at her birthday party.** She just has a hangover.

398 □ (1) A : Need some help?
B : No, thanks. **I have a few days to finish this report.**

□ (2) A : Is there anything I can do for you?
B : **Can you add a little pepper to this salad dressing?**

399 □ (1) More people came to the meeting than we expected. **There aren't enough chairs for everybody.**

□ (2) Will you pour some water into the pot? **There isn't enough water in it.**

第22章 副詞

400 □ (1) A : How was the party?
B : It was great. **Everyone danced happily.** They all enjoyed themselves.

□ (2) A : I'm glad Judy won the race! She's so talented.
B : Yes, she is. And besides, **she took her coach's advice seriously and practiced very hard.**

401 □ (1) A : Do you know where my sister is?
B : **She went upstairs a minute ago.** She must be in her room.

□ (2) A : Do you have parking space?
B : **You can park your car here.**

402 □ (1) A : You are wearing a nice sweater.
B : Thank you. I bought this at a department store. **A big sale started yesterday.**

□ (2) A : Would you like to have dinner with us tonight?
B : I'd love to, but I have to work tonight. **I have an important presentation tomorrow.**

403 □ (1) A : How do you go to school?
B : **I always go to school by bus.**

□ (2) A : When is Danny coming home tonight?
B : Probably around seven. **He is usually in his office until six on weekdays.**

404 ☐ (1) A : How is your research going? Were there any new findings?

B : Nothing in particular. We did an experiment last week, **but the result of it was hardly surprising.**

☐ (2) A : Are you coming with us to see the movie? I thought you had to do your homework tonight.

B : Yes, I do, **but I have almost finished it.**

405 ☐ (1) A : Did you witness the accident?

B : Yes, I did. A car crashed into an electric pole. **Clearly, it was caused by speeding.**

☐ (2) The dog was lying there moaning and groaning. **It was obviously hurt.**

406 ☐ (1) A : Steve seems so busy these days.

B : He is part of a big project for a new product. **He came home very late last night and left very early this morning.**

☐ (2) A : Would you like another slice of pizza?

B : No, thank you. I don't want to eat much. **I have been trying to lose weight lately.**

407 ☐ (1) A : I think Alice deserves a scholarship.

B : I agree. **We know she is a very good student.**

☐ (2) A : I wonder why Prof. Chen is so popular among foreign students.

B : I think it's because her lectures are very interesting. Moreover, **she speaks very slowly and clearly so that foreign students can easily follow.**

408 ☐ (1) A : Have you tried that Indian restaurant that newly opened?

B : No, I haven't. **I don't eat out much these days.**

☐ (2) A : I try not to use too much oil in cooking.

B : It's good for your health. But you like Italian food. **Olive oil is much used in Italian cooking, isn't it?**

409 ☐ (1) A : Have you seen Tony lately? I called and texted him many times, but he didn't respond.

B : Really? **I saw him three days ago.** He was in the Starbucks.

☐ (2) A : Was Jim looking for Tony?
B : Yes, he was. When I saw him yesterday, **I told him that I had seen Tony three days before.**

☐ (3) A : What is this song? **I have heard it before.**
B : I don't remember its title, but it's a traditional Irish ballad.

410 ☐ (1) A : Do you want me to help you with the laundry? **I have already cleaned my room.**
B : It's okay. I'm almost done with it.

☐ (2) A : May I watch TV, mom?
B : No, Sally. **You haven't done your homework yet.**

☐ (3) A : Would you like to have lunch? I'm preparing it now.
B : No, thank you. **I'm still feeling sick.**

411 ☐ (1) A : I'm from Los Angeles.
B : Really? **I am, too.** I'm from Burbank. How about you?

☐ (2) A : I like Japanese food, but I can't eat raw fish.
B : **I can't, either.** But I'm thinking of trying sushi someday.

☐ (3) A : I don't feel like eating any more.
B : **Neither do I.** I'm full. Do you want to have some coffee?

412 ☐ (1) There was a long line at customs. **I was told to wait in line and I did so.**

☐ (2) A : Do you think it will be sunny tomorrow?
B : **I hope so.** If it is sunny, I'll go swimming in the sea.

413 ☐ (1) A : What do you do on Sundays?
B : **I often go to the library, and so does my sister.**

☐ (2) A : I do exercise daily and enjoy healthy food. I haven't had a cold for many years.
B : So you live a very healthy life. **They say the greatest gift we have is our health, and so it is.**

414 ☐ (1) A : The show starts at seven, right?
B : Yes, but it's already six, and it'll take at least thirty minutes to get to the theater. So hurry up; **otherwise, we won't get good seats.**

☐ (2) A : If you play 3D games, this is the best machine we have for you.
B : I know this computer is very good. **However, it is too**

expensive.

第23章 前置詞

415 □ (1) Just as the movie was about to start, **Mike arrived at the theater.**

□ (2) A：When do the meetings begin?
B：**The meetings usually begin at ten.**

416 □ (1) My boyfriend and I went to see the movie yesterday, **and I happened to see Cindy there.**

□ (2) A：When did you first visit Germany?
B：**I first visited there in 1991**, two years after the Berlin Wall collapsed.

417 □ (1) Now let's clean up the room. **First, pick up those toys on the table.**

□ (2) Do you have any plans for Christmas? If you don't have any plans, **how about having dinner on Christmas Eve with me?**

418 □ (1) At the gate of the station, **I asked a station staff whether the train from Osaka had arrived.**

□ (2) A：When will you take your summer vacation?
B：**I'll be on vacation from July 24.**

419 □ (1) A：Any idea where to go tomorrow? It will be a good day.
B：**Then, let's go to the beach and have a barbecue.**

□ (2) Mr. Sasaki, this is your boarding pass. **And would you attach this tag to your bag, please?**

420 □ (1) I overslept this morning. When I arrived at the dock, **the ferry had already left for the island.**

□ (2) A：How long will you stay here?
B：**I am staying here for a few days.**

421 □ (1) A：Who attended the ceremony?
B：**Every member of the club attended it.**

□ (2) A：What happened to your lunch?
B：**A monkey robbed me of my lunch box.**

422 □ (1) The man sitting on the sofa over there is Jeff. **And that**

man standing by Jane is Scott.

□ (2) A : Do you know what that building is? It has a strange shape.

B : It's a museum. **It was designed by a famous architect.**

423 □ (1) A : You seem to be very busy today.

B : Yes. This is a very urgent job, **and I must finish this by noon.**

□ (2) Last night, my father went to drink with his colleagues without saying anything. **My mother waited for his call until midnight.** She's furious at him.

424 □ (1) I have something to tell you. **Come with me, please.**

□ (2) This computer often stops responding. **I think something is wrong with it.**

425 □ A : What were they talking about?

B : **They were talking about the accident that happened this morning.**

426 □ (1) A : Do you play tennis, Stan?

B : Yes, I do. You too? **Why don't we play tennis after school?**

□ (2) In order to watch the final episode of the TV drama, **I got home before eight o'clock yesterday.**

427 □ (1) The cherry trees were beautiful in full bloom on both sides of the river, **so we walked along the river for a while.**

□ (2) The other side didn't seem far away, **and the man tried to swim across the channel.**

□ (3) After running along a long coastline, **the train went through a tunnel.**

□ (4) A : Where should we sit?

B : **Please sit around the big table.**

428 □ (1) Please move your car right now. **You are not allowed to park your car in front of this building.**

□ (2) A : Excuse me. Where is the post office?

B : **The post office is behind that building.**

□ (3) A : Could you tell me where the bank is?

B : **The bank is opposite that building.**

429 □ (1) A : Thank you for inviting me.
B : Sure! Welcome to our house. **Please go into the living room.**

□ (2) I know where you're hiding. **Come out of the kitchen now!**

□ (3) It is fun watching my cat. Yesterday, **she tried to jump onto the TV set and failed.**

430 □ (1) It looks like it's going to rain soon. **The rain clouds are over our heads.**

□ (2) I was looking for my key for over an hour. At last, **I found it under the desk.**

□ (3) I haven't been able to get a good night's sleep these days. **The people above us are very noisy.**

□ (4) It was the most beautiful sunset I had ever seen. I was just watching it, and finally, **the sun sank below the horizon.**

431 □ (1) A : Where do you sit in the classroom?
B : **I always sit in the front row, between Allison and Jane.**

□ (2) When the man saw a police officer, **he started to run away and disappeared among the people in the crowd.**

432 □ (1) I heard a rumor about Mary. **According to George, she got a love letter from Steve.**

□ (2) Today, we have bad news. **Mike couldn't join the team because of his broken arm.**

第24章 接続詞

433 □ (1) We were waiting for Gary in the meeting room. **He arrived on time and we started the meeting.**

□ (2) A : What did you buy for lunch?
B : **I bought a cheeseburger and French fries.**

434 □ His way of talking was so impressive. When I first heard his story, **I thought it was true, but actually it wasn't.**

435 □ A : Do you often go abroad for shopping?
B : Yes, I do. **I want to go to Hong Kong or Singapore this summer.**

436 ☐ We've lived in Japan for twenty years, so **our son Steve can both speak and write Japanese.**

437 ☐ (1) A：Who do you think that elegant lady is?
B：**I think she is either a president or a director.**

☐ (2) We're at a loss what we should do. **The boy neither admits nor denies that he told a lie.**

438 ☐ (1) A：Dad, can I go surfing tomorrow morning?
B：**Get up early, and you'll have time to go surfing before breakfast.**

☐ (2) You always drive too fast. **Drive more slowly, or you'll have an accident.**

439 ☐ (1) My brother is good at programming games. **He has not one but two computers.**

☐ (2) My father works at a trading company. **He speaks not only English but also Spanish.**

440 ☐ (1) I don't want to become a celebrity at all. **What I need is not fame, nor money.**

☐ (2) I can't imagine living with a reptile in my house. Above all, **I don't want to see a snake, nor do I want to touch one.**

441 ☐ (1) A：Officer, I was in a big hurry to catch my flight.
B：Such an excuse cannot be accepted. **You broke the speed limit, so you'll have to pay a fine.**

☐ (2) A：What time did you get up this morning?
B：**I got up at five, for I wanted to watch the sunrise.**

442 ☐ (1) It might be hard to believe, **but it is true that Bill passed the entrance examination.**

☐ (2) You made the same mistake again! **The problem is that you never learn from your mistakes.**

☐ (3) My uncle looks like an ordinary office worker. **I can't believe that he is a well-known artist.**

443 ☐ A：I think Thomas has a talent for inventing.
B：I share the same view. **I'm sure that he will succeed in his own business.**

444 ☐ (1) Scientists have identified traces of water on Mars, **but it is unknown whether there is life on the planet.**

☐ (2) A : I do hope the female candidate will win the election.
B : Me too. **The question is whether the voters will elect her.**

☐ (3) A : I wonder who that woman is. What did she say to you?
B : **She asked us if we wanted something to drink.** She's a volunteer worker.

445 ☐ (1) This photo reminds me of my childhood. **I used to go swimming in the river when I was a child.**

☐ (2) Is there a police box near here? I found a wallet while **I was jogging in the park.**

446 ☐ (1) A : Do I need to prepare anything for my trip to India?
B : Yes. **You need to get a visa before you enter the country.**

☐ (2) My brother is now working in Berlin, Germany. **He started learning German after he moved there.**

447 ☐ (1) My uncle lives in Hawaii running a Japanese restaurant. **He's lived there since he was twenty years old.**

☐ (2) A : Do you have time? We need to talk.
B : OK, but now I need to go to the post office. **Can you wait until I get back?**

448 ☐ (1) Her dog, Rally, always waits for her to come home at the front door. **He starts to wag his tail as soon as he hears her footsteps.**

☐ (2) A : I'm planning to buy a car.
B : Good idea. **Once you get a car, you can go anywhere you want.**

449 ☐ (1) I shouldn't have told a lie to Mr. Brown. **He was very angry because I didn't tell the truth.**

☐ (2) A : I want to go to the party. May I?
B : **Since you have a fever, you should stay home tonight.**

450 ☐ (1) You are right not to have attended the lecture. **It was so boring that half the students fell asleep.**

☐ (2) A : How was the movie? Was it interesting?
B : No way! **It was such a boring movie that I fell asleep within ten minutes.**

451 □ A: Can we talk in private?
B: Sure. **Should I lock the door so that no one can come in?**

452 □ (1) A: What else can I do for you?
B: **Could you read my report if you have time?**

□ (2) A: Do you happen to know what time John is arriving?
B: **He'll be here at six unless his flight is delayed.**

453 □ Miki's parents are from China, but she was born in Japan. **Although she can speak Chinese, she can't write it.**

454 □ Keep in mind that failure is the mother of success. **Never give up even if you make mistakes.**

455 □ (1) A: Can I watch TV after dinner? I want to watch my favorite anime.
B: Well, **you can watch TV as long as you do your homework first.**

□ (2) Michel is accused unfairly of theft. **As far as I know, he is not guilty.**

456 □ (1) A: Are you able to arrive in time?
B: Probably. **But in case I'm late, start without me.**

□ (2) A: The weather forecast says there is a 20 percent chance of rain today.
B: **Then I'll take an umbrella in case it rains.**

457 □ Don't be so picky about what you eat. **You must eat the carrots whether you like them or not!**

初　版第1刷発行　2021年9月1日

完全準拠音声トレーニングブック

聴く・話す基礎力を身につけるトレーニング

著　　者　鈴木 希明　Guy Fisher
高田 有現　髙橋 克美　山田 光
墺 タカユキ　川崎 芳人　久保田 廣美　土屋 満明

発 行 者　前田 道彦

発 行 所　株式会社いいずな書店
〒110-0016　東京都台東区台東1-32-8　清鷹ビル4F
TEL 03-5826-4370　振替 00150-4-281286
ホームページ https://www.iizuna-shoten.com

印刷・製本　日経印刷株式会社

◆ 英文校閲／Keith McPhalen
◆ 編集協力／大川努　林洋章　スタジオ枝川
◆ 装丁／BLANC design inc.　阿部ヒロシ
◆ 本文デザイン・DTP／伊東岳美

ISBN978-4-86460-371-3 C7082